De geur van onze aarde

KENIZÉ MOURAD

De geur van onze aarde

Uit het Frans vertaald door Pauline Sarkar

UITGEVERIJ DE GEUS

Deze uitgave is mede mogelijk gemaakt dankzij een bijdrage van het
Franse ministerie van Buitenlandse Zaken, het Institut Français des Pays-Bas/
Maison Descartes en de BNP Paribas

Oorspronkelijke titel *Le parfum de notre terre – Voix de Palestine et d'Israël,*
verschenen bij Éditions Robert Laffont, S.A., Parijs
Oorspronkelijke tekst © Éditions Robert Laffont, S.A., Parijs 2003
Nederlandse vertaling © Pauline Sarkar en Uitgeverij De Geus bv, Breda 2004
Omslagontwerp Uitgeverij De Geus
Omslagillustratie © Bojan Brecelj/Corbis/TCS & Peter Trunley/Corbis/TCS
Foto auteur © John Foley
Druk Koninklijke Wöhrmann bv, Zutphen
ISBN 90 445 0522 X
NUR 320

Verspreiding in België via Libridis nv, Industriepark-Noord 5a,
9100 Sint-Niklaas

Men moet niet oordelen,
men moet begrijpen.

– Spinoza

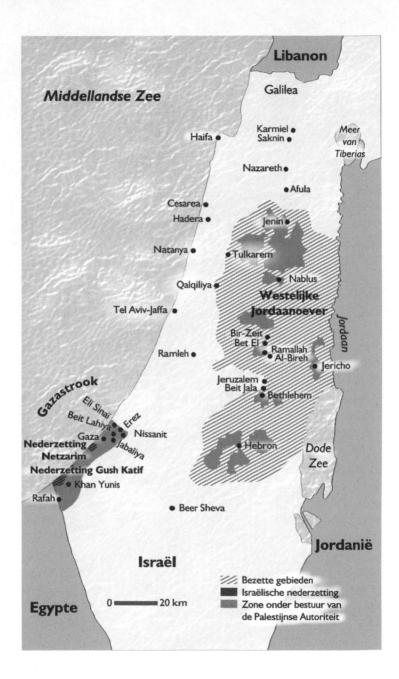

Inhoud

Inleiding

Hoewel ik als journaliste al ruim vijftien jaar gespecialiseerd ben in het Midden-Oosten en met name in het Israëlisch-Palestijnse conflict, schreef ik al lang niet meer over dit onderwerp. In een zo emotionele situatie is het moeilijk zich uit te drukken zonder verdacht te worden van antisemitisme door sommigen, en van anti-Arabisch racisme door anderen.

Maar over wat er zich sinds meer dan twee jaar afspeelt in dit gebied mag ik niet langer zwijgen. Omdat alle grote menselijke drama's ons aangaan en omdat het hier gaat om een strijd voor rechtvaardigheid en recht: het recht van de Israëli's op een rustig leven, maar ook het recht van het Palestijnse volk niet alleen om te overleven, maar ook om te leven in hun land, hoewel de Israëlische leiders het nu hebben over uitzetting.[1]

Onze ogen hiervoor sluiten en opgesloten blijven zitten in egoïsme dreigt bovendien verschrikkelijke gevolgen te hebben voor ons allemaal. Palestina is een kruitvat en toch laten we toe dat de situatie voortdurend verergert, waardoor niet alleen het Midden-Oosten maar de hele westerse wereld, beschuldigd van partijdigheid en schijnheiligheid, in brand kan vliegen.

Er staat ons een ongekende golf van terrorisme te wachten, die door niets of niemand zal kunnen worden gestopt. Wat men ook mag beweren, terrorisme valt niet in te dammen met militaire of politionele acties, de enige oplossing is om de oorzaken aan te pakken, niet om het terzijde te schuiven als daden van waanzin of fanatisme.

---

1. Eerder dan het overbrengen van de bevolking naar Jordanië en Libanon, wat voor die landen een casus belli zou kunnen zijn, staat Israël een binnenlandse transmigratie voor ogen: de bevolking van de dorpen deporteren naar de zeven steden op de Westelijke Jordaanoever, die zo enclaves worden, en de grond annexeren, om zo het ideaal te verwezenlijken van een 'land zonder volk'.

Veel Israëli's weten het: hoe meer Palestijnen er gedood worden door Israëlische soldaten, des te meer vrijwilligers komen er voor zelfmoordaanslagen. Repressie is alleen een oplossing voor de korte termijn.

Ik wilde politieke analyses en interviews met hooggeplaatste verantwoordelijken vermijden en daarom ben ik teruggekeerd naar dit gebied om het woord te geven aan de 'gewone mensen': mannen, vrouwen en kinderen, Palestijnen en Israëli's. Ik schets hier hun levensverhaal en dat van hun ouders – sommigen zijn overlevenden van vernietigingskampen, anderen zijn verjaagd uit hun dorpen in Palestina en opgesloten in vluchtelingenkampen – om zo hun angsten, hun noden en hun beleving van het heden te kunnen begrijpen.

De verharding van de Israëlische maatschappij te begrijpen, die vroeger het akkoord tussen Rabin en Arafat steunde voor een vreedzaam samenleven van beide landen, maar nu neigt naar de extremisten onder leiding van Sharon, die elke gedachte aan een onafhankelijke Palestijnse staat verwerpen. Een samenleving die in voortdurende angst leeft, omdat ze ervan overtuigd is dat de Palestijnen het einde van Israël willen, een samenleving die de irrationele angst heeft dat de nachtmerrie van de holocaust zich zal herhalen, terwijl ze toch een van de machtigste legers ter wereld bezit en tegenover zich slechts stenen, een paar geweren en tragische menselijke bommen vindt.

Ook de verbittering en de angst van de Palestijnen te begrijpen, die ervan overtuigd zijn dat de Israëlische leiders hun hebben voorgelogen en nooit de intentie hebben gehad hun een eigen land toe te staan, maar daarentegen wachten op de gelegenheid om hen te kunnen elimineren, en zo dan eindelijk hun droom van een Groot-Israël te verwezenlijken. Hun opstandigheid bij de voortdurende toename van het aantal nederzettingen te begrijpen, en de verbittering van een bevolking die tot grote armoede gebracht is door een systematische onteigeningspolitiek, het instellen van uitgaansverboden en het opwerpen van wegversperringen en vooral de wanhoop te begrijpen die hen brengt tot de ergste uitwassen.

Maar ook het gevoel dat het allemaal een verschrikkelijk misverstand is, achtervolgde me daar voortdurend. De meeste mensen die ik interviewde waren zo gemanipuleerd door extremisten van beide zijden dat ze ervan overtuigd waren dat hun tegenstanders hen wilde vernietigen.

Je moet zelf uren bij een wegversperring gewacht hebben in de brandende zon tussen vrachtwagens vol rottende groenten en geblokkeerde ambulances, je moet gehoord hebben hoe moeders onbewogen en soms spottende soldaten smeken om hun zieke kind door te laten, je moet een vader gezien hebben die zich verstopt om te huilen omdat zijn achtjarig zoontje is neergemaaid toen hij een kip probeerde te vangen, of dat verlamde jochie gehoord hebben dat op zijn ziekenhuisbed vertelt hoe hij uit school kwam en hoe drie soldaten toen voor de lol op hem schoten. Je moet ook gezien hebben hoe Orit, een jonge Israëlische, wier zus gedood is bij een zelfmoordaanslag, dapper haar tranen bedwingt en verstijfd in haar opstandigheid steeds maar herhaalt: 'Dat snapt u niet, ze willen helemaal geen vrede, ze willen ons uit de weg ruimen!'

Aan de andere kant zeggen Samira, Etedel en Leïla precies hetzelfde.

Ik heb ook, aan beide zijden, een minderheid ontmoet die geen vrede wil... of ten koste van de totale ondergang van de ander. Israëlische bewegingen voor wie de Westelijke Jordaanoever deel moet uitmaken van Israël, omdat Jaweh het hun gegeven heeft. Bepaalde Palestijnse groeperingen die de terugkeer willen van alle vluchtelingen naar hun vroegere huis, dat wil zeggen voor het overgrote deel naar gebieden die nu Israël vormen. Wat het demografisch evenwicht van het land en de bestemming ervan als voor de joden gecreëerde zionistische staat zou verstoren.

Maar ik heb ook aan beide kanten mensen ontmoet die actief voor vrede ijveren.

Aan Palestijnse zijde weten ze dat alleen een machtsevenwicht een realistische optie is. Maar deze vredesactivisten weigeren bovenal de Israëlische regeringen van haviken over één kam te scheren met een bevolking waarvan ze denken dat ze het er wel mee zullen kunnen vinden.

Van Israëlische kant heb ik vooral de stem willen laten horen van een minderheid die bijna nooit van zich doet spreken en die toch de hoop voor de regio belichaamt. De paar mannen en vrouwen die, ondanks alles, strijden voor de rechten van de Palestijnen doen dat natuurlijk allereerst opdat dit geknechte volk kan overleven, maar ze doen het ook voor het overleven van hun eigen land. Ze zijn zich ervan bewust dat de politiek van Sharon en de zijnen op de lange duur gelijkstaat aan zelfmoord.

Bovendien strijden ze, met een zeldzaam grote morele kracht, voor het behoud van universele humanistische waarden. Ze strijden, zeggen ze zelf, om niet te lijken op degenen die in de afgelopen eeuwen hun beulen waren.

In dit conflict is de enig mogelijke overwinning gelegen in het opgeven van bepaalde zaken aan beide zijden. Geweld, oorlog dient nergens toe, want de overwonnene blijft dat niet lang. Deze aarde is te verankerd in ieders hart; een militaire regeling kan alleen maar tijdelijk zijn. Elke nieuwe generatie zal de strijd hervatten, en dit steeds heviger, want het toenemen van lijden en dood vergroot de haat.

Er zijn oplossingen naar voren gebracht,[2] maar er moet de wil zijn om ze nader uit te werken, en daarboven vooral ook edelmoedigheid en moed, om ze in praktijk te brengen.

In mijn interviews met Palestijnen heb ik de meeste namen van mensen en plaatsen veranderd om degenen te beschermen die bereid waren mij hun verhaal te vertellen. Soms heb ik dat gedaan ondanks het feit dat ze me gezegd hadden dat het niet hoefde, want dat hun leven zo ondraaglijk was dat het hun niets uitmaakte om te sterven.

---

2. Zie de bijlagen 'Camp David 2', 'Het overleg van Taba' en 'Het recht op terugkeer'.

Dagelijks leven

Een driemaal verwoest huis

Ik kwam in Jeruzalem aan op een avond in mei 2002. Vanaf het balkon van mijn kamer zag ik uit over de oude stad, die baadde in de gouden avondzon. Achter de hoge gekartelde muren uit de Ottomaanse periode kun je de koepels van de grote kerken en moskeeën zien, waar vlakbij de blauw met witte vlaggen met de davidsster wapperen.

In de in brand staande lucht komen zwermen zwaluwen voorbij die dartelen in het laatste avondlicht terwijl in de verte de roep van de muezzin klinkt. Dan wordt alles rustig, uit de struiken stijgt de bedwelmende geur van jasmijn op, je laat je wiegen door de kalme sfeer, je begint te dromen van het eeuwige Jeruzalem, de stad van vrede, en je vergeet de broederoorlog die er al tientallen jaren woedt...

De volgende ochtend heb ik een afspraak met Salim Shawamreh in Oost-Jeruzalem, op de patio vol bougainville van de American Colony. Deze oude Palestijnse woning, majesteitelijk met haar veranda's en hoge boogramen waar aan het einde van de negentiende eeuw een Amerikaanse gemeenschap in gehuisvest was, is nu sinds vijftig jaar een hotel.

Ik weet niets van Salim, behalve dan dat hij zijn eigen huis driemaal verwoest heeft zien worden en lid is van een comité tegen de verwoesting van Palestijnse huizen.

Ik zie een korte gedrongen man aankomen, met een zwarte krullenbos en een glimlachend gezicht, die zich uitput in verontschuldigingen dat hij te laat is.

'Ik woon in Kufr Aqab,' legt hij uit, 'een voorstad van Jeruzalem, gescheiden van de stad door militaire versperringen. Het duurt vaak wel twee of drie uur om erdoor te komen, en soms is alles helemaal afgesloten, zoals vandaag. Ik moest langs kleine weggetjes door de heuvels.'

'En waarom zijn ze dicht?'

'Ze zijn bang voor incidenten: gedurende spertijd is er vanochtend een kind gedood in Ramallah. Sinds twee jaar worden er dagelijks kinderen gedood. Het ergste is nog dat het bijna gewoon wordt...'

De ouders van Salim zijn boeren uit Um Shawaf, een dorpje dat ze in 1948 moesten ontvluchten toen het gebombardeerd werd door het leger van de Haganah[3].

'Het lukte mijn familie wat geld en sieraden mee te nemen en ze vestigden zich in Oud-Jeruzalem. Daar ben ik geboren. Ik herinner me dat de stad rustig was, dat iedereen in de wijk elkaar kende, dat we er op straat speelden en elke vrijdag naar de al-Aqsamoskee gingen. Mijn vader had een café, we hadden het goed. Maar toen het Israëlische leger in 1967 Oost-Jeruzalem bezette, werd ons café geconfisqueerd en zo werden we weer vluchtelingen. We waren toen met vijf broers en zusters, ik was elf. Net als duizenden anderen moesten we vluchten, want de soldaten dreigden dat ze de huizen zouden verwoesten met ons er nog in. Toen zijn we naar kamp Shufat gegaan. Daar zaten honderden gezinnen die net als wij gevlucht waren. Er werden ons twee kamertjes toegewezen, waar we jaren in gewoond hebben. Mijn moeder huilde vaak... Weet u, Palestijnen die alles kwijt zijn en in dit soort omstandigheden moeten leven, dromen ervan die ellendige kampen te verlaten en ooit een eigen huis en een menswaardig leven te hebben. We werken, we sparen elke cent om de vereiste som opzij te leggen en als we er dan eindelijk in geslaagd zijn een huis te bouwen... verwoesten de Israëli's het weer!'

'Maar waarom?'

'Zogenaamd omdat we geen vergunning hebben. Maar vergunningen geven ze nooit af! Ik zal u vertellen wat mij is overkomen, maar er zijn duizenden zoals ik...

Ondanks alle moeilijkheden heb ik mijn hele jeugd door

---

3. Een joodse paramilitaire organisatie die in 1920 in Palestina is opgericht. In 1948 wordt dit het nieuwe Israëlische leger.

gestudeerd, want ik wist dat dat de enige manier was om eruit te komen. In 1977 behaalde ik het ingenieursdiploma bouwkunde, ik trouwde met een Palestijns nichtje, ook een vluchtelinge, en ging werken in Saoedi-Arabië. Na verloop van tien jaar keerde ik terug met mijn vrouw en drie kinderen. Ik had nu geld, ik wilde een huis voor mijn gezin. Ik kocht een stuk grond in het dorp Anata, drie kilometer van Oud-Jeruzalem.

Ik vroeg voor het eerst een bouwvergunning aan in 1990 en betaalde vijfduizend dollar aan het Israëlische civiele bestuur[4] voor het registreren van mijn aanvraag. Na anderhalf jaar kreeg ik een negatief antwoord: mijn grond zou buiten het bouwplan van het dorp liggen. In werkelijkheid is er helemaal geen kadaster in onze dorpen, het is er nog als in de Ottomaanse tijd, maar de Israëlische regering gebruikt dit voorwendsel om ons het bouwen te beletten. Ze heeft gewoon grenzen rond de dorpen getrokken aan de rand van de bebouwing, zodat er geen stukje bouwgrond over is. Zodoende kunnen de autoriteiten, zodra iemand iets bouwt, dat weer laten afbreken en zeggen: "Logisch, ze hadden geen vergunning." Ze zorgen ervoor dat in de ogen van de wereld de wet wordt nageleefd, maar in feite maken ze ons het leven onmogelijk, teneinde ons te dwingen het land te verlaten.

Zodra ik hun antwoord had, heb ik me tot het civiele bestuur gewend met de woorden: "Ik ga bouwen, ik moet mijn gezin huisvesten. Kom het maar afbreken als jullie dat willen." Ze antwoordden: "Oké, je krijgt een vergunning, maar aangezien de grond buiten het dorp ligt, moet je een verzoek indienen voor landbouwgrond, alsof je er een boerderij wilt neerzetten."

Weer betaalde ik vijfduizend dollar en wachtte ik anderhalf jaar.

Toen zeiden ze: "We kunnen je geen vergunning verlenen want het terrein is te steil."

---

4. Het Civiele Bestuur is in feite een militaire administratie die belast is met de verstrekking van reis- en vestigingsvergunningen aan de Palestijnse bevolking in de bezette gebieden.

"Geen probleem, dat maak ik wel plat met een bulldozer!"
Ze weigerden, terwijl heel Jeruzalem gebouwd is op heuvels!
Ze zeiden: "Dien maar weer een aanvraag in!"
En wéér betaalde ik vijfduizend dollar. En wéér weigerden ze:
"Als je huis daar komt, ligt het te dicht bij een Israëlische weg."
Dit waren uiteraard allemaal voorwendsels om me maar geen
vergunning te verlenen. Ik had drie aanvragen ingediend, vier
jaar gewacht en vijftienduizend dollar uitgegeven: alles voor
niets. Vijftienduizend dollar, stelt u zich voor: een Palestijn van
hier verdient vijfhonderd dollar per maand, hoe kan die ooit
zulke bedragen betalen, alleen maar voor een vergunning!

Mijn spaargeld raakte op, mijn gezin werd groter, we konden
niet meer in één kamer wonen. Daarom besloot ik in 1994 het
risico te nemen en te gaan bouwen. Alle Palestijnen nemen dit
risico: een mens moet toch een dak boven zijn hoofd hebben. Je
zegt tegen jezelf: misschien heb ik geluk, ze kunnen niet alles
controleren, er staan duizenden huizen die zonder vergunning
gebouwd zijn. Misschien komen ze pas over een jaar of twee en
misschien laten ze ons eerst met rust… Aangezien het net na de
ondertekening van de akkoorden van Oslo was, dacht ik: nu
komt alles goed, nu zijn ze vast niet meer zo streng, nu zullen ze
het niet afbreken. Wat was ik naïef!

We hebben vier jaar in ons huis gewoond. Het waren mooie
jaren! De kinderen waren gelukkig, voor het eerst hadden ze
genoeg plek om te leren en te spelen. We hadden zelfs een tuin
aangelegd met bloemen en vruchtbomen, sinaasappels, citroe-
nen, vijgen en olijven. Dat was allemaal dankzij tien jaar werken
in Saoedi-Arabië. We genoten ervan.

Tot de negende juli 1998, de ergste dag van mijn leven!
Ik zat te lunchen met het gezin toen ik lawaai hoorde. Ik liep
naar buiten en zag tientallen soldaten om mijn huis heen staan.
Een inspecteur in burger vroeg me: "Is dit jouw huis?"
"Ja."
"Nou, nu niet meer! Je hebt een kwartier om je spullen te
pakken."
Ik protesteerde, ze begonnen me te slaan, vervolgens deden ze

me de handboeien om en gooiden me op de grond. In paniek sloot mijn vrouw zich in huis op met onze zes kinderen en riep onze vrienden te hulp. Toen braken de soldaten een ruit en gooiden traangasgranaten naar binnen, vervolgens trapten ze de deur in om mijn flauwgevallen vrouw en de doodsbange schreeuwende kinderen eruit te halen.

Mij hielden ze tegen de grond gedrukt, ik zag alles en kon niets doen.

Buren kwamen aanrennen om ons te helpen. De soldaten schoten. Er vielen zeven gewonden, een jongen van vijftien is er zelfs een nier door kwijtgeraakt. Israëli's van het Comité tegen Afbraak kwamen ons te hulp en gingen voor de bulldozer staan, maar ook zij werden aangehouden en geslagen.

Nadat het leger alles verwoest had, zelfs de bomen, trok het zich terug met achterlating van een rekening van vijftienhonderd dollar, om de verwoesting van ons huis te betalen...

De volgende dag bracht het Rode Kruis ons een tent, waarin we een tijd gewoond hebben met onze zes kinderen, naast de puinhopen. We waren als verdoofd. De kinderen huilden voortdurend.

Toen kwamen de mensen van het Israëlische Comité tegen Afbraak en moedigden ons aan: "Jullie moeten volhouden. We gaan jullie helpen om op dezelfde plek weer te bouwen." Ze overtuigden me, en samen begonnen we aan de herbouw. De buitenstructuur was klaar op 2 augustus 1998, er stonden alleen muren en een dak, we konden er nog niet in wonen. Maar we waren blij, we vierden zelfs een klein feestje.

Een week later, op 10 augustus om vier uur 's ochtends, zagen we op ons gerichte mitrailleurs, zodra we onze ogen openden. Rondom ons stonden soldaten, en weer verscheen er een bulldozer om alles te vernietigen. De Israëlische vrienden arriveerden ook weer. Een Amerikaanse professor probeerde zich aan een balkon vast te ketenen, ze gooiden hem van het terras en hij brak drie ribben. Ten slotte haalden ze de laatste bomen om die er nog stonden, en namen zelfs de tent weg, onder het voorwendsel dat ik geen vergunning had aangevraagd om in een tent te wonen...'

'Het is niet waar!'

'Echt! Ze lieten me, met mijn vrouw en zes kinderen, achter in het stof van het puin, zonder iets.

Die nacht bleef de coördinator van de organisatie, Jeff Halper, die sindsdien een vriend is, bij ons slapen, evenals twee andere leden van de ngo.

Maar voor mijn vrouw was het allemaal te veel. Ze kreeg een zware depressie. Ze sprak niet meer, leek niets meer te horen. Ik heb haar en de kinderen naar haar familie in Jordanië gestuurd. Maandenlang is ze in het ziekenhuis geweest, ze is nog steeds niet helemaal beter. En de kinderen waren heel lang bang om 's nachts van hun kamer naar de badkamer te gaan en plasten in bed; op school letten ze niet meer op.'

Terwijl wij praten vliegen er gevechtshelikopters over onze hoofden heen.

'Die zijn op weg naar Ramallah', is het sombere commentaar van Salim.

Op de patio van de American Colony verstommen de gesprekken.

'Die tweede verwoesting veroorzaakte grote opschudding', hervat Salim. 'Dankzij Jeff spraken de kranten erover. Het kantoor van het civiele bestuur schreef naar de krant om te zeggen dat het grondbezit het probleem was, dat er twee handtekeningen ontbraken. Dat hadden ze eerder nooit gezegd.

Drie maanden lang probeerde onze advocaat te weten te komen welke handtekeningen dat dan waren, maar antwoord kreeg hij niet. Aangezien Anata een klein dorpje is, vroeg ik aan iedereen om een document te ondertekenen waarop stond dat hij mij de toegang tot mijn eigen terrein niet ontzegde en dat hij er geen bewaar tegen had als ik erop ging bouwen. Die driehonderd handtekeningen bracht ik naar de advocaat.

De autoriteiten zeiden: "Die namen kennen we niet!" en verwierpen het dossier. Het was duidelijk kwade wil van hun kant, bij hen hoefde ik nooit meer aan te kloppen.

Voor de derde keer overtuigde Jeff me ervan dat ik weer moest bouwen. Honderden Israëlische, Palestijnse en buitenlandse vrijwilligers deden mee. We waren op 9 juli 1999 klaar. We hadden een geraamte gebouwd, we woonden er niet. Er kwam niemand. Daarom begon ik het huis na een paar maanden te verven, van binnen af te werken en elektriciteit aan te leggen. Op 3 april 2001 was ik klaar. We hebben er één nacht in gewoond. Op 4 april om acht uur 's morgens kwamen de bulldozers weer en verwoestten ons huis voor de derde keer!

De kinderen waren naar school. Toen ze thuiskwamen, snapten ze het eerst niet, ze zochten het huis. Maar toen ze beseften dat het weer vernietigd was, had je hun ogen moeten zien! De kleine van zes kreeg stuipen. Weet je, voor een kind is dit nog erger dan voor ons. Je huis is je veiligheid, je nest. Als je zijn nest verwoest, voelt een kind zich in levensgevaar.

'Afgelopen maand april[5] zag mijn dochtertje van elf helikopters raketten afvuren op het hoofdkwartier van de Palestijnse politie in Ramallah. Van angst kon ze niet meer op haar benen staan, ze viel om en had heftige maagkrampen. Ik probeerde haar gerust te stellen: "Wees maar niet bang, papa is hier om je te beschermen."

Ze keek me aan: "Hoe kun jij me nou beschermen? Ik zag hoe de soldaten je tegen de grond gedrukt hielden toen ze ons huis verwoestten."'

Hij verbergt zijn gezicht in zijn handen.

'Dat is het allerergste, dat mijn kinderen het gevoel hebben dat hun vader niets voor ze kan doen.'

Ik probeer van onderwerp te veranderen.

'Waar leeft u van?'

'Ik kan hier geen werk vinden als ingenieur, ik ben chauffeur voor een krant. Maar daarmee verdien ik niet genoeg: mijn zoon van zestien moest stoppen met school om ons te helpen. Hij werkt als arbeider en staat zijn hele loon aan ons af; en wat de huur betreft voor ons huis in Kufr Aqab, die wordt betaald

---

5. In april 2002, tijdens de bezetting van Ramallah.

door het Israëlische Comité tegen Afbraak.'

'En nu, wat gaat u nu doen?'

'Doorgaan met ons verzet. Sinds twee maanden zijn we weer aan het bouwen. Tweehonderd vrijwilligers doen mee. Binnenkort komt het dak op het nieuwe geraamte.'

Salim kijkt me strak aan: 'Iemand die ziet hoe zijn grond wordt ingepikt en zich niet verzet, is een beest! Wij zullen ons verzetten, zelfs als in de afgelopen vijfendertig jaar alles er alleen maar erger op is geworden! Weet u, een tijdje geleden betrapten de soldaten iemand die de dam bij Qalandiya probeerde te omzeilen om naar zijn werk te gaan. Ze blinddoekten hem en lieten hem urenlang vastgebonden staan aan die dam. De man stierf van de dorst en vroeg om water. Ik zag hoe een soldaat in een fles urineerde en zei: "Mond open!" De man begon te drinken, maar toen hij besefte wat hij dronk moest hij overgeven en kronkelde over de grond van de vernedering. De soldaten brulden van het lachen en voerden hem daarna af.[6] Dát is bezetting, en de internationale gemeenschap weet het en doet niets!'

---

6. Dit soort dingen gebeurt elke dag, de Israëlische soldaten schijnen absoluut straffeloos hun gang te kunnen gaan. In Nablus, waar al maanden spertijd heerste, waagde een 25-jarige man zich buitenshuis om aan eten te komen. Na zijn arrestatie werd hij onder bedreiging van geweren gedwongen naakt op handen en voeten blaffend door de straten van de stad te gaan. Gerapporteerd door agentschap Reuter.

Een nieuw lottospel bij de versperring te Hebron: soldaten laten de jonge mannen die wachten om doorgelaten te worden een lootje trekken. Op elk papier staat welk van hun ledematen de soldaten zullen breken, arm, hand, been... Soms mogen ze kiezen, in december trok een 22-jarige man het lootje van een klap op het hoofd. Hij is eraan overleden. Gerapporteerd door al-Jazeera.

Jeff Halper

Na mijn ontmoeting met Salim Shawamreh wilde ik kennis-maken met zijn vriend Jeff Halper. We spraken af bij het grote postkantoor in Jaffa Street, in het hartje van de winkelwijk van Jeruzalem. Op zo'n vrijdagmiddag doet iedereen boodschappen voor de sabbat. Voor de overdekte markt en de warenhuizen worden de boodschappentassen geïnspecteerd door politiemen-sen in groene uniformen. De bussen die langsrijden zijn bijna leeg; sinds de aanslagen lopen de mensen liever of nemen ze een taxi als ze dat kunnen betalen. Achter schuttingen werken Arabisch-Israëlische bouwvakkers[7] op een bouwplaats. Ze kij-ken naar niemand en niemand kijkt naar hen.

Op straat loopt een bonte verscheidenheid aan mensen: jonge vrouwelijke soldaten in kaki-uniform, met hun olijfkleu-rige Oosterse huid, tengere Ethiopische vrouwen met gazellen-ogen, van de joodse stam der Falacha's, bleke vrouwen met een hoed op, anderen in spijkerbroek met blote navel, veel jonge mannen met een keppeltje, een orthodoxe priester in een stof-fige, zwarte jurk met wapperende haren, Filippijnse meisjes die sinds enige tijd ingehuurd worden ter vervanging van de Ara-bische meisjes van vroeger, en ten slotte, opvallend in deze menigte, een Palestijnse vrouw met een witte hijab[8] over haar haren, die op de bus staat te wachten met een gezicht dat gesloten is voor de wereld om haar heen.

Een kleine man in shorts spreekt me aan: 'Ik ben Jeff', zegt hij, terwijl hij me stevig de hand drukt. Zijn brede gezicht met grijze baard is energiek en open.

---

7. Er zijn in Israël een miljoen Arabieren met de Israëlische nationaliteit, afstammelingen van de Palestijnen die niet zijn weggegaan in 1948, en in Jeruzalem tweehonderdduizend Palestijnen onder Israëlisch gezag.
8. Sjaal om de haren te bedekken, wordt gedragen door traditionele moslima's.

We hebben de grootste moeite een rustig café te vinden in deze wijk waar bars en restaurants klanten trekken met de nieuwste muziek. Ten slotte gaan we vlak bij een bouwplaats zitten, waar het relatief rustig is.

Jeff Halper is de coördinator van het Israëlische Comité tegen de afbraak van Palestijnse huizen. In de bezette gebieden zijn er sinds 1967 al negenduizend verwoest, waarvan tweeduizend sinds het begin van deze intifada.

'De afbraak van de huizen maakt deel uit van een beleid dat erop gericht is Palestijnen te isoleren op kleine eilandjes op de Westelijke Jordaanoever, in Gaza en in Oost-Jeruzalem, om zoveel mogelijk land zonder bevolking te krijgen', legt hij uit. Sinds 1967 is dit de politiek van alle Israëlische regeringen, van links tot rechts zijn ze allemaal altijd doorgegaan met koloniseren.'

Jeff begon zich zeven jaar geleden met dit probleem bezig te houden.

'Na de akkoorden van Oslo tussen Rabin en Arafat[9] was de vredesbeweging in slaap gesukkeld. Toen Netanyahu[10] aantrad, werden we wakker en beseften we dat de grote zwakte van onze beweging was dat we de Palestijnen wel steunden, maar nooit de gebieden ingingen om hen te ontmoeten en hun te vragen hoe we ze konden helpen. Eigenlijk belichaamde onze beweging jarenlang de Israëlische maatschappij, die er altijd van overtuigd was beter dan alle anderen te weten wat er gedaan moest worden. Wij namen beslissingen over het programma en luisterden niet naar de Palestijnen. Misschien dankzij mijn opleiding als antropoloog koos ik voor een andere benadering. En nu streven we steeds naar een gelijkwaardige relatie. We moeten goed opletten want ook al zijn we mensen van vrede, we zijn toch vaak geneigd ons in vergaderingen te gedragen als de

---

9. Vredesakkoorden die getekend zijn in 1993, zie bijlage.
10. Benjamin Netanyahu, kandidaat van de Likud, een rechtse partij, is minister-president van Israël van mei 1996 tot mei 1999, datum waarop hij vervangen wordt door de linkse kandidaat Ehud Barak.

meesters, die zelfverzekerd en luid spreken. We zijn niet bang, we willen optreden. Dat is makkelijk, wij keren niet terug naar ons huis om dan te zien dat het verwoest is! Soms vertellen de Palestijnen ons niet alles, omdat ze bang zijn dat onze reacties de gevolgen voor hen nog erger zullen maken. Het is dus van essentieel belang een vertrouwensrelatie op te bouwen.

Als de Palestijnen tegen ons zeggen: "Het grootste probleem waar de meeste mensen last van hebben is het feit dat onze huizen worden afgebroken en onze grond in beslag wordt genomen", dan moeten onze inspanningen daarop gericht zijn.

Sinds 1967 breken de Israëlische autoriteiten huizen af en onteigenen ze om zeer uiteenlopende redenen: voor de veiligheid, omdat ze grond nodig hebben voor de militairen of omdat er een bouwvergunning ontbreekt. Ze gebruiken een oude kaart uit de periode van het Britse mandaat,[11] waarop de Westelijke Jordaanoever de bestemming had van landbouwgrond, om te verhinderen dat er nu gebouwd wordt. Vreemd genoeg schijnt dit niet te gelden voor de bouw van nederzettingen!

Eigenlijk zijn het verkapte uitzettingen, onder het mom van wetshandhaving. Waar kunnen de Palestijnen heen als ze geen huizen en geen land meer hebben? Sharon deed daar trouwens niet geheimzinnig over toen hij bij zijn ambtsaanvaarding zei: "We moeten zo veel mogelijk nederzettingen bouwen zodat het onmogelijk wordt de gebieden terug te geven aan de Palestijnen." En Benny Allon, minister in het huidige kabinet, verklaarde: "We moeten ze het leven zo zuur maken dat ze uit zichzelf vertrekken."

Om dit beleid te dwarsbomen proberen wij de Palestijnen te helpen. Ze vragen ons: "Kunnen jullie een bouwvergunning voor ons regelen? Kunnen jullie de afbraak verhinderen door er een advocaat op te zetten? Komen jullie er dan voor gaan staan als de bulldozer komt? Kunnen jullie nieuw onderdak voor ons regelen, ons helpen om geld te vinden om te herbouwen?"'

---

11. Van 1922 tot 1948, de stichting van de staat Israël, bestuurden de Britten Palestina, dat daarvoor deel had uitgemaakt van het Ottomaanse Rijk.

Jeff wordt onderbroken door het geluid van zijn gsm. Hij praat lang en lijkt erg geïrriteerd. Zodra hij heeft opgehangen zegt hij: 'Het spijt me, ik moet weg. Ik hoor net dat er vanochtend vierendertig huizen zijn verwoest in een dorpje bij Ramallah, nieuwe huizen waar nog niemand in woonde en die gebouwd waren voor arbeidersgezinnen! Je kunt je de wanhoop indenken van die mensen die na jaren wachten eindelijk prettig zouden gaan wonen, niet meer met zijn allen opgepropt op vijftien vierkante meter! Vorige week zijn er ook al zes huizen verwoest. En ze zijn niet van mensen die beschuldigd worden van terrorisme, zoals ze ons altijd proberen wijs te maken! Nee, het is systematisch beleid waar wij tegenin moeten gaan. De Palestijnen hebben onze concrete hulp nodig, niet onze sympathie!'

Ik keerde terug naar Oud-Jeruzalem via de Damascuspoort. Net als elke dag is er 'Arabische markt' aan de voet van de door sultan Süleyman de Grote gebouwde stadsmuur; boeren uit de omtrek komen hier hun groenten en fruit verkopen en marskramers bieden er dranken, briefkaarten en allerhande snuisterijen te koop aan.

Soldaten met geweren slenteren rond en kopen kleinigheden, groene getraliede politiejeeps rijden toeterend langs. Op het gras picknicken vrouwen in luidruchtige groepjes terwijl de mannen wat verderop hun siësta houden. De sfeer is goedmoedig.

Als ik de oude stad binnenkom, kruis ik hordes vakantiegangers die gekomen zijn voor het Loofhuttenfeest[12], vrouwen met een hoed of een pruik[13] op, die kinderwagens voortduwen over het oneffen plaveisel, jongeren met keppeltjes op en met witte veters[14] die tegen hun kuiten slaan, orthodoxe chassidim in

12. Een religieus feest waarvoor men een week vakantie krijgt, gedurende welke tijd de joden heel eenvoudig moeten leven om zich te herinneren hoe hun voorouders veertig jaar in de woestijn doorbrachten voordat ze het Beloofde Land bereikten.
13. Getrouwde orthodox-joodse vrouwen mogen hun haar niet tonen.
14. Godsdienstig symbool van te houden beloftes.

zwarte tuniek met pofbroek, die ondanks de septemberhitte enorme bontmutsen dragen. Ze komen terug van hun gebeden bij de Klaagmuur, sommigen wagen zich in de christenwijk, omgeven door politie. Er zijn een paar winkeltjes open, waarvoor mannen op kleine krukjes triktrak zitten te spelen. Sinds de intifada gaan de zaken zeer slecht, wat de oecumene lijkt te hebben bevorderd, want je mag geen enkele klant verliezen omwille van een overtuiging! In alle winkels staan zevenarmige kandelaars naast Mariabeeldjes, iconen, rozenkransen en davidssterren boven een klein Jezusbeeld, Palestijnse geborduurde jurken en keppeltjes in alle kleuren liggen op T-shirts met in gouden letters de tekst: 'Don't worry, be Jewish!'

In de wirwar van straatjes is het onder de schitterende stenen bogen heerlijk koel. Kinderen spelen met een bal of racen op de fiets, ze hebben alle ruimte: verdwenen zijn de duizenden toeristen die nog maar twee jaar geleden ronddwaalden door deze stad, die een van de mooiste ter wereld is.

Ik loop door de joodse wijk, die er verlaten bij ligt in deze periode van feesten. De straten en de gevels met hun gulden stenen zijn alle perfect gerestaureerd, ze zijn keurig onderhouden en worden verlicht door het zachte schijnsel van smeedijzeren lantarens. Net een mooi theaterdecor.

Verderop vormt de Arabische wijk hiermee een hevig contrast. Geen mooie toeristenwinkeltjes, hier is het de Oriënt, met zijn mensenmassa's en geluiden, zijn kleuren, kruidengeuren, zijn bergen vruchten en piramides van zoete lekkernijen, die je het water in de mond doen lopen. We zijn in de traditionele bazaar, waar de Arabieren van Jeruzalem hun boodschappen doen, waar ze etenswaren, huishoudelijke apparaten, kleren, alles voor het dagelijks leven kopen, maar ook mooie geel- of roodkoperen potten en tapijten en sieraden. Vrouwen in lange, zwarte gewaden met gekleurd borduursel erop, met een lichte witkatoenen sluier op het hoofd, verdringen zich voor de kramen, keuren de koopwaar, praten over de prijs, maar wisselen vooral de laatste nieuwtjes uit. Net als alle bazaars in de Oriënt is de bazaar van Jeruzalem de grootste klankkast van de stad.

Als een jonge man me ziet aarzelen, biedt hij zich als gids aan. Door een doolhof van steegjes brengt hij me bij een nauwe straat met winkels die helemaal overdekt is met metalen traliewerk. 'Dat is om te verhinderen dat de joden die hierboven wonen hun afval op ons gooien', zegt hij.

En aangezien hij aan mijn gezicht kan zien dat ik dat niet geloof, legt hij uit dat de huizen hierboven een voor een gekocht zijn door militante zionisten, vaak nieuwe immigranten, die in de plaats gekomen zijn van de vroegere Palestijnse bewoners, en dat ze hun territorium tot elke prijs proberen uit te breiden.

Een winkelier die voor zijn winkel zit, voegt eraan toe: 'Zo'n tien jaar geleden was deze wijk helemaal Arabisch, maar dag in dag uit knabbelen de Israëli's er wat van af, om ons te verjagen en heel Jeruzalem terug te krijgen. Ze stellen valse papieren op om te bewijzen dat dit of dat huis vroeger aan joden toebehoorde. Makkelijk zat, het geld, de politie en zelfs justitie hebben ze aan hun kant! Kom, ik zal u de wijk boven eens laten zien, die ze volkomen gemonopoliseerd hebben!'

We lopen een wenteltrap op tot aan een schattig pleintje met grasperkjes waar oude gerestaureerde stenen huizen omheen staan, met smeedijzeren hekken eromheen. Van elk raam wappert de blauw met witte vlag met de davidsster en op de bordjes bij de deur staat: Pamela Nash, John Irving, Michael Ford... Het geheel ziet er heel geslaagd uit, misschien wat al te 'gelikt' maar er is tenminste niet beknibbeld op de kosten.

'De meeste van deze huizen waren van Palestijnen die in 1967 zijn weggegaan en die ze verhuurd hadden aan andere Palestijnen', legt mijn gids uit. 'Nu worden ze bewoond door voornamelijk Amerikaanse immigranten.'

Hij wijst met zijn ogen naar jongemannen met pijpenkrullen in zwarte lange jassen en jonge vrouwen die kinderwagens duwen, en die ons niet lijken te zien als we elkaar kruisen.

'Juist de meest fanatieken vestigen zich hier, in het hart van de Arabische stad. Ze weten niks van dit land, maar ze zijn overtuigd van hun recht op heel Jeruzalem en heel Palestina. Ze schuwen geen enkel middel, hoe onschuldig ook, om ons te verjagen. Mij proberen ze er bijvoorbeeld toe te brengen mijn winkel op te geven. Kom maar eens kijken hoe!'

Hij neemt me mee naar het bloeiende perkje midden op het plein.

'Dit begieten ze elke dag overvloedig, en het water loopt mijn winkel in die er net onder zit. Ik heb hun al een paar keer gevraagd of ik het mag repareren, als ze dat niet zelf willen doen. Dat willen ze niet. Ik zeg hun dat al mijn koopwaar bederft. Dat kan ze niets schelen, het is immers hun bedoeling om ons weg te krijgen!'

Tegenover de joodse wijk, er eenvoudig van gescheiden door een hoog hek en een greppel vol vuilnis, staan de grauwe, aftandse huizen van de Palestijnen, waarvan sommige op in-storten staan. Vijftig meter van elkaar liggen twee werelden tegenover elkaar, twee werelden die elkaar niet zien.

'Waarom ligt hier zoveel vuil?' vraag ik en ik wijs naar de greppel die langs de Palestijnse huizen loopt.

'De joden gooien hun vuilnis daar en de gemeente ruimt niets op. Dat is overal zo in de oude Arabische stad, net als in de Arabische dorpen in Israël. Wij betalen dezelfde lokale belastin-gen, maar de vuilnisophalers die in de joodse wijken elke dag langskomen, komen hier maximaal eenmaal per week.'

We lopen de oude stad weer in, ik verlaat mijn gespreks-partner en sla de weg in naar de poort van Damascus, door steegjes die bezaaid zijn met papier en kapotte spullen. Voor hun winkels zitten mannen in jellaba[15] een waterpijp te roken, terwijl uit de luidsprekers liedjes van Fayrouz[16] schallen en jonge man-nen in T-shirts met de beeltenis van Marwan Barghuti[17] of Che

---

15. Lang katoenen gewaad dat de mannen uit het volk dragen.
16. Volgens Um Kalsum is Fayrouz de beroemdste zangeres uit de Arabische wereld.
17. Een Palestijns politiek leider, gedoodverfde opvolger van Arafat, een van de belangrijkste actoren in de intifada, die sinds twee jaar gevangen wordt ge-houden door de Israëli's (inmiddels veroordeeld tot vijfmaal levenslang, noot vert.).

Guevara erop, met de armen om elkaar heen wat rondslenteren.

In een paar minuten ben ik van het ene continent in het andere terechtgekomen.

Een moeizaam huwelijk

Christine Koury is een jonge Palestijnse, geboren in Jeruzalem, waar haar katholieke ouders nog steeds wonen. Ze is twee jaar geleden getrouwd met een Palestijn uit Ramallah[18]. Ze vertelt hoe moeilijk dat gegaan is.

'Sinds ons huwelijk is het wachten op een blauwe kaart[19] voor mijn man, want met de intifada[20] hebben de Israëli's alle vergunningen geblokkeerd. Mijn man mag dus Jeruzalem niet in. Toch is hij nooit politiek actief geweest. Hij was vijf jaar lang hoofdboekhouder van een Amerikaanse ngo en is nu directeur van een ngo in Ramallah. Drie maanden na zijn aanvraag voor een verblijfsvergunning voor Jeruzalem moest ik bij de Israëlische Inlichtingendienst komen, in de militaire kolonie Bet El, om informatie over hem te verschaffen. Ik was acht maanden zwanger, ze lieten me vijf en een half uur buiten wachten achter een poortje, ik verging van de kou en uiteindelijk lieten ze me niet eens binnen!

Als je trouwt met een Palestijn uit de bezette gebieden loop je zelfs het risico je blauwe kaart kwijt te raken, want de Israëlische autoriteiten zijn van mening dat je dan niet meer in Jeruzalem behoort te wonen. En dan heb je geen recht meer op sociale

---

18. Ramallah, op vijftien kilometer van Jeruzalem gelegen, is sinds de terugkeer van de Palestijnse Autoriteit, een van de twee bestuurlijke centra van Palestina; het andere is Gaza. De grote stad ligt op 900 meter hoogte, heeft een aangenaam klimaat en mooie villa's, moderne flats en gebouwen waarin de ministeries en diverse bestuurlijke diensten zijn gevestigd, waaronder de Muqata'a met de kantoren van Arafat.
19. Alleen Palestijnen met een blauwe kaart die bewijst dat zij ingezetenen van Jeruzalem zijn, hebben het recht de stad binnen te gaan. Dit zijn er ongeveer 200.000.
20. Wordt gewoonlijk vertaald als 'opstand', betekent letterlijk: 'het hoofd oprichten'.

zekerheid, AOW of ziekenfonds, eigenlijk op niets meer. De Israëli's doen wat ze kunnen om te zorgen dat de Palestijnen Jeruzalem verlaten.

Eerst probeerde ik mijn huwelijk niet aan te geven om maar niet het risico te lopen mijn kaart te verliezen. Maar ten slotte moest ik wel, want de Israëli's wilden niet accepteren dat ik een ongehuwde moeder was. Dat is oké voor Israëlische vrouwen, maar niet voor Arabische; ze zeggen: "Dat bestaat niet!"'

'Waar woonde u toen?'

'Meteen na ons huwelijk was ik natuurlijk bij mijn man ingetrokken in Ramallah, dat is maar vijftien kilometer van mijn werkplek. Maar als je met de auto gaat, duurt dat al gauw vier of vijf uur vanwege de versperringen. Daarom gaan de mensen vooral in gezamenlijke taxi's of te voet. Maar zelfs dan ben je minstens twee uur kwijt. Ik moest om kwart voor zeven uit huis om om negen uur op mijn werk te zijn. En elke dag van Ramallah naar Jeruzalem gaan gedurende je zwangerschap is gevaarlijk. De soldaten beginnen soms zomaar te schieten of ze gooien opeens gifgas naar de versperringen als de mensen ongeduldig worden. Veel zwangere vrouwen hebben zo al een miskraam gekregen.

Ik heb de knoop doorgehakt tijdens de eerste bezetting van Ramallah, van 12 tot 18 maart 2002. Er was een volledig uitgaansverbod van kracht en scherpschutters schoten vanaf de daken op iedereen die zich buiten waagde. Ons flatgebouw was bezet door het Israëlische leger, we mochten ons appartement zelfs niet uit. Ik was in het laatste stadium van de zwangerschap en was doodsbang dat ik vast zou komen te zitten en niet naar het ziekenhuis zou kunnen voor de bevalling. Om geen risico te lopen ben ik halverwege de negende maand naar Jeruzalem gegaan. Te veel vrouwen hebben tijdens de bezetting hun baby verloren. Mannen probeerden de bevalling van hun vrouwen te doen, met de dokter aan de telefoon, maar als zich ook maar de geringste complicatie voordoet, kunnen ze niets uitrichten. Vrouwen verliezen hun baby tussen dorp en stad. De versperringen rond de dorpen die dicht bij kolonies liggen, zijn heel streng, vooral die welke zijn opgericht door de kolonisten, die gewoonlijk geen enkel medelijden kennen.

In Jeruzalem moest ik bevallen in een privé-kliniek. Toen ik me namelijk wou laten inschrijven in een ziekenhuis, weigerden ze me. Ik had drie dagen in de rij gestaan bij het kantoor van de sociale zekerheid, er stonden wel duizend mensen buiten te wachten. Ten slotte verklaarden ze dat de bevalling hier niet kon plaatsvinden omdat mijn man uit de bezette gebieden kwam. Terwijl ik al twaalf jaar premie betaal voor de sociale zekerheid moest ik zelf alle onkosten dragen! Ik heb het geluk dat ik het kan betalen, maar hoe moet het met de mensen die dat niet kunnen?'

'Had u niet in Ramallah kunnen bevallen?'

'Natuurlijk niet! Want dan zou mijn kind geen recht op verblijf in Jeruzalem krijgen en zou ik het niet bij me kunnen houden. Ik zou van mijn pasgeboren kind moeten scheiden of mijn werk verliezen met alle pensioen- en verzekeringsrechten. Ik zou zelfs niet meer naar Jeruzalem toe kunnen, de stad waar ik geboren ben en waar mijn familie en al mijn naasten wonen.

Toen mijn man ten tijde van de bevalling absoluut wilde komen, moest hij sluipweggetjes nemen waarbij hij het risico liep te worden beschoten. Eenmaal in Jeruzalem was hij verplicht een volle week binnen te blijven, want als hij gecontroleerd was, was hij de gevangenis in gegaan.

Na de bevalling moet je binnen tien dagen naar het ministerie van Binnenlandse Zaken met het kind, om het aan te geven. Maar toentertijd had Sharon een decreet uitgevaardigd dat vier jaar lang alle mogelijkheden voor paren van wie een van de twee uit de bezette gebieden kwam, bevroor. We waren erg ongerust, we konden de geboorte van ons kind niet aangeven, het had geen identiteitsbewijs en dus bestond het niet voor de wet. Gelukkig hief de regering eind mei de maatregel voor pasgeborenen op, en zo kreeg mijn zoon dan toch eindelijk een geboortebewijs.'

'Gedurende het uitgaansverbod van april 2002 dat bijna een maand duurde, was u in Ramallah met uw baby. Hoe ging dat?'

'We werden geterroriseerd, want we woonden dicht bij een militair kampement; elke nacht stopten de tanks naast ons flatgebouw om te schieten. Het gebouw naast het onze is toen trouwens geraakt. Wij hadden in het appartement een plek ingericht waar we konden schuilen met de kleine, maar er was daar geen verwarming of elektriciteit of water. Water is hier altijd een probleem. Zelfs onder normale omstandigheden sluiten de Israëli's in de bezette gebieden twee of drie keer per week de watertoevoer af. Dat hebben zij nodig voor de gras-velden en de zwembaden in hun kolonies! Voor mijn groot-moeder in Beit Jala bij Bethlehem is het nog erger: in gewone tijden heeft ze ook maar een dag per week water.

Tijdens de avondklok werd het water elke dag afgesloten. We legden voorraden aan in het bad voor de baby, maar hoe dat warm te krijgen? Ze sloten ook de elektriciteit af. Daardoor hadden we veel voedselproblemen. We hadden grote voorraden aangelegd om het uit te zingen tijdens de spertijd, maar toen ze de stroom afsloten verrotte alles in de vriezer, we moesten het allemaal weggooien en hadden toen niets meer te eten. In het flatgebouw woonden zeventien kinderen tussen de vier en de twaalf jaar oud; die hadden honger. Gedurende de vijfentwintig dagen dat het uitgaansverbod duurde en niemand dus de straat op kon, hebben we alles met elkaar gedeeld, brood, melk, bloem. Toen ik helemaal geen melk meer had voor de baby, moest ik een beroep doen op het Rode Kruis, dat voor mij ging pleiten bij de Israëli's en erin slaagde me het nodige te brengen per ambulance.'

'En waar wonen jullie nu?'

'Ik verdeel mijn tijd tussen Jeruzalem en Ramallah. Ik besefte dat het onmogelijk en vooral ook te gevaarlijk was om dagelijks met het kind op en neer te gaan. Daarom heb ik een klein flatje in Jeruzalem en de drie dagen van het weekend breng ik door in Ramallah met mijn man. Maar als ik terugkeer naar Ramallah, ben ik altijd bang dat ik word aangehouden, want als mijn baby ziek wordt, hoe krijg ik hem dan in het ziekenhuis? Voor mijn man is het ook geen leven zo! Hij kan voor zichzelf koken, maar hij wil wel eens met iemand praten, hij wordt gek, opgesloten in zijn flat zonder iemand te zien, vooral als er spertijd heerst en hij zelfs niet naar zijn werk kan. En dan is het ook nog eens gevaarlijk: in april 2002, tijdens het lange uitgaansverbod in Ramallah, kwamen de soldaten de huizen binnen om mannen te arresteren. Voor de Israëli's is een jongeman alleen in een flat altijd een terrorist. Die arresteren ze systematisch.

Het kind heeft veel last van deze scheiding, zodra het zijn vader ziet, werpt het zich in zijn armen. Voor mij is het ook moeilijk: we zijn nog maar pas getrouwd en onze eerste trouwdag hebben we afzonderlijk moeten vieren... zo hadden we ons ons leven van jonggehuwden niet voorgesteld!'

Ze glimlacht gelaten.

'We wilden al acht jaar samen zijn, maar onze families gaven geen toestemming: zijn moeder wou zelf de vrouw voor haar zoon uitzoeken. Het duurde maar en duurde maar en nu we dan eindelijk getrouwd zijn, moeten we gescheiden leven! Ik verwacht een tweede kind, ik weet niet hoe ik elk weekend op en neer naar Ramallah moet! Nu al is het moeilijk om door de versperringen te komen, met het wandelwagentje, mijn rugzak en mijn zoontje. Wat moet dat worden met twee kinderen!'

Bij de gedachte alleen al laat ze de schouders hangen, maar ze is zichzelf meteen weer meester: 'Ik hoop dat Sharon de bevriezing van de afgifte van vergunningen snel opheft en dat we een woonvergunning in Jeruzalem voor mijn man krijgen. Dan kan hij bij ons komen.'

Ik weersta de aandrang haar te vragen waarom ze onder deze omstandigheden een tweede kind krijgt... Ze is al in de dertig, als ze kinderen wil is het nu. Bovendien weigert ze, als alle Palestijnen, op te houden met leven vanwege de Israëlische bezetting. Het is een vorm van lijdelijk verzet: weigeren je te laten intimideren of ontmoedigen. Volhouden, ondanks alles!

Ik bewonder haar optimisme; in dit soort moeilijke omstandigheden getuigt de keuze voor een zeker gebrek aan realisme misschien ook wel van grote wijsheid.

Christine vervolgt: 'Op het ogenblik is de spertijd minder streng. Er staan geen scherpschutters meer op de daken die schieten op alles wat beweegt. Maar het erge is de volkomen onvoorspelbaarheid ervan: het verandert van uur tot uur, je kunt totaal geen plannen maken. Het gebeurt trouwens vaak dat er 's avonds wordt aangekondigd dat de spertijd de volgende ochtend wordt opgeheven en dat ze hem dan op het laatste moment toch weer instellen. Als er mensen buiten zijn, arresteren de soldaten die, ze pakken hun autosleuteltjes af of breken de sleutel af in het slot... of ze dwingen hen zich uit te kleden, geven hun een pak slaag en dwingen hen dan naakt naar huis te lopen. Ondanks alles proberen we toch een ongeveer normaal leven te leiden, vrienden te bezoeken; we doen er alles aan om ons niet te laten reduceren tot dieren die genoeg hebben aan eten en slapen. Want dát wil de bezetter: onze wil en onze hoop breken, en daarvoor zet hij alle middelen in. Maar wij bieden weerstand op alle fronten.

Als de winkels bijvoorbeeld dicht zijn vanwege de avondklok, nemen de winkeliers koopwaar mee naar huis en verkopen die van daar uit. Het nieuws doet de ronde, netwerken van solidariteit ontstaan. Later zal ik als de school dicht is mijn zoon zelf onderwijzen. In elk flatgebouw zijn er groepen opgericht om les te geven. Dat was al zo gedurende de eerste intifada. Ook als het leven moeilijk is, ook als ik gescheiden ben van mijn man, we blijven verzet bieden! Geloof me, wij Palestijnen zijn taai, wij houden vol!'

Moderne communicatiemiddelen tegen versperringen

Haar voornaam Salam betekent vrede. Deze slanke jonge vrouw, afstammeling uit een zeer oude islamitische familie van Nablus, woont momenteel in Ramallah, waar ze werkt voor de Verenigde Naties.

Ik ontmoette haar tijdens het uitgaansverbod in september 2002. We troffen elkaar bij vrienden waar zij naartoe gekomen was langs uitgestorven straatjes; ze beweerde spottend dat de Israëlische soldaten zich daar nooit in zouden wagen.

'Die soldaten zijn mijn eerste jeugdherinnering. De nacht dat mijn vader werd gearresteerd, om twee uur 's ochtends, lagen we te slapen, ze stormden het huis binnen, sloegen mijn vader en braken een van zijn benen. Mijn moeder schreeuwde, ik gaf klappen aan de soldaten en huilde: "Laat mijn papa met rust!" Ze namen hem mee en hielden hem zes weken gevangen. Toch was hij geen strijder, gewoon een Arabische nationalist. Maar de Israëli's wilden zich ontdoen van ontwikkelde jonge mannen die later eventueel invloedrijke politici konden worden. Ze deporteerden hem naar Libanon en wij voegden ons bij hem in Beiroet.

Mijn vader was tandarts, we hadden een goed leven, maar we voelden ons zeer verwant met de Palestijnen in de kampen, waar ik mijn beste vriendinnen had. We hadden het altijd over Palestina, ik droomde ervan daarheen terug te keren.

Toen dat in 1993 mocht, pakte ik meteen mijn boeltje bij elkaar en keerde terug naar Ramallah.'

'Wat voor beroep hebt u?'

'Ik doe ontwikkelingsprojecten voor de Verenigde Naties op het gebied van gezondheid en opvoeding op de Westelijke Jordaanoever en in Gaza. Gezien de situatie is dat moeilijk, want je kunt je bijna niet verplaatsen. Sinds een paar jaar moet je een vergunning hebben om binnen ons land van de ene stad naar de andere te mogen gaan, onder het voorwendsel dat de bezette gebieden verdeeld zijn in zones, zodat je om bijvoorbeeld van Ramallah naar Nablus te gaan, beide Palestijnse steden, door een deel van de Westelijke Jordaanoever moet dat nog onder Israëlisch gezag staat.

Om die beruchte vergunning te veroveren, moet je naar het Israëlische civiele bestuur in Bet El, een heel moeilijk bereikbare kolonie. Je moet over landweggetjes, wat gevaarlijk is omdat de soldaten je soms zomaar beschieten. Maar zelfs als je er komt, heb je geen enkele garantie, want je moet eerst het magneetpasje zien te bemachtigen dat bewijst dat je acceptabel bent voor alle Israëlische geheime diensten.

Vroeger hoefden alleen mannen zo'n kaart te hebben, maar vorig jaar heeft de overheid besloten dat ook vrouwen er een moeten hebben. De kaart is één jaar geldig, de vergunning maar één maand en ze kan niet verlengd worden. Als er demonstraties zijn of er is een avondklok, dan worden alle vergunningen ingetrokken en als de maand voorbij is, moet alles weer opnieuw!'

'Hoe is het mogelijk projecten op het gebied van gezondheidszorg en opvoeding op de Westelijke Jordaanoever en in de Gazastrook te volgen als je je niet kunt verplaatsen?'

'We maken steeds vaker gebruik van multimedia. Momenteel is er bijvoorbeeld een missie hier uit Washington om met het ministerie besluiten te nemen over het vervolgtraject voor gezondheidsprojecten. Vanwege de gebeurtenissen zijn een heleboel zaken nog niet af, zoals de bouw van een medisch centrum of de vormingsseminars voor het personeel. Gisteren had ik de missies eigenlijk moeten begeleiden, maar vanwege het uitgaansverbod kon ik Ramallah niet uit. En de missie kon niet naar Gaza, want daar waren doden gevallen en de situatie was er dus gespannen.

Toen zijn de mensen van het ministerie van Gezondheid van Gaza naar de kantoren van de Wereldbank gegaan en hebben daar via een videoconferentie contact gezocht met de leden van de missie die nog in Jeruzalem zaten. En mijn ploegje heeft via audio-conferentie contact opgenomen met zowel Jeruzalem als Gaza. Zo konden we alle benodigde cijfers en inlichtingen aan hen doorgeven.

Een ander voorbeeld: we zijn begonnen met afstandsonderwijs per video. We leiden verpleegkundigen, artsen, ziekenverzorgsters en technici voor medische apparatuur op... We geven les in Ramallah, filmen dat en sturen de video's overal heen, naar Jenin, Tulkarem en Nablus. Zij sturen ons hun opmerkingen terug. Het is niet perfect, het is incompleet en veel ingewikkelder, maar we hebben hun tenminste iets te bieden.

Om onder deze omstandigheden je werk te doen heb je uiteraard wel tien keer zoveel energie nodig. Voor het moment houden we het vol, maar hoelang nog? Met al die uitgaansverboden en versperringen verlammen de Israëli's niet alleen onze economie, maar ze werpen ook ons hele systeem van gezondheid en onderwijs omver.

In de stad Nablus bijvoorbeeld, waar al acht maanden lang een uitgaansverbod van kracht is, is de situatie schrijnend. Ik ben er kort geleden geweest en ik zag tot mijn schrik dat het huis van mijn grootvader was opgeblazen omdat het op de weg stond waarlangs de tanks de oude stad binnen wilden. Mijn beide tantes van zeventig en tachtig jaar oud, die daar hun hele leven gewoond hadden, moesten binnen één minuut vertrekken, met alleen maar hun paspoort. Ze hebben niets meer, zelfs geen foto's. Het wordt nu winter en ze hebben geen warme kleren, maar vanwege de spertijd kunnen ze niet uit om iets te gaan kopen.

In de stad is alles even verschrikkelijk, van het zakenleven tot banken, scholen en fabrieken. De Israëli's blokkeren de schaarse producten die we ondanks alles nog zouden kunnen exporteren, ze verhinderen zelfs handel tussen Palestijnse steden en overspoelen de markt met producten die wij wel moeten kopen om te kunnen overleven.

Op hygiënisch gebied is de situatie in Nablus alarmerend: ze hebben geen vaccins meer voor de kinderen, en zelfs de ambulances kunnen niet meer rijden. In de kampen is er geen drinkwater meer, en er wordt gevreesd voor een uitbraak van cholera. Meer dan tachtig procent van de bewoners is werkloos en leeft van de bedeling, hun enige voedsel is thee, brood en suiker, dat wordt uitgedeeld door de UNRWA[21]. Zelfs als er morgen een einde kwam aan de spertijd zouden de mensen geen geld meer hebben om nog iets te kopen.

In het hele land zijn de omstandigheden vergelijkbaar. De Wereldbank voorziet dat het weer opstarten van onze economie heel veel tijd zal vergen.'

'Maar hoe slagen de mensen er dan in nog te overleven?'

'In Nablus liet een winkelier me zijn boekhouding zien. De klanten maken schulden, hij koopt op krediet in bij een grotere zaak, die op zijn beurt naar de groothandel gaat, en zo maar door tot aan de bank die een lening verschaft. Maar een dezer dagen gaat het mis.

En de burgemeester van Nablus aanvaardt sinds drie maanden geld van Arabische banken om de gemeenteambtenaren mee te betalen. De docenten aan de universiteit worden ook niet meer betaald, of ze ontvangen een derde van hun salaris.

Het Palestijnse bestuur, de PNA[22], heeft praktisch geen middelen meer. Sinds het begin van de intifada houdt Israël het geld vast dat het hun zou moeten uitbetalen, ongeveer een miljard dollar, wat overeenkomt met de pensioenen van degenen die in Israël werken plus de zeventien procent heffingen op onze aankopen, die wij geacht worden terug te krijgen, plus de opbrengsten van onze export.

Sinds november 2000 maakt Israël nog maar een klein gedeelte daarvan over, onder het voorwendsel dat het Palestijnse bestuur het geld zou gebruiken om er terrorisme mee te financieren. Ik denk dat ze dat zelf niet eens geloven, het is gewoon

21. United Nations Relief and Works Agency, voor de Palestijnse vluchtelingen.
22. Palestinian National Authority, een officieel orgaan onder voorzitterschap van Yasser Arafat.

een manier om ons op de knieën te dwingen.

De mensen hebben niets meer, de vrouwen hebben hun gouden sieraden verkocht, je kunt nergens meer iets lenen want iedereen heeft dezelfde problemen. Er rest slechts, voor sommigen, de hulp van familieleden die in de Golfstaten of Jordanië wonen, en wat internationale hulp. In het hele land heeft de ondervoeding dramatische vormen aangenomen. En op de lange duur zal dat vreselijke gevolgen hebben: ze zijn bezig een volk van zieken van ons te maken, zowel lichamelijk als geestelijk.

We zijn ons zeer bewust van wat ons overkomt, van wat Israël bezig is ons volk aan te doen, en daarom proberen we weerstand te bieden, ons er niet onder te laten krijgen.'

'Hoe verzetten jullie je concreet?'

'Ik geef u een voorbeeld op het gebied van de opvoeding, waarin geen compromis mogelijk is. Er is een campagne gestart om de capaciteiten van studenten en volwassenen vast te stellen, en met hen hebben we lesprogramma's opgezet bij mensen thuis. Het ministerie van Onderwijs heeft meegedeeld dat leerlingen vanaf zes jaar tot aan het eindexamen naar een bepaald adres bij hen in de buurt toe kunnen om er onderwijs te krijgen, ondanks het uitgaansverbod. Op het ogenblik functioneert dit circuit in Ramallah, Jenin en Tulkarem.'

'En hoe reageren de kinderen op deze situatie?'

'Ik heb een dochtertje van negen. Ik wil niet dat ze haat tegen de Israëli's zou ontwikkelen omdat ze haar vriendjes niet kan ontmoeten, niet naar school kan, niet kan wandelen of sporten. Ik probeer haar uit te leggen dat ze niet allemaal zo zijn, maar natuurlijk neemt ze het hun kwalijk. Gisteren bijvoorbeeld zou de spertijd van twaalf tot vier uur worden opgeheven en ik was van plan haar mee te nemen naar het zwembad, want ze is dol op zwemmen. Maar ze weigerde en zei: "Ik ga niet. Ik weiger te gehoorzamen aan wat we mogen en niet mogen van de Israëli's!"'

'En uzelf, hoe houdt u het nog vol?'

'Het is heel moeilijk, maar we blijven niet zitten jammeren,

41

we blijven lachen en spotten. En vooral, we grijpen elke kans op afleiding aan, zelfs tijdens spertijd. Een paar dagen geleden hebben we een feestje gegeven, we hebben gedanst tot drie uur in de nacht. En we hebben alles gefilmd om goede herinneringen te bewaren... Weet u, onze leefomstandigheden zijn geleidelijk steeds slechter geworden, en zo overwinnen we de moeilijkheden een voor een. Maar ik denk dat we ons vooral zo vastberaden verzetten omdat we ons ervan bewust zijn hoe fel de huidige aanval op ons volk is; ik heb het niet over de paar duizend doden, maar over hun systematische pogingen ons materieel te verstikken en geestelijk te breken, ons elke hoop te ontnemen zodat we de kracht niet meer hebben om te strijden.'

Achttien jaar zijn in Palestina

Maha wordt vandaag achttien.

Om dat te vieren heeft ze al haar vrienden, ongeveer twintig jongens en meisjes, uitgenodigd en haar beste cd's uitgezocht, want ze gaan de hele nacht dansen. Haar moeder heeft de hele afgelopen nacht taarten gebakken en ze heeft de tafel prachtig gedekt, met het witte damasten tafellaken en het porseleinen servies dat ze van haar grootouders geërfd hebben.

Maha kijkt met lege ogen naar de tafel.

Haar vrienden kunnen niet komen.

Die ochtend kondigde de radio aan dat het Israëlische leger weer een uitgaansverbod instelde voor de hele week. Waarom? Niemand die het weet. Er zijn al enige tijd geen aanslagen meer gepleegd. Het is vast gewoon omdat het joodse Loofhuttenfeest eraan zit te komen en de Israëli's zich veiliger voelen als de drie en een half miljoen Palestijnen dan opgesloten thuis zitten. Zoals bij elk joods feest.

'Het is niet erg,' zegt Maha met een trillend lachje, 'we geven de taart wel aan de buurkinderen...'

Ik zou een etmaal bij haar ouders te gast zijn, maar vanwege de spertijd moet ik misschien ook wel een hele week blijven, behalve als het me met mijn journalistenkaart lukt om weg te komen. Wat ze me afraden: 'Dat is gevaarlijk, soms schieten de soldaten zonder eerst te waarschuwen.'

Ik krijg dus alle tijd om me te onderhouden met Maha, een lang, mysterieus meisje met fijne trekken, met tot aan de slapen gerekte ogen die wel van staal lijken onder hun schijnbare zachtheid.

'Na wat wij al hebben meegemaakt bij het eindexamen is dit niks!' zegt ze als ik haar onhandig probeer te troosten.

'Vertel eens hoe het je gelukt is eindexamen te doen terwijl het in heel Ramallah spertijd was?'

'Dat was een nachtmerrie! Sinds eind maart was alles dicht, overdag en 's nachts, met een paar uur in de week om naar de winkels te rennen. In elke straat stonden tanks, en op de daken gewapende mannen die schoten op iedereen die zich buiten waagde. De scholen waren uiteraard dicht, geen leraren, je moest je zelf maar redden. De hele maand zaten we in huis te blokken, maar ons hoofd stond er niet naar. We belden de hele dag met elkaar: "X is aangehouden, ze hebben Y gevangengenomen, vriend Z is geslagen door de soldaten die hem oppakten, M is gewond geraakt..."

We waren totaal uit het lood. Het was toen de eerste keer dat ons zulke dingen overkwamen, elke vijf minuten was er wel wat.

Ten slotte trok het leger zich op 23 april terug, maar de tanks bleven staan bij de poorten van de stad. We konden weer naar school; er was nog een week om de hele maand in te halen. De eerste examens vonden begin juni plaats. Ik heb als een bezetene gewerkt om de verloren tijd in te halen. Ik sliep geloof ik maar twee uur per nacht. Ik was net een zombie.

Toen het eindexamen begon, was het Israëlische leger niet meer in Ramallah. Maar tijdens de examens begonnen ze de steden weer te bezetten. Je kon er niet meer uit. Ze stelden spertijden in en hieven die weer op naar willekeur. Je wist nooit op welke dag en om hoe laat, je wist nooit of je naar het examen toe zou kunnen. Je werkte in totale onzekerheid, je nam een boek door voor het examen van de volgende dag en hoorde dan op het laatste moment dat er een uitgaansverbod was zodat alles geannuleerd werd. Het was een vreselijke spanning.

Bovendien waren de bevelen vaak tegenstrijdig. De orders die van het hoofdkwartier kwamen, kwamen niet altijd door op de posten. Soms hoorde je via de radio dat de spertijd voorbij was, dan gingen er mensen de straat op maar de soldaten ter plekke wisten dat dan nog niet en schoten op hen. Er zijn op die manier veel mensen gedood. Ik had twee vrienden die op een ochtend gehoord hadden dat het uitgaansverbod voorbij was en die hun huis uitgingen om naar het examen te gaan. Ze werden aangehouden door soldaten die hen helemaal in elkaar sloegen. Ze riepen: "Hé, wij zijn leerlingen! We zijn op weg naar ons eindexamen!" De soldaten sloegen maar door. Ten slotte lieten ze hen gaan. Ze kwamen thuis aan in een verschrikkelijke toestand, volkomen getraumatiseerd. De dagen daarop hadden ze nog meer examens, ze zijn voor alles gezakt.

Eens, toen ik een van de laatste vakken moest doen, kondigde de radio weer een uitgaansverbod aan. Ik deed daarom niets meer, ik was doodmoe, ik ben gaan slapen. De volgende ochtend was de spertijd plotseling opgeheven. Ik werd met een schok wakker, ik rende naar school, ongewassen, en volkomen in paniek: als ik niet op tijd was, verloor ik het hele jaar. Ik weet nog dat het vak wiskunde was, ik heb het in trance gemaakt, ik kwam huilend thuis, er vast van overtuigd dat het mis was.

Soms ook begon het uitgaansverbod plotseling tijdens een examen. Je maakte dan het examen af, maar daarna moest je zien thuis te komen. Je liep door uitgestorven straten, je was heel bang. Op een keer zagen we jeeps op ons afkomen, we doken meteen een flatgebouw in, die mensen lieten ons binnen en we mochten blijven. De volgende morgen konden we pas naar huis. Gelukkig deed de telefoon het, zodat we onze ouders konden waarschuwen.'

'En ondanks alles ben je geslaagd voor je eindexamen, heel goed geslaagd zelfs!'

'Ja, ik weet mijn kalmte te bewaren. Vorig jaar bijvoorbeeld ben ik ternauwernood aan de dood ontsnapt. Ik zat in onze flat te leren. Op een gegeven moment had ik zin in een cola uit de koelkast. Ik aarzelde of ik nog wat door zou werken, maar ten slotte stond ik op. Ik was nog niet in de keuken of er kwam een kogel door het raam naar binnen die insloeg boven het bureau waaraan ik had zitten werken, precies daar waar mijn hoofd zich bevonden zou hebben. Ik schrok natuurlijk, maar ik had mezelf weer snel onder controle. Ik heb sterke zenuwen, misschien omdat ik al sinds mijn jongste kindertijd gewend ben aan moeilijkheden. We zijn van Beiroet naar Tunesië verbannen, daarna kwamen we weer hier, waar het in het begin erg moeilijk was. En dan heb ik ook nog het voorbeeld van mijn ouders die allebei heel moedig zijn. Ze hebben de ergste dingen uit de geschiedenis van Palestina meegemaakt. Mijn moeder lacht altijd, ze neemt de moeilijkheden van het leven vrolijk op. Mijn vader is stiller, hij is een asceet, hij klaagt nooit.

Maar veel van mijn vriendinnen kunnen al twee jaar niet meer slapen, vanwege de bombardementen en de schoten van-uit de nabijgelegen kolonies. Mijn buurmeisje bijvoorbeeld, die altijd rustig in Ramallah heeft gewoond, was zo bang dat ze tussen haar ouders in moest slapen.

Ik heb nog een vriendin, een briljant meisje, dat hele goede cijfers had moeten krijgen voor haar eindexamen. Maar in die meimaand zijn de soldaten bij hen binnengedrongen, hebben alles vernield, hebben zelfs haar vader, die arts is, gearresteerd. Ze was natuurlijk helemaal van streek. Ze is toch geslaagd voor haar examen maar haar cijfers waren niet hoog genoeg voor een beurs en nu is het heel moeilijk voor haar om de universiteit te betalen.

Maar het ergste was het voor de leerlingen uit de dorpen. De wegen waren versperd, ze moesten wachten op de examenon-derwerpen. Hoe konden ze die krijgen? Leraren brachten ze naar hen toe, via de bergen, te voet of op een ezel, en daarna namen ze het gemaakte werk in zakken die door de ezels ge-dragen werden, ook zo weer terug. Maar ze wisten nooit zeker of het wel veilig aankwam!

En dan waren er de leerlingen die buiten wonen maar ver-bonden zijn aan het examencentrum Ramallah, zoals een van mijn vriendinnen in Betunia. Dat is maar een paar kilometer van Ramallah, maar het is ervan afgesneden door een wegver-sperring. Voor de examens liep ze om de versperring heen en ging door de bergen, wat heel riskant was, want soms schieten de soldaten meteen, zonder je eerst te sommeren halt te houden. Ze ging al om vier of vijf uur 's morgens weg, om er zeker van te zijn dat ze op tijd was, of dat althans te proberen. Eigenlijk zette ze haar leven op het spel voor dat examen… Studeren is voor ons Palestijnen nu eenmaal heel belangrijk! Het is bouwen aan je toekomst, maar het is ook bouwen aan de toekomst van je land.'

'Sommige mensen zeggen dat de Israëli's expres weer een uitgaansverbod instelden ten tijde van het eindexamen van de middelbare school.'

'Dat denkt iedereen. Ze wisten dat er tienduizenden jongeren waren die examen moesten doen, en ze zullen wel gedacht hebben dat het ons onder deze omstandigheden echt niet zou lukken. Ze willen verhinderen dat het Palestijnse volk zich ontwikkelt, net zoals wanneer ze onze grond inpikken of onze huizen verwoesten. Ze willen stakkers van ons maken die hun rechten niet meer kunnen opeisen. Het was voor ons een verzetsdaad, om ondanks alles examen te doen!'

'Maar hoe kun je in die omstandigheden voldoende concentratie opbrengen om te studeren?'

'Je hebt geen keus. Je mag je niet laten beheersen door angst! Bezetting, bombardementen, arrestaties, die kennen we al twee jaar lang, maar wij moeten dóórleven. Een tijdje geleden kwam ik uit school met een vriendin, we hoorden heel dichtbij schoten, maar we liepen kalm door alsof er niets aan de hand was. Je wordt harder, en soms is dat niet goed. In het begin van de bezetting was elke keer dat we hoorden dat er een dode was gevallen, een drama voor ons. Nu veroorzaakt het nog steeds grote demonstraties, maar er zijn zoveel doden, dat het bijna iets gewoons is, als je de familie niet kent… Een paar nachten terug belde er bijvoorbeeld een vriendin om te zeggen dat ze de volgende dag niet kon komen: "Er is weer een uitgaansverbod, want er is een dode gevallen in Ramallah." Ik zei: "O, een dode. Jammer, dan zien we elkaar niet. Dag hoor!"'

Maha kijkt me aan, er staan tranen in haar ogen: 'Als ik me realiseer hoe ik reageer, vind ik mezelf een monster, maar je moet je wel afschermen.'

'Vertel eens, wat wil je worden?'

'Alles is hier zo onzeker. Een mens heeft hoop en verwachtingen, maar je moet maar niet te veel dromen. Voor het moment is het mijn grote wens om te kunnen studeren. Ik heb een kamer gehuurd in de buurt van de Bir Zeit-universiteit. Het is een grote opoffering voor mijn ouders, maar anders kun je niet studeren, want zelfs als de versperring bij Surda open is, kunnen de soldaten je nog een paar uur tegenhouden als ze daar zin in hebben, en dan mis je colleges en tentamens. Nu woon ik daar, maar de universiteit die twee weken geleden al had moeten beginnen is nog niet open, want nu de versperring dicht is, kunnen de docenten niet komen... Ik vraag me af hoe het moet met mijn studievoortgang, ik heb de indruk dat ik wel acht jaar nodig zal hebben voor die vier jaar.'

'Welke vakken heb je gekozen?'

'Managementwetenschappen. Eigenlijk wilde ik iets met kunst. Ik zou ooit een artistiek centrum willen stichten in Palestina met activiteiten op het gebied van toneel, ballet, schilderkunst en literatuur. Maar dat is een droom, daar komt vast niets van...'

'En waarom niet?'

'Omdat de situatie elke dag slechter wordt. We zijn allemaal erg pessimistisch. Toen de bezetting begon, zeiden we: "Dat duurt een maand." Daarna trokken ze de steden in en begonnen op ons te schieten, dat duurde een jaar. We zeiden: "Een jaar, honderden burgers dood, onze steden bezet, dat kan niet lang meer duren, de wereld komt wel tussenbeide!" Nu zijn er twee jaar voorbij en niemand doet iets. We beginnen aan het derde jaar...'

Ik probeer de sfeer wat luchtiger te maken door haar te vragen naar haar hobby's. Wat kan een Palestijnse van haar leeftijd in de huidige omstandigheden doen?

Maha barst in lachen uit: 'Hobby's? Heel erg weinig! Vroeger hadden we natuurlijk basketbalclubs en voetbalclubs, we zwommen en gingen naar de film of het toneel. Ik heb zelfs twee jaar lessen drama gevolgd, niet voor een beroep, maar gewoon voor de lol. Nu is alles dicht. En dus lees ik en luister naar muziek, dat is een goede manier om je te ontspannen en alles te vergeten. Of we maken met vrienden een tochtje in de auto, we grijpen elke gelegenheid aan om te lachen, we hebben geleerd te genieten van het moment. Als er geen spertijd is, gaan we samen naar het café. We hebben er nu trouwens zo ontzettend genoeg van dat we zelfs wel eens uitgaan tijdens een uitgaansverbod! Aangezien er geen schutters meer op de daken staan, nemen we het risico maar.'

'Maar dat is toch dom? Er zijn overal tanks en jeeps, jullie kunnen wel gedood worden!'

Ze haalt haar schouders op.

'Palestijnen lopen sowieso elke dag risico, als ze studeren, als ze uitgaan, gewoon, als ze leven. Als ik objectief kijk naar het leven dat wij leiden, zeg ik: hoe is dit vol te houden? En toch houden we het vol. Ons volk bewijst al vijftig jaar dat het expert is in overleven. Wat er ook gebeurt, wij houden vol.'

'Volhouden, noemen de Palestijnen dat *sumud*?'

'Precies. Sumud betekent het nooit opgeven, je altijd verzetten, met lijdelijk verzet als het anders niet mogelijk is. Sumud betekent geduld: als je de zwakkere bent en onder de laars van de vijand zit, moet je je niet bewegen, maar blijven waar je bent. Sumud betekent een vrije geest, een geest van verzet, waarmee je zelfs onder het juk, zelfs als je gemarteld wordt, blijft geloven in je ideaal, in je land… Sumud…', de stem van het meisje breekt, 'betekent tegen alles en iedereen in blijven geloven in Palestina.'

Ik verliet Maha diep geroerd. In een uur heeft ze heel wat meer gezegd dan de meeste politici. Als Sharon en de zijnen in staat waren te horen wat deze jonge mensen, die morgen de leiders van de Palestijnse samenleving zullen zijn, denken en voelen, zouden ze weten dat het nergens toe dient om steeds maar weer duizenden burgers te doden en de deportatie van hele bevolkingsgroepen te plannen: op de lange duur kunnen ze het niet winnen.

In naam van God

Een joodse kolonist

Ze hadden me gewaarschuwd: 'Je krijgt nooit een taxi naar Pisgot.[23] Je zult een paar keer moeten overstappen, want Israëlische taxi's zijn bang de bezette gebieden binnen te gaan en Palestijnse taxi's mogen je niet meenemen naar een nederzetting!'

Dus rekende ik op een lange tocht van drie of vier uur, met veel overstappen, voor een afstand van zo'n twintig kilometer, van West-Jeruzalem (de joodse kant) naar de kolonie Pisgot. Maar in Israël/Palestina zijn er geen regels, je moet alles altijd proberen, elke dag gebeuren er kleine wonderen.

Ik trof een sefardische chauffeur die me tot mijn verrassing wel helemaal tot aan de nederzetting wilde brengen. Later, toen we vaststonden bij de ingang, bleek hij een speciale pas te bezitten, die alle deuren voor hem opende.

We nemen de prachtige, bijna verlaten weg die loopt van Jeruzalem naar Nablus en die uitsluitend voor de Israëli's is. Het is een omleidingsweg en we zijn in iets minder dan een uur in Pisgot.

'Vroeger gingen we over de hoofdweg,' legt de chauffeur, die me wel mag, uit, 'maar nu zijn de mensen bang.'

Voor de ingang van de nederzetting die bewaakt wordt door met machinepistolen bewapende politiemensen, overhandig ik mijn paspoort en vervloek mezelf weer dat ik er Pakistaanse visa in heb staan, die uitdagend op de eerste twee bladzijden prijken. Dit is zo brutaal dat zij kunnen denken dat het een bewuste provocatie is, maar daar staat mijn hoofd echt niet naar. Ik heb

---

23. Een Israëlische nederzetting op een heuvel, die uitkijkt over Ramallah. Gebouwd in 1981 op grond die toebehoorde aan al-Bireh, de tweelingstad van Ramallah.

dit interview met de grootste moeite verkregen, ik heb wel twintig telefoontjes gepleegd met het hoofdbureau van de nederzetting, gesproken met allerlei mensen die mij beloofden spoedig te zullen antwoorden, boodschappen ingesproken op antwoordapparaten die informatie gaven in het Hebreeuws... alles vergeefs.

Ik begon al te wanhopen toen ik een telefoontje kreeg van een belangrijke kolonist die me de gegevens doorgaf van een zekere dokter Tubiana. Ik voelde me meteen veel kalmer, om zo te zeggen op bekend terrein. Tubiana is namelijk de naam van een beroemde professor in Frankrijk die een paar van mijn vrienden behandeld heeft. Op volkomen irrationele gronden zag ik nu minder op tegen de ontmoeting. Ik was door veel mensen gewaarschuwd: de kolonisten moeten niets hebben van journalisten, en al helemaal niet van Fransen die door de regeringspropaganda worden afgeschilderd als antisemieten. Ik moest ze dus vooral niet tegenspreken, want dan zouden ze wel eens driftig kunnen worden, er waren al eerder journalisten beledigd en er zonder pardon uit gegooid.

Ik geef aan de op wacht staande soldaat de naam op van dokter Tubiana, maar die heeft mijn naam niet doorgegeven, zoals dat had gemoeten. Ze proberen hem te bereiken: geen van zijn telefoons wordt opgenomen. Ze zoeken contact met het secretariaat van de nederzetting, dat ons zal proberen te helpen. Zo wachten we een halfuur in de taxi, in de moordende hitte. Ik kijk naar het verkeer, jeeps met tralies en enorme antennes, die af en aan rijden naar de nederzetting.

Tegenover ons, op minder dan een kilometer afstand, zie ik de stad Ramallah liggen en ik herken de weg waar ik drie dagen geleden nog liep met Liana Badr[24], een van de grote Palestijnse schrijfsters. Ze had me toen opmerkzaam gemaakt op de kolonie met een mengsel van woede en angst: 'Wij zijn uiterst

---

24. Liana Badr heeft diverse boeken gepubliceerd, waarvan in het Nederlands vertaald is: *Het oog van de spiegel*, uitg. Goossens-Manteau, 1990.

kwetsbaar. Zij houden ons constant in de gaten, ze schieten wanneer ze maar willen. We hebben al veel doden te betreuren, waaronder een kind dat onderaan dit terrein aan het voetballen was, en nu net weer een jogger hier op de weg waar wij nu lopen.'

Nog steeds geen nieuws van dokter Tubiana, maar ik kan toch niet met lege handen terug. Ten slotte laten ze ons door, op aandringen van mijn chauffeur, ja, eigenlijk dankzij zijn pas.

We rijden door de nederzetting op zoek naar onze man. Leuke stenen huizen, elk met een tuintje en een rood pannendak waarop een Israëlische vlag wappert. Je ziet maar weinig mensen, iedereen zal wel naar zijn werk zijn, maar diverse huizen zien er ook onbewoond uit. Volgens mijn chauffeur zijn heel wat families vertrokken na het begin van de intifada omdat het hier te gevaarlijk werd. Toch schijnt veiligheid hier de grootste zorg te zijn, we komen veel tanks en geblindeerde jeeps tegen, soldaten lopen af en aan. Maar de grootste machtsconcentratie is samengetrokken op de helling tegenover Ramallah, rond een indrukwekkend elektronisch systeem van radar achter hoge betonnen muren die zijn opgericht ter bescherming tegen kogels, stenengooiers of eventuele zelfmoordaanslagplegers.

Eindelijk komen we bij dokter Tubiana. Hij doet de deur voor ons open en we zien een zeer Frans burgermansinterieur, afgezien van de vele Hebreeuwse teksten aan de wand en de zevenarmige kandelaar[25] die op de televisie prijkt.

Verlegen excuseert hij zich: hij was onze afspraak glad vergeten. Vergeten? Ik heb hem haast moeten dwingen om een afspraak te krijgen, hij had gezegd dat hij tentamens moest voorbereiden, maar net als alle andere kolonisten staat hij vooral heel argwanend tegenover journalisten.

Dokter Tubiana is zevenenveertig jaar oud. Hij is kort en gedrongen, heeft een lichte huid en levendige oogjes achter een

---

25. De menora symboliseert het onstoffelijke licht, de goddelijke geest die ten slotte het geweld zal overwinnen.

stalen brilletje, hij draagt een sikje en heeft natuurlijk het keppeltje op dat elke belijdende jood draagt. Hij is gespecialiseerd in acupunctuur, met name in de oorschelptherapie.

Ik kom uit een familie van pieds noirs uit Tunesië, mijn vrouw komt uit Algerije. We zijn als kinderen naar Frankrijk teruggekeerd vanwege de gebeurtenissen van 1962. In 1985 hebben mijn vrouw en ik besloten naar Israël te emigreren met onze drie kinderen, eerst naar Jeruzalem, en later, in 1991, naar Pisgot.'

'Waarom bent u naar Israël gegaan, vond u het niet prettig in Frankrijk?'

'Omdat mijn godsdienstbeleving me in het dagelijks leven steeds weer voor problemen stelde, al ben ik lang geen fundamentalist. Het respect voor de joodse feestdagen, niet werken op zaterdag, je kinderen op sabbat niet naar school laten gaan... voor mij met mijn vrije beroep van arts was dat nog wel te doen, maar mijn vrouw die in het onderwijs werkte, had grote moeite een baan te vinden waarbij de vrijdagmiddag en de zaterdag vrij waren. Mijn familie was naar Frankrijk gekomen vanwege de taal, al woonde een deel van hen ook al in Israël, maar als je belijdend jood bent is de aliah logisch: de terugkeer naar de grond van Israël om je zionisme te onderstrepen.

Na aankomst was er een aanpassingsperiode. Ik kende het literaire Hebreeuws van de gebeden, maar ik moest de gewone taal leren. In 1986 al vestigde ik me als arts, maar na verloop van tijd beseften we dat het heel moeilijk was om in Jeruzalem te wonen en daar ons zionistisch ideaal te belijden, want we kwamen om in de materiële problemen en ons ideaal verwaterde steeds meer. Toen zijn we naar Pisgot gegaan om de terugkeer naar ons land en onze geschiedenis te bezegelen. De echte aliah is niet wonen in Tel Aviv of Haifa, maar hier in Judea Samaria, een landstreek die wij al drieduizend jaar bezitten.'

'Wonen er veel mensen in Pisgot?'

Tweehonderdvijftig gezinnen, ongeveer tweeduizend mensen. Er gaan er altijd wel een paar weg, maar er komen er ook steeds weer bij. Pisgot trekt de mensen aan, want het levenspeil is hier veel hoger dan in Jeruzalem of in een andere yeshiva[26]. Bovendien hebben we hier een heel goede school en sinds 1995 een omleidingsweg waardoor we niet meer door Ramallah hoeven. Dat soort zaken, plus het feit dat je vlak bij Jeruzalem bent, trekt gezinnen aan.'

'Ondanks het gebrek aan veiligheid?'

'Het is een vergissing te denken dat die problemen de mensen wegjagen! Natuurlijk moeten we sinds de intifada de wapens opnemen. De inwoners kunnen schieten, er is een vrijwilligersgroep, bewakingsrondes, we hebben ook heel goede reservisten. En dan zijn de soldaten er ook nog om ons te helpen, die hebben een grote muur gebouwd van vijf meter hoog om de huizen te beschermen die naar Ramallah toe liggen. Maar eigenlijk zijn we een yeshiva, een religieuze, niet-militaire gemeenschap, ook al is Pisgot ontworpen als een militaire basis ter bescherming van de communicatieantenne die het hele noorden van het land bestrijkt, tot aan Jeruzalem toe. Geleidelijk kwamen er steeds meer mensen wonen. Er waren geen problemen, ze onderhielden heel goede betrekkingen met de mukhtars, de burgemeesters van de omliggende dorpen. Maar de "opdrachtgevers uit Tunis", de mensen van Arafat, begonnen pressie op hen uit te oefenen en in 1987 begon de eerste intifada.'

'Toch is het algemeen bekend dat die eerste intifada ontstond doordat de bezette Palestijnen wanhopig werden van het feit dat hun levensomstandigheden steeds maar verslechterden en het aantal nederzettingen op hun grond almaar toenam. Pas daarna hebben ze van buitenaf geprobeerd de intifada te leiden.'

'Dat is niet waar! De mensen hier hadden geen enkel probleem met ons! Ik zie trouwens niet in hoe ik meneer Mohammed schade berokken door hier te wonen! Het was publieke grond die aan niemand toebehoorde. En vergeet de oorlog van 1967 niet, tegen de Jordaniërs, en het feit dat wij die gewonnen

---

26. Oorspronkelijk de joodse gemeente in Palestina, wordt nu gebruikt door de kolonisten om hun nederzettingen aan te duiden. Ook: religieuze school.

hebben: dat geeft ons recht op de veroverde gebieden! Vanuit die vertrekpositie kunnen we praten.'

'Weet u dat er een stuk of veertig resoluties van de Verenigde Naties zijn die bepalen dat Israël de bezette gebieden moet teruggeven?'

'Een stuk of veertig?' Hij lacht. 'Nog veel meer! Drie kwart van alle resoluties van de Verenigde Naties zijn tegen Israël gericht, maar dat verandert hoegenaamd niets aan onze positie: Judea Samaria maakt deel uit van Israël, geen ander volk heeft ooit op deze grond geleefd, er is hier nooit een andere hoofdstad geweest, dat zijn vaststaande historische feiten!'

'Maar het Palestijnse volk heeft hier toch ook heel lang gewoond!'

'Het Palestijnse volk bestaat niet, dat hebben jullie bedacht, dat heeft nooit bestaan!'

'En wie waren de mensen dan die hier woonden?'

'Lees Chateaubriand! Lees Napoleon! Het ging om een paar duizend nomaden die rondtrokken tussen Egypte en Syrië, en her en der wat halt hielden. Het is krankzinnig, een waanidee, om te praten van hét Palestijnse volk. Waar is hun hoofdstad? Hun vlag? Die hebben ze pas sinds vijftig jaar! Kent u één enkel volk zonder land in de wereld? Ik niet. De Engelsen hadden het over Palestina om de joodse band met deze grond te elimineren, ze kwamen op het woord Palestina omdat dat de wortel Filistijnen[27] heeft.'

Ik zeg hem maar niet dat er tweeduizend jaar lang nóg een volk zonder land en vlag is geweest: de joden. Wat zijn beschuldiging betreft aan het adres van de Engelsen, dat die de band van de joden met deze grond wilden vernietigen, die is op zijn zachtst gezegd bizar als je weet dat het zionistische ideaal in 1917 is opgebloeid door de verklaring van lord Balfour, die de joden een nationaal tehuis in Palestina toezegde.

---

27. De Filistijnen, die naar alle waarschijnlijkheid van Kreta kwamen, vestigden zich rond 1220 v.Chr. op de kust van Kanaän, tussen Gaza en de berg Karmel. Rond 1095 v.Chr. overwon koning Saul hen en vestigde hier het koninkrijk der Hebreeërs.

In het vuur van zijn betoog is dokter Tubiana opgestaan en ijsbeert nu door de kamer.

'Wij bevinden ons in deze impasse omdat Begin in de akkoorden die gesloten zijn met Egypte de rechten van het Palestijnse volk noemde. Dat was een zeer ernstige fout, aangezien het Palestijnse volk niet bestaat, en wij betalen nu voor de consequenties van die fout.'

'Maar er bestond toch een hoogontwikkelde maatschappij in Palestina, met burgers, met handnijverheid en een eigen cultuur, en met belangrijke steden als Haifa, Jeruzalem, Nazareth, enzovoort?'

'Ik zeg u dat het nomaden waren. En die steden waren oude joodse steden die gewoon andere namen hadden, zoals Jeruzalem en Hebron.'

'Laten we dat even aannemen. Maar wat is dan de oplossing volgens u? Want nu zijn er op de Westelijke Jordaanoever toch echt tweeënhalf miljoen Palestijnen. Wat doet u met die mensen?'

'Dat is een probleem. We moeten alles doornemen vanaf het begin, ik kan u dat in een uur niet allemaal uitleggen. We moeten terug naar de oorzaken...'

Hij loopt naar het terras om me op het uitzicht te wijzen: 'Kijk eens, hier tegenover, die heuvel, dat is Ahai, de tweede stad die Joshua bevrijdde toen hij uit Jericho kwam. Archeologen hebben daar een oude olijfoliepers gevonden en een oven om brood in te bakken en spullen om manden te maken. Daar lag echt een stad. Het leven is cyclisch, naar Pisgot komen maakt de cirkel rond, het is de terugkeer naar mijn grond, mijn geschiedenis en mijn religie.'

Hij is zo overtuigd, zo oprecht, dat het me bijna ontroert. Maar al gauw praat hij weer over wat hij wil geloven: 'Vergeet niet dat het juist de Arabieren waren die de Palestijnen gevraagd hebben om weg te gaan. Zelfs uit Deir Yassin[28] zijn de mensen

---

28. Tussen de honderdtwintig en honderdvijftig burgers zijn hier gedood in april 1948 door joodse paramilitairen van de Irgun – onder leiding van Menachem Begin –, een tragedie die, met andere gebeurtenissen uit dezelfde tijd, de vlucht van 800.000 Palestijnen teweeg heeft gebracht, volgens de Israëlische 'nieuwe historici'.

vertrokken vanwege de Arabische propaganda!'

Dit is wel heel bot. Deir Yassin is een Palestijns dorp waar een verschrikkelijk bloedbad is aangericht...

'In Deir Yassin zijn de Palestijnse burgers, vrouwen en kinderen, gedood door de milities van de Irgun[29]!

'Tweehonderd mensen maar, niet iedereen!'

'Tweehonderd, dat is ruim voldoende om de overlevenden zo'n angst aan te jagen dat ze wegvluchten. Het komt trouwens door de gebeurtenissen van Deir Yassin dat de bevolking in de omgeving ook is gevlucht voor de komst van de joodse troepen.'

'Nee, ze zijn gevlucht vanwege de Arabische propaganda.'

'Goed. Laten we het nog eens hebben over de resoluties van de Verenigde Naties en over Rabin die geaccepteerd had de bezette gebieden terug te geven.'

'Niet dé gebieden,' corrigeert de dokter, 'maar gewoon gebieden. De Fransen hebben dat *de* toegevoegd in hun document, in het Engels staat er niet *the*. Als wij accepteren iets terug te geven, is het aan ons te besluiten wat we al dan niet teruggeven.'

'U moet toch toegeven dat Palestina momenteel niet leefbaar is. Het is een reeks Bantoestan-achtige thuislanden die van elkaar gescheiden zijn door nederzettingen en omleidingswegen.'

'In Gaza loopt het rechtdoor.'

'Maar Gaza is slechts een minuscuul stukje Palestina...'

Hij geeft geen commentaar. Misschien denkt hij net als sommige Israëlische extremisten dat de overbevolkte, straatarme Gazastrook heel Palestina moet zijn...

'Als je ziet hoeveel haat Europa en de Israëlische pers tegen ons zaaien', gaat hij verder, 'door te beweren dat het hele probleem komt van de yeshiva en door een link te leggen tussen terreur en onze aanwezigheid in de nederzettingen, dan is dat een schande! Zij keuren het goed dat wij worden gedood! Laten we aannemen dat ik, zoals ze zeggen, een stuk grond veroverd

---

29. Joodse militie die tot in 1948 actief was in Palestina.

heb dat mij niet toekomt. Ik moet dat wel uitbreiden, want ik heb kinderen, ik bouw dus nog een paar huizen. Hoe kan dat de Arabier die tegenover mij woont nou ooit in zijn bestaan bedreigen? Waarom zou hij ons komen doden en terroristische activiteiten uitvoeren in Natanya, Galilea of elders? Is dat logisch? En hoe kun je de acties van onze militairen en ons leger nu vergelijken met terroristische acties? Dat is pure propaganda, een aanmoediging om joden te doden louter omdat ze joods zijn! Het kan me niet schelen hoeveel procent van de Westelijke Jordaanoever we al dan niet moeten teruggeven. Eigenlijk zou Israël zich nog veel verder moeten uitstrekken!'

'De vraag hoeveel gebied er wordt teruggegeven is toch wel cruciaal voor de Palestijnen, omdat het ze in staat zal stellen een land te hebben of niet. Erkent u dit recht van de Palestijnen?'

'Natuurlijk niet! Begrijp het nou eindelijk eens, het Palestijnse volk bestaat helemaal niet, hoe kan het dan een land hebben?'

'Maar die miljoenen Palestijnen…'

Getergd haalt hij de schouders op: 'Kijk maar eens in het telefoonboek van Jordanië: zeventig procent zijn Palestijnen. Hen bij Jordanië voegen zou al het begin van een oplossing zijn. Die twee volken, het Jordaanse en het Palestijnse, zijn één. Palestijnen hier moeten geregistreerd worden in Jordanië en daar gaan stemmen. Het Israëlische leger kan de veiligheid controleren, tot er een oplossing komt met de Arabische landen. En de nieuwe generatie Palestijnen moet elders opgroeien, ver van de propaganda die te lezen is in al die in Europa gedrukte boeken.'

'Welke propaganda?'

'Europa heeft tien miljoen euro gegeven voor het maken van antisemitische boeken, geld dat geschonken is aan het Palestijnse onderwijs, zonder recht op controle. Boeken waarin staat: vier joden min twee joden is twee te doden joden. Ja, dat staat in al die boeken![30] Ze prediken jodenhaat, ze zeggen dat we hun

---

30. Deze beschuldigingen zijn uiteraard vals.

hun land hebben afgepakt en dat ze het moeten terugpakken. Het probleem is dat Arabieren niet accepteren dat het joodse volk terug is op de grond die altijd al van hen was. Dan maken onderhandelingen voor veertig, zestig of honderd procent ook niets uit. Een Palestijnse staat wordt sowieso een gecastreerde staat, zonder leger, met door ons gecontroleerde grenzen en met een waterprobleem, want voor water zijn ze van ons afhankelijk. Denk u dat ook maar één Arabier dat zal accepteren? Ik geloof niet dat er ooit een Palestina komt. Dat druist in tegen alles waardoor ik hier terechtgekomen ben. Er is geen enkele wettelijke of historische rechtvaardiging voor hun aanwezigheid hier! Net zomin als voor die van de Basken!'

Hij lacht: 'Hé, dat is een idee! Wilt u dat de Basken hier komen wonen? Waarom niet? Dat zou het Baskische probleem van Spanje en Frankrijk mooi oplossen!

Volgens mij moet je geen haast hebben. De hele bevolking moet worden heropgevoed totdat ze begrijpen dat de joden hier horen. We kunnen samenleven als zij begrijpen dat de Israëli's de heersende partij zijn en zij de gedoogde. Even serieus, ze kunnen geen onafhankelijk land hebben. Ziet u hun vliegtuigen al over ons heen komen, ziet u ons toestaan dat zij akkoorden sluiten met andere landen zoals Irak, of dat zij ons water oppompen? Geen Israëli, van rechts of van links, met of zonder keppeltje, die dat zal accepteren! En als we ze nu veertig of zestig procent van de bezette gebieden geven, zullen ze altijd meer willen. Dat is de Arabische mentaliteit!'

Ik ga beslist niet met hem filosoferen over de Arabische mentaliteit, noch over de joodse mentaliteit. Ik snijd een ongevaarlijker onderwerp aan: 'Bent u lid van een politieke partij?'

'Nee, ik ben overtuigd zionist en ik wil dat niet bezoedelen met politiek.'

'Het zionistische ideaal wil dat alle joden terugkeren naar Israël, maar hoe moet dat, daar is toch geen plaats voor?'

'Daarom zijn er de bergen! In de Psalmen staat: "Wanneer de mensen terugkeren gaan de bergen liggen…"'

Ik denk dat ik het verkeerd verstaan heb. Grootmoedig legt

hij uit: 'We kunnen de bergen afzagen en daarop bouwen. Daar zijn we al mee begonnen, dat doen we voor de yeshiva's rond Jeruzalem; dit land is een land van heuvels, als we die slechten is er plaats genoeg voor huizen voor alle joden van de wereld, die ooit allemaal zullen terugkeren. Dat is geen enkel probleem, het land rekt vanzelf uit.'

Hij glimlacht bij dit idyllisch visioen: 'Het ware zionisme wil dat alle joden terugkeren naar Israël om er hun geloof te belijden en niet vanwege antisemitisme. Dat is een zionisme à la Tati! Overigens', zo sluit hij af, 'is dat nog altijd beter dan niets.'

'En, was het interessant?' vraagt mijn chauffeur als ik weer in de auto stap.

Interessant, zeker, maar vooral ontroerend en angstaanjagend. Dokter Tubiana is het soort goeie kerel waar je koud van wordt.

Maar zoals altijd kun je, ook al ben je het niet met hem eens, zijn rigide houding wel begrijpen, evenals zijn krampachtig vasthouden aan mythes waarvoor hij, net als duizenden andere kolonisten, zijn leven wil geven.

Een leven vol trauma's. Eerst de holocaust, waaronder hij en zijn familie in Noord-Afrika wel niet direct te lijden hebben gehad, maar die hij in de geest wel tot in de gruwelijkste details heeft meebeleefd, als een nachtmerrie die je hoofd wegvreet. En al waren de verantwoordelijken daarvoor geen Arabieren, met wie de joden eeuwenlang vredig hebben samengeleefd, toch wordt de oorzaak van alle ellende, met behulp van het westen, geprojecteerd op de slechte Arabier, de bloeddorstige islamiet.

Maar ik denk dat dokter Tubiana ook is getroffen door een dieper persoonlijk trauma: als klein kind is hij weggerukt uit Tunesië, zijn zonnige land waar hij als Franse jood veel voor had op de Arabieren, en vertrokken naar het koude Frankrijk, waar zijn familie stuitte op allerlei moeilijkheden. En het waren de Arabieren die hem uit het paradijs hadden verjaagd, dezelfde die nu hier zijn aanwezigheid betwisten!

Over Tunesië hebben ze hem verteld dat dat niet zijn grond was, hoewel hij als klein kind zeker wist dat het wel van hem was. Maar de grond van Eretz Israel, die pakken ze hem niet af, die is hem gegeven, niet door de een of andere koloniale macht, maar door God zelf! De God die de joden heeft uitverkoren om te wonen in Israël en de glorierijke terugkeer van de Messias voor te bereiden. Geen macht ter wereld krijgt hem daar weg.

Ik schrik op door het plotseling remmen van de auto. Bij de uitgang van de kibboets gebaart een jong meisje of we haar mee kunnen nemen naar Jeruzalem.

Ze is beeldschoon en de chauffeur beijvert zich een plaatsje naast zich vrij te maken. Naomi volgt een cursus schilderen aan de kunstacademie. Ze is slank, heeft heel kort haar en een lange rok, ze draagt geen hoed en hieruit leid ik af dat ze niet belijdend gelovig is. Fout, ze draagt geen hoed omdat ze niet getrouwd is, maar ze is heel gelovig. Is ze in militaire dienst geweest? Ja, maar op een rustige plek, waar ze zich bezighield met kinderen.

Ik probeer wat verder te gaan in het gesprek. Ze is zo jong, ze is vast opener van geest dan dokter Tubiana.

'Je woont vlak bij Ramallah. Ben je daar wel eens geweest?'

'Ja, voor de intifada ging ik er soms boodschappen doen.'

'Heb je toen wel eens met Arabische meisjes gepraat?'

'Waarom zou ik? Ik heb hun niks te zeggen.'

'Maar om vrede te sluiten moet je toch met elkaar praten?'

Ik krijg geen antwoord. Ik voel dat ze het zichzelf kwalijk neemt dat ze is ingestapt, maar ik dring aan, op haar leeftijd moet ze zich toch wel het een en ander afvragen.

'Denk je dat de bezette gebieden Israëlisch moeten blijven?'

'Natuurlijk, die horen bij Eretz Israel. Ze zijn van ons, omdat God ons die duizenden jaren geleden gegeven heeft.'

'En wat doe je met de Arabieren die daar wonen?'

'Die moeten accepteren dat het land van ons is, ook al zijn ze er al honderden jaren. God heeft ons die gebieden gegeven.'

Ze heeft de blik van een engel, een heel zachte glimlach, maar je voelt dat niets haar aan het twijfelen kan brengen. Voor die gebieden die God haar gegeven heeft, zal ze vechten tot het uiterste. Net als dokter Tubiana.

Pater Bernard Batran

Langs de trappen die voeren naar Oud-Jeruzalem vormen de cipressen een erehaag. Langs tuinen met laurierstruiken en paarse bougainville loop ik naar de gekartelde stadsmuren en de poort van Jaffa.

Het imposante stenen gewelf mondt uit in de christelijke wijk. Bij de ingang word ik omstuwd door souvenirverkopers, die eraan wanhopen of ze nog wel klanten zullen vinden: afgeschrikt door de nu al twee jaar durende onlusten komen er praktisch geen toeristen meer. Ik weet ze te ontlopen en neem mijn toevlucht tot een kalm straatje, de straat van het rooms-katholieke patriarchaat, vol restaurants met tuinen, waar in de schaduw van eeuwenoude bomen orthodoxe priesters met dikke buiken genieten van hun Turkse koffie met zoetigheden erbij.

De straat loopt omhoog naar een groot gebouw met gebogen ramen waarvan de ingang is beschermd door een mooi smeedijzeren hek. In de binnenhof, een oase van rust en koelte na de verstikkende hitte van de stad, ondersteunen pilaren stenen bogen, de onbeholpen nabootsing van een klooster of het schip van een kathedraal.

Een knappe man van een jaar of vijftig in een zwart pak met een wit priesterboordje ontvangt me. Onder het brede voorhoofd ernstige ogen die verzacht worden door een bijna kinderlijke glimlach. Dit is pater Bernard, een kind van het land.

'Ik ben geboren in het dorp Beit Sahur, één kilometer ten oosten van Bethlehem, een dorp dat volgens de traditie het veld was van de herders uit het Evangelie. De Heilige Schrift vertelt dat bij de geboorte van Jezus engelen aan de herders verschenen en zeiden: "Een kind is u geboren in Bethlehem, gewikkeld in doeken. Gaat en gij zult het vinden." En de engelen zongen

"Ere zij God in den hoge en vrede op aarde, in de mensen een welbehagen". Welnu, daar ligt mijn dorp en mijn huis ligt even ver van de Geboortekerk af als van de kapel van de herders.'

'Woont uw familie daar al lang?'

'Al eeuwen. Mijn vader was er onderwijzer, hij gaf Engels, Frans en Arabisch. Hij was een van de meest ontwikkelde mensen van het dorp. Hij had gestudeerd aan het seminarie van Beit Jala[31], twee jaar filosofie onder andere. Hij kende ook Italiaans. Toen ik in 1950 geboren werd, was hij leraar Engels in Hebron.'

'Hadden uw ouders het wel eens over de gebeurtenissen van 1948?'

'Natuurlijk, vooral mijn moeder die afkomstig was uit Jaffa, bij Tel Aviv. In 1948 woonde ze al in Beit Sahur want ze was in 1946 met mijn vader getrouwd, hoewel zij orthodox was en hij katholiek. Het was een huwelijk uit liefde. Maar ze hield altijd heimwee naar Jaffa. Ze ging er vaak heen, tot in 1948 haar hele familie moest vluchten voor de Israëlische kanonnen. Toen de Palestijnen na 1967 terug mochten naar Israël, was het eerste wat mijn moeder wilde haar huis terugvinden in Jaffa. Dat werd nu bewoond door een Bulgaars-joodse familie. Ze mocht er binnen. Ze heeft me vaak verteld hoe het was. "Ik zag mijn huis en die mensen boden me nog geen koffie aan. Ik mocht naar binnen en weer naar buiten als een vreemde." Ze huilde. Weet u, het is erg moeilijk om een vluchteling te zijn. Duizenden Palestijnen dromen ervan ooit terug te keren naar hun geboortedorp.'

'Kan dat?'

'De geschiedenis kent helaas onomkeerbare feiten, onrechtvaardigheden, waaronder dit vraagstuk van de Palestijnse vluchtelingen. Na vijftig jaar heeft een ander volk hun plaats ingenomen. Het is moeilijk zich voor te stellen dat al die vluchtelingen ooit terug kunnen naar hun geboorteland, want er zijn er nu miljoenen. Het zou de hele demografie van Israël

---

31. Stad naast Bethlehem.

ontwrichten. Maar men zou hun toch op zijn minst hun waardigheid kunnen teruggeven, hun compensatie of een huis kunnen geven. Ook zou het sommigen moeten worden toegestaan terug te keren naar Israël in het kader van de gezinshereniging. Als men het probleem wil oplossen, kan het. Want geloof me, er zijn echt niet zoveel Palestijnen die willen leven onder Israëlisch gezag!'

'En u, was u zich op jonge leeftijd al bewust van het Palestijnse vraagstuk?'

'Ik herinner me dat mijn grootmoeder op het eind van elke maand het rantsoen ging ophalen dat door de Unrwa werd uitgedeeld aan de vluchtelingen. Ik was klein, ik ging met haar mee, we stonden in de rij en brachten meel, boter en rijst mee terug. Ik vroeg haar waarom wij in de rij stonden, waarom wij rantsoenen moesten halen, terwijl onze buren dat niet hoefden. Ze legde me uit dat haar familie had moeten vluchten, dat ze haar huis kwijt was, maar dat ze er ooit naar hoopte terug te keren. Ze zei tegen ons dat ze de sleutel goed verstopt had, onder een terrastegel.'

'En uw vader, deed die aan politiek?'

'Hij volgde het Palestijnse vraagstuk op de radio. Hij voelde zich een patriot maar hij is nooit politiek actief geworden. Zijn werk als onderwijzer plus de godsdienstige activiteiten in de parochie slokten hem op.'

'In 1967, als u zeventien bent, is er weer een ramp, de bezetting van de Westelijke Jordaanoever, waar u woont. Wat deed u toen?'

Ik studeerde filosofie aan het seminarie van Beit Jala. Ik wou priester worden. Toen ik koorknaap was, begreep ik dat dat mijn weg was. Ik was misdienaar en was op catechismus bij een jonge seminarist die nu de pastoor van Gaza is. Hij was aardig, sportief, een sterke persoonlijkheid. Toen hij me vroeg of ik priester wilde worden, zei ik ja. Ik was elf. Op mijn vijftiende begon ik met filosofie en op mijn achttiende met theologie.'

'Nog even over de Palestijnse zaak. Wat zijn uw herinneringen aan de Zesdaagse Oorlog?'

'Op 4 of 5 juni 1967 trokken de Israëli's Bethlehem binnen. Vanuit het seminarie hoorde je de kanonschoten op de stad. Het duurde niet lang. Een paar uur later hoorden we dat de notabelen met een witte vlag naar de Israëli's waren gegaan.'

'De Jordaniërs[32] hebben niet lang standgehouden!'

'Er vond geen echt verzet plaats, alleen in Jeruzalem een beetje. Er was een gigantisch verschil in bewapening, techniek en voorbereiding tussen de beide strijdmachten. Op het nieuws hoorden we dat de Egyptenaren honderd of tweehonderd vliegtuigen hadden neergehaald, het aantal neergestorte vliegtuigen was niet meer te tellen. Uiteindelijk hoorden we dat juist de Egyptische toestellen waren neergehaald, al vanaf de eerste dag. Er gingen toentertijd enorm veel leugens rond. In 1967 zag ik niet alleen hoe sterk de Israëlische krijgsmacht was, maar ook hoe onvoorbereid de Arabieren waren. Na de nederlaag namen Jordanië, Syrië en Libanon een bepaald aantal Palestijnen op. Heel wat van hen zijn rijk geworden van het werken in de emiraten, maar de meerderheid is nog steeds behoeftig en leeft in onmenselijke omstandigheden. De vluchtelingenkampen, die tijdelijk zouden zijn, zijn er nu nog steeds, na vijfendertig jaar!'

'Is dat een vorm van onverschilligheid van de kant van de Arabische regeringen?'

'Helaas wel. Wij rekenden echt op onze Arabische broeders, op de olielanden, maar dat was een utopie. Het was een verschrikkelijke desillusie.'

'En voor u persoonlijk, hoe was de bezetting voor u?'

'De eerste jaren waren rustig. De Palestijnen vonden vaak werk in Jeruzalem, ze zetten fabriekjes op, familiebedrijven. De arbeiders brachten geld terug naar de dorpen en steden, in het begin was er zelfs een economische boom. De Palestijnen hadden zich niet georganiseerd om verzet te bieden, en de Israëli's waren blij dat ze heel Palestina bezet konden houden. Het was

---

32. De Westelijke Jordaanoever stond onder Jordaans gezag tot de nederlaag van 1967.

bijna een honeymoon! Dat duurde ongeveer tot de eerste intifada.'

'Er waren toch zeker wel verzetsgroepen?'

'Er waren wel verzetsdaden, een paar acties tegen de bezetting, maar heel wat minder gewelddadig dan die van nu. Er
heerste geen sfeer van oorlog. We konden met de auto van
Bethlehem naar Tel Aviv.'

'Als het leven toen zo makkelijk was, hoe is het dan tot een
intifada gekomen?'

'Daar zijn diverse oorzaken voor: het vluchtelingenprobleem
dat niet werd opgelost, de kwestie Jeruzalem, het groeiend
aantal mensen dat louter op verdenking werd gearresteerd en
zes maanden gevangengehouden, wat ook weer verlengd kon
worden zonder veroordeling, zonder zelfs maar een duidelijke
aanklacht![33] En dan nog het zomaar inpikken van grond en het
voortdurend bouwen van nederzettingen. Je voelde dat je vaderland langzaam verdween.

Verder werden de aanvragen van vergunningen om te reizen
of een huis te bouwen bijna altijd afgewezen. En het minste
protest daartegen leidde tot hevige repressie. Politieke partijen
waren uiteraard verboden, zelfs het woord Palestijn was verboden, wij waren Arabieren geworden, met een Israëlische
identiteitskaart! En bij de minste of geringste verdenking werden we gearresteerd.'

Hij wringt zijn lange bleke handen, aarzelt en zegt dan toch:
'Ik zal u een persoonlijk voorbeeld geven: mijn oudste broer is
tweemaal gevangengezet. De eerste maal was hij twintig jaar
oud. Het was zomer, hij kwam terug uit een Arabisch land waar
hij een beurs had gehad voor de opleiding tot scheikundig
ingenieur. Hij was een rustige jongen die nooit lid had willen
worden van een politieke partij. De Israëli's gingen ervan uit dat
hij, omdat hij Palestijn was en in een vijandig Arabisch land
studeerde, deel uitmaakte van een organisatie. Om twee uur

---

33. Deze 'administratieve hechtenis' wordt nog steeds veel gebruikt tegen
Palestijnen.

's nachts kwamen ze hem aanhouden. Wij wisten niet in welke gevangenis hij vastgehouden werd. We hebben overal gezocht, werden van het kastje naar de muur gestuurd, kregen geen enkel bericht. Ten slotte hoorden we dankzij het Rode Kruis dat hij in Jeruzalem zat, in de Moscobyia-gevangenis in het centrum van de stad. Na twaalf dagen mochten we hem bezoeken. Ik herinner me dat mijn moeder de hele nacht zijn lievelingsgerechten had gekookt. We wachtten van tien uur 's morgens tot vier uur 's middags. En om vier uur, toen wij aan de beurt waren, zei een soldaat in het Hebreeuws: "Gamarnu", wat betekent "De tijd is om". Toen heb ik mijn moeder voor het eerst razend gezien. Ze smeet met de deur en schreeuwde van woede. We moesten een volle week wachten voor we hem konden zien. We mochten hem maar één keer per maand bezoeken. Na vier of vijf weken werd hij vrijgelaten.'

'Was hij gemarteld?'

'Ja. De Israëli's zetten een stinkende zak op zijn hoofd die hem verstikte, ze sloegen hem en beletten hem dagen en nachten achtereen om te slapen, zodat hij zou doorslaan. Ik heb toen, omdat mijn vader geopereerd moest worden voor kanker, geschreven aan de militaire gouverneur van Bethlehem met het verzoek om vrijlating van mijn broer, aangezien er immers geen enkele concrete beschuldiging tegen hem was. De geheime politie kreeg de brief in handen en gebruikte hem als chantagemiddel: "Je vader gaat dood. Als je niet bekent, zie je hem nooit meer." Hij is niet gezwicht.

Maar toen hij eruit kwam – ze hadden niets tegen hem kunnen vinden – was hij woedend op me: "Wat heb je geschreven? Ik had bijna dingen bekend die ik nooit gedaan heb!"

Hij vertrok weer en het jaar daarop kwam hij terug voor de vakantie, overtuigd dat de zaak was afgedaan. Weer werd hij gearresteerd en gemarteld. Toen hij na veertig dagen uit de gevangenis kwam, was hij zo vermagerd dat we hem nauwelijks meer herkenden. Hij moest nog twee jaar door om zijn studie af te maken, maar hij mocht het land niet uit. Ik was toen priester in Bethlehem. Ik heb geschreven naar de president van de republiek en hem gevraagd de wet toe te passen, aangezien ze immers niets tegen mijn broer in handen hadden. Zes maanden later ontvingen wij een brief dat hij Israël uit mocht naar het land van zijn keuze. Hij is zijn studie gaan afmaken en is toen teruggekomen want hier wilde hij ondanks alles wonen. Maar werk heeft hij nooit gevonden.'

'Waarom niet?'

'In Israël was toen veel werk voor Palestijnse arbeiders maar heel weinig voor Palestijnse afgestudeerden. Hij kreeg een interessante aanbieding uit Canada en is daarheen gegaan. Helaas zijn veel Palestijnen met diploma's wel gedwongen naar het buitenland te gaan.'

'Er wordt gezegd dat er meer christenen weggaan omdat die meer mogelijkheden hebben.'

'Ja, die integreren makkelijk in het Westen. Aan die verleiding bezwijken veel Palestijnen elk jaar weer.'

'Hoeveel procent van alle Palestijnen is christen?'

'Ongeveer drie procent in de bezette gebieden, dat wil zeggen zo'n zeventigduizend. Voor 1948 waren we met bijna tien procent, wat nog steeds het geval is in Israël, waar er honderdduizend christenen zijn op één miljoen Palestijnen.'

'Zijn er problemen tussen de beide bevolkingsgroepen?'

De pater die tot nu toe heel vriendelijk was, onderdrukt een gebaar van irritatie: 'Er bestaan geen problemen tussen bevolkingsgroepen, er bestaan alleen problemen tussen mensen! Wanneer er een conflict is tussen twee moslims, wordt er gezegd: Dat is een conflict tussen hen beiden! Als er een conflict is tussen twee christenen heet het: Dat is een conflict tussen hen beiden! Maar zodra er een conflict is tussen een moslim en een christen wordt het zogenaamd een "nationaal probleem". Dat is een stammenmentaliteit, iedereen ondersteunt zijn geloofsgenoten. Het gevoel een zwakke minderheid te zijn aan de kant van de christenen, en reacties van het type: "Christenen klagen altijd" aan islamitische zijde maken de dialoog er bepaald niet eenvoudiger op.

Op wat kleine incidenten na hebben we meestal goede relaties met elkaar. De rooms-katholieke patriarch van Jeruzalem bijvoorbeeld, staat in hoog aanzien bij de moslims, omdat hij een dapper mens is die de waarheid niet schuwt. De moslims weten dat onze aanwezigheid de Europeanen en Amerikanen helpt het probleem hier beter te begrijpen. Wij hebben een brugfunctie naar het Westen.'

'Hoe was het voor u tijdens de eerste intifada?'

'Ik was in Rome. Ik volgde de demonstraties via de radio, ik was het liefst hier geweest bij de mijnen. Bij terugkomst, na de akkoorden van Oslo, was ik erbij toen de Palestijnse Autoriteit in Bethlehem arriveerde en tijdens de eerste periode van autonomie. Toen kregen de Palestijnen een Palestijns paspoort in plaats van een Israëlische identiteitskaart!'

Bij de herinnering hieraan vullen zijn ogen zich met tranen: 'Ik voelde me geweldig trots, en vol hoop. We hadden paspoorten, we waren eigen baas over ons schoolsysteem, de gezondheidszorg, de communicatiemiddelen – radio, televisie, posterijen – en elke twee weken werd er weer een stad onafhankelijk. We dachten dat we gewonnen hadden, dat we weldra een onafhankelijk land zouden hebben. We waren trots op wat we bereikt hadden. Het was een zalig optimisme. Maar na de moord op Rabin beseften we langzamerhand dat de Israëlische regering niet achter haar handtekening stond. Alleen de autonomie van de grote steden was toegezegd. De meerderheid van de gevangenen was niet, zoals beloofd, vrijgelaten, en Oost-Jeruzalem mocht niet de hoofdstad van de Palestijnen worden. Ook de nederzettingen zouden niet worden ontmanteld, er werden er integendeel steeds meer gesticht. En de bezette gebieden werden geen van alle teruggegeven, hoewel dat in de resoluties van de Verenigde Naties geëist werd.'

'Voorvoelde u toen dat er weer een intifada op komst was?'

'De huidige situatie heb ik niet voorzien. Maar het mislukken van Camp David was al een teken dat er geen dialoog mogelijk was.

Tijdens het bezoek van de paus in maart 2000 zou er een ontmoeting plaatsvinden tussen de vertegenwoordigers van de drie geloofsgemeenschappen. Om deze ontmoeting voor te bereiden, een mijnenveld, had het kleine comité waar ik deel van uitmaakte zich uitgeput in diplomatieke omzichtigheid met elke vertegenwoordiger. Ten slotte kwam de grote moefti niet, maar stuurde een vertegenwoordiger, de grootmagistraat sjeik Tayseer Tamimi. De sefardische opperrabbijn was er niet, maar wel de asjkenazische grootrabbijn Meir Lau. Beiden hielden een rede. De rede van de sjeik was dynamiet, je voelde zijn woede. Hij herinnerde de paus eraan hoeveel onrecht er begaan was tegen de Palestijnen en hij zei dat zij deze onderdrukking niet meer konden accepteren. De grootrabbijn daarentegen bedankte de paus heel handig voor het feit dat hij met zijn aanwezigheid Jeruzalem erkende als de ondeelbare, eeuwige hoofdstad van de staat Israël. Wij waren perplex. Dit was een absolute manipulatie van het bezoek van de heilige vader. Een paar maanden later begon de tweede intifada.'

'De Palestijnen zeggen dat het bezoek van Sharon aan het Plein der Moskeeën een provocatie was om te verhinderen dat het vredesproces zou doorgaan. Wat denkt u daarvan?'

'Van de kant van Sharon was het zeker bedoeld om duidelijk te maken aan de Israëli's, de Palestijnen en de wereld dat het plein voor de al-Aqsamoskee de plek is van de Tempelberg. Het was de bevestiging van een Israëlisch recht. Voor de Palestijnen was het een provocatie. Arafat had Barak trouwens nadrukkelijk gevraagd dat bezoek te verhinderen. Barak kon dat niet of wilde dat niet.'

'Hoe kan dit conflict volgens u worden opgelost?'

'Het onbegrip tussen de beide gemeenschappen is groot. Elk heeft een andere visie op het verleden, het heden en de toekomst. Wat de Israëli's de Tempelberg noemen, heet bij de Palestijnen het Plein der Moskeeën of Haram al-Sharif. Wat de Israëli's de stad van David noemen, noemen de Palestijnen al-Quds al-Sharif, de Arabische naam voor Jeruzalem. Wat de Palestijnen de bezette gebieden noemen, noemen de Israëli's de bevrijde gebieden. Het begrip recht en zelfs de gebruikte woordenschat tonen een absoluut gebrek aan begrip voor elkaar.

Als Arabier begrijp ik de Palestijnse opstelling, en als christen met kennis van het Oude Testament begrijp ik waarom de joden zo spreken. Ze beroepen zich elk op een verschillend recht. De Israëli's op een goddelijk recht dat gebaseerd is op het boek Genesis en het feit dat zij duizend jaar op deze grond gewoond hebben, vanaf David tot aan de Maccabeeën in de eerste eeuw, maar de Palestijnen, die zich hier sinds de zevende eeuw bevinden en stellen dat zij een historisch recht op Palestina hebben, begrijp ik ook. Elk eist zijn recht op.

De andere grote tegenstelling is dat de Israëli's eerst het veiligheidsprobleem willen oplossen, en de Palestijnen eerst het vraagstuk van de bezetting sinds 1967. Ze zeggen: "Het is heel eenvoudig: erken dat er een bezetting is, geef de bezette gebieden terug en alle problemen zijn opgelost." Terwijl de Israëli's verklaren: "Wij worden door de Palestijnen bedreigd. Zolang we geen veiligheid hebben, zijn we niet bereid om onderhandelingen te starten." Elk zijn eigen woorden, taal en eisen.'

'Denkt u dat het vrede zou worden als de Israëli's zouden accepteren zich terug te trekken uit de bezette gebieden?'

'Zeker! De resoluties van de Verenigde Naties zouden worden nageleefd, en dat wil iedereen: de Palestijnen, de Arabieren, zelfs de Amerikanen! Maar de Israëli's geloven niet dat ze vrede krijgen als ze de bezette gebieden teruggeven. Of liever, hun regering doet net alsof ze dat niet gelooft, om maar niets te hoeven teruggeven... Sharon wil de Palestijnen in diskrediet brengen door te zeggen dat het een volk van terroristen is en dat men met terroristen niet kan onderhandelen. De Palestijnen antwoorden dat het geen terrorisme is en dat ze zich zullen blijven verzetten zolang de Israëli's niet weggaan.'

'En u, als Palestijn, maar ook als priester, wat vindt u?'

'Ik ben van mening dat de Palestijnen het recht hebben te leven in hun land, maar dat hun verzet geweldloos moet zijn.'

'Geweldloos verzet, kan dat efficiënt zijn?'

'Ja, kijk maar naar Gandhi in India!'

'Dat is wel het enige voorbeeld dat er is! En het slaagde omdat de Engelse bezetter om economische redenen toch weg wou.'

'De Palestijnen hebben het met gewelddadige acties geprobeerd, zonder succes. Eigenlijk waren ze sterker met hun stenen dan met hun bommen, ze hadden de wereld aan hun kant. We moeten bewijzen dat we niet voor terreur zijn maar voor verzet. Maar wij lijken absoluut niet in staat de media te bespelen... Tien miljoen joden hebben meer invloed in de wereld dan driehonderd miljoen Arabieren. Als de westerse media de kant van de Israëli's kiezen, is dat omdat die het zo goed weten te verwoorden. Terwijl wij, die overduidelijk het recht aan onze zijde hebben, niet in staat zijn dat over het voetlicht te brengen.

Een zelfmoordaanslag in Jeruzalem of Natanya maakt dat de Palestijnen alle sympathie verspelen die ze in het verleden hebben opgebouwd. Het doden van onschuldigen druist in tegen elke ethiek. Of het nu Palestijnen zijn tegen Israëli's, of Israëli's die op onmenselijke wijze tekeergaan in onze gebieden. Beide zijn onacceptabel, en beide veroorzaken ze een keten van geweld die nog lang niet ten einde is.'

'Wat kunt u als priester daartegen doen?'

'Wij, de katholieke instellingen in Jeruzalem, werken dag en nacht om humanitaire hulp te bieden aan de armste Palestijnen, die slachtoffer zijn van het geweld. Hoe is het leven van gezinnen na weken, soms maanden van spertijd, zonder werk en zonder school? Hoe moeten ze de huur en de rekeningen voor elektriciteit, water en telefoon betalen, en het schoolgeld voor de kinderen, en medicijnen? Wij werken samen met de kerken van Europa en Amerika om de armsten te helpen en hun hun waardigheid terug te geven.'

'De soldaten rechtvaardigen hun acties door te zeggen dat de meesten van hen terroristen zijn en dat ze zich alleen maar verdedigen.'

Pater Bernard loopt rood aan van verontwaardiging: 'Ik kan niet vaak genoeg herhalen dat het nu net de Israëli's zijn die als eersten gezondigd hebben, door gebieden te bezetten die niet van hen waren. Als er geen bezetting was, was er geen verzet of terrorisme. Als de Palestijnen geen vredesakkoord wilden ondertekenen of als ze zich niet aan de afspraken zouden houden, dan hadden de Israëli's uiteraard het recht zich te verdedigen, maar zo is het niet.'

'De meeste Palestijnen geloven niet meer in onderhandelingen, ze ondersteunen de zelfmoordaanslagen omdat ze er nu van overtuigd zijn dat de Israëli's zich toch niet zullen terugtrekken als ze daar niet toe gedwongen worden.'

'Ongetwijfeld, maar er kan ook een economische noodzaak zijn. De Arabieren kunnen het wapen van de olie gebruiken. Dat doen ze niet, omdat ze niet samenwerken. Dat gebrek aan samenwerking is een van de ergste dingen in het Midden-Oosten en het heeft trouwens geleid tot de Golfoorlog.'

Pater Bernard ziet er opeens heel moedeloos uit. Ik kan niet nalaten te vragen: 'Voelt u zich in de steek gelaten?'

Hij richt zich op: 'Nee! Veel journalisten en Europese landen hebben ons hun solidariteit en sympathie betoond. Maar er zijn nu eenmaal dingen die Europeanen en Amerikanen nooit zullen begrijpen, zoals bijvoorbeeld zelfmoordaanslagen. Zij schrijven die toe aan fanatisme, maar de werkelijkheid is subtieler.'

'En u, begrijpt u ze?'

'Ik begrijp ze wel, maar ik keur ze niet goed. En ik zou willen dat Europa ze ook begreep. Er loopt een logische lijn van de wanhoop van de Palestijnen naar die aanslagen. Maar het is uiterst schadelijk voor ons imago. Na 11 september hebben de Amerikanen en Sharon een link willen leggen tussen de Palestijnse Autoriteit en al-Qa'eda. Voor de Amerikanen is Afghanistan hetzelfde als Palestina en Osama bin Laden hetzelfde als Arafat. Het is angstaanjagend te zien hoe blind de grootste wereldmacht is.'

'Is het volgens u verkeerd als Sharon en Bush Arafat verwijten dat hij niet probeert de zelfmoordaanslagen te beteugelen?'

'Uiteraard! Hoe kan Arafat, die gevangenzit in Ramallah, nu ooit de straten van Jeruzalem controleren! Hem ervan beschuldigen dat hij verantwoordelijk is voor al het kwaad dat de Israëli's overkomt, is belachelijk. Sharon probeert hem van het politieke toneel te krijgen, maar hij heeft geen enkele vredesstrategie en houdt geen rekening met de ramp die zou volgen op Arafats eliminatie. Want Arafat blijft, hoezeer hij ook bekritiseerd wordt, het symbool van de Palestijnse macht. Als hij er niet meer is, ben ik bang dat er anarchie uitbreekt.'

Gewapend machtsmisbruik
en gewetensbezwaarden

Yusef, kunstschilder

Een kleine studio in de heuvels van Ramallah. Ik arriveerde er toen de zon onderging over de stad. De vlammende hemel werd doorsneden door de witte strepen van zwermen vogels boven onze hoofden die daar luid kwetterend vlogen, een oorverdovend lawaai dat evenwel zeer welkom was na het geronk in de afgelopen dagen van de F-16's.

Een kunstenaarsatelier waar totale wanorde heerst, tegen de muren gestapelde doeken, boordevolle asbakken en lappen die stijf van de verf op de houten vloer vol veelkleurige vlekken liggen, een echte artiestenstudio zoals die overal ter wereld bestaan.

Yusef doet open. Hij is klein en tenger, met een zwarte baard, misschien vijfentwintig jaar oud. Hij komt net uit de gevangenis, nou ja, anderhalve maand geleden dan, maar hij erkent dat hij nog steeds in een shocktoestand verkeert.

'Ik ben kunstenaar, ik heb me nooit met politiek beziggehouden. Misschien ben ik juist wel schilder geworden om te ontsnappen aan de te beklemmende realiteit van alledag. Ik was er niet echt voor voorbestemd, want ik kom uit een eenvoudig gezin. Mijn vader is bouwvakker, of beter gezegd wás, want nu is er geen werk meer. Als kind tekende ik graag en de leraren en mijn ouders hebben me aangemoedigd.'

'Waar bent u opgegroeid?'

'In Gaza. Mijn familie woont daar nog steeds, maar wij waren zowat de eerste vluchtelingen uit de streek Ramleh, die nu in Israël ligt. In 1994 ben ik naar de academie voor beeldende kunsten van Nablus gegaan. In 2000 ben ik een tijdje teruggeweest in Gaza om bij mijn familie te zijn. Sindsdien heb ik ze niet meer gezien. Je kunt er niet meer door. Ik krijg alleen nog nieuws van hen via de telefoon.'

Al pratende heeft Yusef een paar van zijn schilderijen te voorschijn gehaald. Half figuratief, maar vooral heel dromerig en in felle kleuren. Op één ervan staat een steeds kleiner wordend labyrint.

'Dat is Palestina, waarvan ze almaar gebieden afnemen zodat het steeds kleiner wordt', zegt hij.

'En daar, dat doek met die voetafdrukken?'

'Dat is heel belangrijk voor mij, het is als een magische doorgangspas. Het stelt de weg voor tussen Ramallah waar ik woon, en Gaza waar mijn familie zit. Ik heb die weg vaak afgelegd. Met alle moeilijkheden deed ik er zeventien uur over om in Gaza te komen, normaal is het vijf kwartier. Nu hebben ze de doorgang gesloten, maar als ik naar dit schilderij kijk, ga ik nog steeds naar huis, naar Gaza. Ik schilder er veel over, de zee, de vogels, mijn familie. Gaza is een heel andere wereld dan hier, landelijker, authentieker vind ik, in elke geval raakt het me meer en ik verlang er vreselijk naar.'

'Hoe ziet u uw schilderen? Als een uitdrukking van de problemen van de Palestijnen?'

'Nee, het drukt uit hoe moeilijk het is mens te zijn in het algemeen, maar in de vorm wordt het beïnvloed door de Palestijnse samenleving.'

'U zei dat u niet politiek actief bent. Hoe verklaart u dan uw arrestatie en de manier waarop u behandeld bent?'

'Het was op de eerste dag van de invasie van Ramallah, 28 maart. Om twee uur 's middags klopten er soldaten op mijn deur. We woonden hier met ons vijven. Ze stuurden ons de flat uit en doorzochten alles van onder tot boven. Dat deden ze met alle flats in het gebouw. Toen ze alles doorzocht hadden, namen ze ons mee, met onze handen op de rug gebonden en een kap over het hoofd. We moesten een pantserwagen in. Ik was erg bang, ik dacht dat ze misschien ergens zouden stoppen om ons dood te schieten. Ten slotte arriveerden we op een plek waarvan ze zeiden dat het het militaire kamp Ofer was. We stapten uit, ze deden ons de kappen af en we stonden tegenover een paar Israëli's in burger. We waren met velen, mannen van alle leeftijden.

Zodra de kap van mijn hoofd was, vroeg een Israëli: "Ben je lid van Hamas?"

"Nee, ik ben kunstenaar."

"Kunstenaar?"

Een andere Israëli zei: "Laat mij maar. Ik doe het verder wel." Hij liet me een vertrek binnengaan. Toen begon het verhoor. "Hoe heet je? Wat zijn de namen van je familieleden?" Routinevragen. Toen begon de Israëli gedetailleerder te vragen. "Hoe heten de kinderen van je zus?" Ik had mijn familie al lang niet meer gezien, ik wist de namen van mijn neefjes en nichtjes niet meer. De Israëli zei: "Ik zal je eens vertellen hoe die heten!" En hij noemde ze allemaal op. Hij wist alles! Hij voegde eraan toe: "Je bent acht jaar weg uit Gaza. Ik wil dat je me precies vertelt wat je allemaal gedaan hebt in die acht jaar."

Ik vertelde hem dat ik gestudeerd had en her en der wat gewerkt... alles wat ik me kon herinneren. Ik had niets te verbergen.

Na het verhoor werd ik overgebracht naar een plek waar tenten stonden met prikkeldraad eromheen. Dat was het detentiecentrum. We waren met ongeveer vijftig gevangenen per tent, onder onmenselijke omstandigheden. Er was bijna niets te eten, alleen ongedesemd brood en yoghurt. We rammelden van de honger, we voelden ons vies, er was alleen wat koud water om je te wassen, geen zeep, en de wc's waren ontzettend smerig.

Zo zat ik daar drieënveertig dagen en in die tijd ben ik vier keer ondervraagd. Ik ben niet gemarteld, maar wel geslagen. Alle gevangenen werden geslagen. Elke keer als we van de ene naar de andere plaats werden overgebracht, elke keer als je in contact kwam met soldaten, sloegen ze je. Systematisch.

Ten slotte werd ik voor de krijgsraad gebracht. De rechter zei: "Je hebt niets gedaan. Je bent geen lid van Hamas of de Jihad. Je hebt de waarheid gesproken. Je bent vrij." Maar de procureur-generaal protesteerde: "We moeten hem vasthouden! Er bestaat een geheim dossier over hem!"

De rechter antwoordde: "U krijgt achtenveertig uur om me dat dossier te tonen. Anders wordt hij vrijgelaten."

Ik werd teruggebracht naar het kamp.

Die middag werd ik voor de inlichtingenofficier geleid. Hij stelde voor me een maand naar Tel Aviv te sturen als toerist, op hun kosten, en me daar in kennis te brengen met Israëlische artiesten, maar er was natuurlijk wel een voorwaarde: hij wilde dat ik hem inlichtingen gaf over de Palestijnse artiesten en intellectuelen die tegen de bezetting waren en extremistische denkbeelden hadden. Ik weigerde natuurlijk.

Toen vroeg de inlichtingenofficier: "Met welke hand schilder je?"

Ik had een voorgevoel. Ik antwoordde dat ik dat met mijn linkerhand deed.

"Heel goed. Maak mijn portret maar eens", zei hij.

Gelukkig had ik me ooit getraind in het tekenen met beide handen. Ik kon een vrij overtuigend portret van hem maken. Toen het klaar was zei hij: "Mooi, je kunt gaan."

En toen ik mijn handen op de tafel legde om op te staan, brak hij mijn linkerpols met een kolfslag van zijn geweer.

Vervolgens werd ik in een busje geduwd met andere mannen die ook waren vrijgelaten. Ze gooiden ons in het aardedonker uit de bus bij de wegversperring in Ramallah, wat heel gevaarlijk is want het was spertijd en de soldaten schoten op alles. Het lukte ons om de versperring heen te komen, ik hield mijn pols met mijn rechterhand vast, het deed ontzettend pijn. Met de hulp van een vriend kwam ik thuis. De volgende dag ging ik naar het ziekenhuis om me te laten behandelen. Nu is het wel zo ongeveer genezen, maar mijn pols is niet meer zo mobiel als vroeger.'

'Heeft deze ervaring u beïnvloed? Bent u banger dan vroeger? Bent u boos op de Israëli's?'

'Ik ben bang, en ik wil absoluut geen contact meer met ze. Vroeger aanvaardde ik de gedachte met Israëli's samen te leven, ik was bereid tot discussie, tot begrip voor hun standpunt, ik was heel open, maar nu niet meer. Het kwaad dat is aangericht is niet zozeer lichamelijk als wel psychologisch. Het blijft een trauma, ik heb aldoor nachtmerries. Vooral het gevoel van machteloosheid tegenover zo'n totale willekeur, minachting en geweld en het gevoel dat ze met je kunnen doen wat ze willen, zijn regelrechte obsessies geworden. Zoals die officier die uit woede dat hij me moest vrijlaten en dat ik niet voor hem wou werken, mijn pols brak, om mijn carrière af te breken.

Dat alles had ik nooit voor mogelijk gehouden. Ik had veel vreselijke verhalen gehoord, maar zolang het alleen anderen overkomt en je het niet zelf hebt beleefd, begrijp je het niet echt.'

Hij wijst naar een schilderij in blauwe en gele tinten waarop kinderen rennen.

'Dit schilderij heb ik *Uit de droom* genoemd. Ik laat mensen zien die in hun droom blijven. Maar ik ben eruit!'

De drie Khalils

Vandaag, 20 mei 2002, zijn mijn vriendin Leïla en ik uitgenodigd in een huis in het oude stadsdeel van Ramallah voor de verjaardag van de kleine Khalil, de jongste zoon van Um Khalil[34], die zijn negende verjaardag viert. Bij de ingang van het piepkleine huisje staan een stuk of twaalf kinderen ons lachend op te wachten, meisjes in feestjurken met kanten ruches en witte kraagjes, drukke jongetjes met levendige ogen en kapotte knieen. In de huiskamer zitten de familie en vrienden rond een lage tafel beladen met taart en snoep.

Vandaag boffen we dat het uitgaansverbod is opgeheven en we hier dus allemaal kunnen zijn.

Ik schaam me een beetje dat ik die schaarse momenten van ontspanning kom verstoren, maar Um Khalil heeft erg aangedrongen. Zij wijst me op een poster aan de muur tussen kleurenreproducties van sneeuwlandschappen. Het is een puber met donkere krullen: Khalil, haar oudste zoon, gedood op 10 maart 1990[35], op zestienjarige leeftijd, de broer van het jongetje dat vandaag jarig is.

'Het was op een maandag. Hij kwam uit school en vroeg of hij boodschappen voor me zou doen. Hij was een heel behulpzame jongen...'

Um Khalil zal zo'n jaar of veertig zijn. Ze heeft een donkere abaya[36] aan en een witte sluier over haar hoofd, ze is klein en slank en in haar gezicht met kuiltjes in wangen en kin lichten

---

34. In Arabische landen voegt men aan de naam van de ouders die van hun oudste zoon toe. Um Khalil is de moeder van Khalil; Abu Khalil, de vader van Khalil.

35. Tijdens de eerste intifada, ook wel de intifada van de stenengooiers genaamd, van december 1987 tot september 1993.

36. Een lange zwarte cape waarin vrouwen uit traditionele milieus zich hullen.

twee grote donkere ogen op. We zitten op het smalle terrasje voor haar huis: 'De enige rustige plek om van de avondkoelte te genieten', zegt ze. 'We hebben maar twee kamers met ons negenen, de kinderen kunnen geen kant op... Hoe kan ik ze dan tegenhouden als ze naar buiten willen om kattenkwaad uit te halen?

Khalil stond elke morgen om vijf uur op om kranten te verkopen,' gaat ze verder, 'daarna ging hij naar school en 's middags werkte hij ook nog in een supermarkt. Al het geld dat hij verdiende gaf hij aan mij, want we hadden niet genoeg aan het loon van zijn vader, die in een restaurant bij het vliegveld Lod werkte. 's Avonds ging hij uit met zijn vrienden. Hij sprak er niet over, maar ik wist dat hij meedeed aan demonstraties tegen de bezetting en dat hij stenen gooide. Tijdens de eerste intifada gebruikten de Palestijnen geen wapens, alleen stenen tegen de geweren', legt ze uit.

'Mijn zoon is twee keer gearresteerd. De eerste keer moest ik vijfhonderd sjekel[37] betalen om hem vrij te krijgen. De tweede keer was hij in een boom geklommen om er een Palestijnse vlag in op te hangen. Er kwam net een Israëlische patrouille langs, hij verstopte zich vlug in een vuilnisbak, maar ze vonden hem en namen hem mee naar het militaire kamp Muqata'a, nu het hoofdkwartier van Arafat. Ditmaal was de boete tweeduizend sjekel. Ik kon die som onmogelijk betalen. Ik wachtte de hele nacht op mijn zoon achter het prikkeldraad rond het kamp. De soldaten lieten hem vroeg in de ochtend vrij, hij had een gebroken knie en een opgezwollen gezicht. Ze hadden hem vastgebonden en geslagen met hun geweerkolven, vooral op de knieën. Dat was het bevel aan de Israëlische soldaten van toen: stenengooiers niet doden, maar hun ledematen breken. Er waren tienduizenden jonge invaliden, van wie velen voor het leven gehandicapt zijn.

Ik huilde, ik smeekte Khalil het niet meer te doen: "De volgende keer kunnen we je niet meer uitkopen, we zijn arm,

---

37. Een sjekel is 0,24 euro.

dat kan je vader niet betalen." Hij beloofde het me, maar ik wist dat hij, zodra hij weer op de been was, het weer zou doen.'

'Was hij lid van een politieke organisatie?'

'Hij zat in de studentenafdeling van het DFLP, het democratisch front voor de bevrijding van Palestina, maar dat wisten wij niet. Mijn man en ik hebben ons nooit beziggehouden met politiek. We zijn vluchtelingen uit 1948, we komen uit een dorp bij Jeruzalem, dat nu in Israël ligt. Mijn vader was beambte bij de posterijen, de ouders van mijn man waren boeren die alles verloren zijn. Toen Khalil nog heel klein was, heeft hij gezien hoe zijn vader gewond raakte door een Israëlische bom. Er viel een granaat midden op Ramallah, twee mannen werden gedood en mijn man werd gewond. Onder het bloed werd hij thuisgebracht.

Weet u, je hoeft het niet over politiek te hebben met de kinderen, ze zien wat er gebeurt, de spertijd, de slechte behandeling, de vernederingen, de ontberingen, ze komen in opstand. Als een mens volwassen is, wordt hij voorzichtig en soms gelaten, wat wij dan wijs noemen. Maar Khalil, en de jongeren in het algemeen, vinden het laf om niet te vechten tegen onrecht.'

Um Khalil herinnert zich de laatste dag van haar zoon, die draait als een film in haar hoofd, van minuut tot minuut, zoals dat gaat met alle moeders die een kind verloren hebben, als zijn ze op zoek naar het precieze moment waarop ze nog tussenbeide hadden kunnen komen, waarop de gebeurtenissen misschien een andere wending hadden kunnen nemen...

'Die maandag had ik griep, hij wilde met me naar het ziekenhuis, ik zei nee. Ik moet er steeds maar aan denken dat als ik ja gezegd had, hij niet zou zijn gaan demonstreren en nu niet dood zou zijn... Toen maakte hij zich er zorgen over hoe laat zijn vader thuis zou komen, want hij wilde weg. Ik wist dat hij weer stenen zou gaan gooien. Ik belde naar mijn man die hem tot andere gedachten probeerde te brengen: "Je bent de oudste, je moet voor je broertjes en zusjes zorgen." Hij zei ja, ging douchen en zei toen hij om drie uur wegging: "Mama, we moeten de kruidenier nog zeventig sjekel betalen. Niet vergeten, hoor."

Had hij een voorgevoel? Ik had al twee dagen een steek in mijn hart, een raar gevoel dat er iets stond te gebeuren.

Toen ik een halfuur later aan het afwassen was, brak er een bord in tweeën in mijn handen. Op hetzelfde moment werd er aangebeld. Het waren Khalils vrienden. Ze zeiden: "Hij is van de trap gevallen, hij heeft zijn been gebroken, kom gauw!" Ze namen me mee in de auto, ze omringden me met zorg. Eenmaal in het ziekenhuis zag ik familieleden die naar me toe kwamen, en toen begreep ik het. Ik schreeuwde: "Khalil is dood!" en viel flauw.

Toen ik bijkwam, mocht ik hem niet zien van de verplegers en aangezien ik weerstand bood, gaven ze me een kalmeringsprik en beloofden me dat ze hem naar ons huis zouden brengen. Dat deden ze niet. Ik zag mijn zoon pas op de begraafplaats, of beter gezegd, ik zag een vorm onder een laken vol bloed.'

Ze onderbreekt haar relaas, duikt in elkaar, schokschoudert van het huilen. Ik neem het mezelf kwalijk dat zij nu na twaalf jaar weer die verschrikkelijke ogenblikken moet beleven, vooral wanneer ik het vervolg van haar verhaal hoor: 'Zijn vrienden hebben me verteld wat er gebeurd is. Nadat hij stenen gegooid had, rende hij weg om te ontkomen aan de soldaten en hij probeerde in een flatgebouw naar boven te komen om er zich te verstoppen. Ze schoten hem in het been. Desondanks kwam hij boven. Op de hoogste etage kregen ze hem te pakken. De soldaten grepen hem, smeten hem in de liftschacht en gooiden een blok cement op hem.'

We zwijgen, versteend van afschuw. De echtgenoot van Um Khalil, een kleine zwijgzame man, heeft zich bij ons gevoegd. Met verwilderde blik kijkt hij naar iets dat ik me maar al te goed kan voorstellen.

'Als ze hem nu nog doodgeschoten hadden,' mompelt hij, 'maar dit... nooit vergeef ik het hun!'

Sindsdien zijn ze allebei lid van de partij van hun zoon, de DFLP, die de vredesonderhandelingen steunt.

'Maar de situatie verslechtert voortdurend, de Israëli's willen niets geven in ruil voor vrede', zegt de vader. 'Ze accepteren ons

Palestijnen zolang we goedkope arbeidskrachten zijn die hun mond houden, werken en eten. Maar als wij een eigen staat willen, moeten we dat bezuren.'

'Wat denkt u van de zelfmoordaanslagen?'

'Mijn leven lang ben ik tegen geweld jegens burgers geweest, maar sinds de dood van mijn zoon is dat veranderd. De Israëli's komen onze vrouwen en kinderen doodmaken, waarom zouden wij dan nog scrupules hebben? Waarom zou het leven van een Israëlisch kind meer waard zijn dan dat van een Palestijns kind?'

Basil, de man van zijn dochter Iman, mengt zich in het gesprek. Net als de overgrote meerderheid der Palestijnen keurt hij de zelfmoordaanslagen tegen soldaten en kolonisten niet af: 'Het is verzet tegen een bezetting', maar hij is wel tegen aanslagen op burgers in Israël. Op zijn achttiende, tijdens de eerste intifada, heeft hij vier jaar gevangengezeten omdat hij stenen had gegooid. Zijn broer Isa die demonstraties organiseerde bij de militaire doorlaatposten in Ramallah, is doodgeschoten.

Iman en Basil kregen negen dagen na de geboorte van de kleine Khalil een zoon. Ter herinnering aan de geliefde broer noemden ze hem ook Khalil.

Nu zijn de twee jongens, de een met zijn zwarte krullen en de andere blond, onafscheidelijk. Ze voegen zich bij ons, verstoppen zich achter hun ouders, lachen en ginnegappen. Het zijn vaak heel jonge kinderen die erin slagen te ontkomen aan de oplettendheid van de volwassenen en dan stenen gaan gooien. Net als zoveel andere kinderen in de wereld. Maar hier wacht hun na de stenen de dood.[38]

'Waarom verbiedt u hun niet om stenen te gooien?' vraag ik wat bruusk aan Um Khalil. 'Weet u wel dat sommige mensen in Europa zeggen dat de Palestijnen hun kinderen gebruiken om hun zaak te verdedigen?'

---

38. Toen Israëlische soldaten hiernaar gevraagd werden, verklaarden ze dat ze het bevel gekregen hadden niet op kinderen jonger dan twaalf te schieten. Je kunt je afvragen hoe een soldaat van verre kan zien hoe oud zijn doelwit is. Er zijn dan ook veel zeer jonge kinderen onder de doden en gewonden.

Um Khalil werpt me zo'n intens droeve blik toe dat ik me schaam.

'Ze zijn zelf vast nooit moeder geweest dat ze zoiets vreselijks durven te zeggen! Kijk eens naar mijn huis, dat is vijfentwintig vierkante meter. Ik kan mijn zoon straffen of zelfs slaan, maar kan ik hem gevangenhouden? Hij moet wel naar school, ik kan hem niet altijd ophalen, en het is juist na school dat ze naar de versperringen toegaan. Er zijn hier geen speelveldjes, er is alleen maar de straat. En dus is het uitdagen van soldaten een spel voor hen, ze beseffen niet wat de dood is, ze denken dat ze harder kunnen gaan dan de kogels, ze denken dat ze Palestina met stenen kunnen bevrijden. We proberen ze op andere gedachten te brengen, maar er is geen kruid tegen gewassen. Als we de deur op slot doen, gaan ze door het raam!'

Ik zeg haar dat ze gelijk heeft, dat ik begrijp dat de situatie onmogelijk is, en zij lacht weer haar mooie glimlach.

Ik zal haar niet zeggen dat het feit dat de beide kinderen Khalil heten hen nog meer zal binden aan de herinnering van de oudste, de martelaar, de held, met wie zij zich geheid zullen identificeren. Trouwens, gaf men vroeger in Europa, voor het tijdperk van de allesoverheersende psychologie, ook niet vaak aan kinderen de naam van een te vroeg gestorven ouder kind? Het was een manier om het te doen herleven, zijn sterven minder absoluut te maken.

Ik probeer het gesprek een andere wending te geven en vraag aan de jongens wat ze later willen worden.

Khalil met zijn donkere krullen, het evenbeeld van zijn moeder en ook van zijn overleden broer, wil dokter worden.

'Mooi, maar je weet toch wel dat je dan goed moet leren en niet steeds kunt demonstreren', zeg ik en ik weet dat ik net zo goed een deuntje kan fluiten.

Hij lacht en legt me trots uit dat hij net een nieuwe katapult heeft gemaakt.

De andere Khalil, de blonde met de blauwe ogen, gaat nooit met hem mee. Hij is de intellectueel van de familie, hij volgt alle politieke debatten op televisie en wil later journalist worden.

Het zijn twee vrolijke levendige jochies, twee kinderen die het geluk en de verwachting van Um Khalil uitmaken.

Twee schattige knulletjes die ik met een steek in het hart verlaat...

Als we terugrijden voelt Leïla hoe ongerust ik ben en ze probeert me iets uit te leggen: 'Weet je, het is onvermijdelijk dat ze de slachtoffers verheerlijken. Dat is de enige manier om je rouw te kunnen dragen. Je moet het onaanvaardbare, de gewelddadige dood van een jong kind, plaatsen in de context van strijd voor het vaderland, opdat die dood niet helemaal voor niets is geweest, nog enige zin heeft. Anders word je gek. Maar natuurlijk heeft deze martelarenverering een gevolg: jongeren zijn niet bang om te sterven. De dood geeft hun leven zin, en verder heeft dat leven in de huidige context er geen. Ze zijn bereid om elk risico te lopen, zelfs om kamikaze te worden. Want voor de meesten van hen is het leven één lange reeks vernederingen, frustraties en ellende.'

Ik verlaat Leïla om terug te keren naar Jeruzalem, waar ik een afspraak heb met een gewetensbezwaarde, een Israëlische soldaat die weigert deel te nemen aan de onderdrukking van het Palestijnse volk.

Maar bij aankomst in Qalandiya zie ik een heleboel mensen die staan te wachten: sinds het begin van de middag is de versperring dicht en niemand weet waarom. Met een jonge vrouw loop ik naar voren: de soldaten bedreigen ons met hun stenguns.

De jonge vrouw dringt aan, met tranen in de ogen: 'Ik woon in Jeruzalem, ik moet er absoluut naartoe, mijn kinderen wachten op me.'

Een soldaat begint te lachen als hij haar ziet smeken.

De oplossing? Een grote omweg maken via al-Kassarat, de steengroeves, en zo naar de versperring bij Ram, die misschien wel open is.

Naast mij staat een groepje te discussiëren. Ten slotte besluiten ze te proberen Ram te bereiken per taxi, over landweggetjes, en ik voeg me bij hen. We komen langzaam vooruit, af en toe stapt een passagier uit de eerste auto, doet een paar stappen om te zien of de weg vrij is. Op een gegeven moment gebaart hij ons om te stoppen, we houden onze adem in, en na een paar minuten gebaart hij dat we weer verder kunnen, de soldaten zijn weg.

De taxi's zetten ons uiteindelijk midden op het platteland af. Achter elkaar aan dalen we met een stuk of tien mensen de heuvel af. Er is geen pad en de stenen rollen onder onze voeten weg, ik dank de hemel dat ik alleen maar een kleine tas bij me heb, want je moet nogal wat acrobatische toeren uithalen. De mannen lopen snel door, zonder zich erom te bekommeren of wij het wel bij kunnen houden. Als Franse burgertrut vind ik dat nogal lomp, totdat ik besef dat de vrouwen hier net zo sterk, of zelfs sterker, zijn dan de mannen, en dat ook moeten zijn. Ze zijn geen zwakke schepsels maar moeders, zusters, echtgenotes, die ook strijden.

We lopen door het veld. In de diepte zien we de weg die gereserveerd is voor Israëlische auto's en auto's met het gele nummerbord van Jeruzalem.[39] Er zijn misschien geen militairen, maar zullen de kolonisten als ze ons zien niet op ons schieten? We zien er echt uit als terroristen, zoals we hier vanaf de berg naar het prikkeldraad dat de weg beschermt naar beneden lopen, een klein groepje mannen en vrouwen onder het stof. Ik vind dat mijn lotgenoten stapelgek zijn, maar wat kan ik doen? Ik volg ze. We komen bij een ongeveer drie meter hoog hek en daar lopen we langs, badend in het zweet in de hete zon. Plotseling zie ik hoe de leider van ons groepje door het prikkeldraad kruipt: het is hier doorgeknipt. We glippen erdoorheen. Een van mijn metgezellen legt me uit dat de Palestijnen geregeld het hekwerk doorknippen en dat het leger het dan vervangt, waarna het weer wordt doorgeknipt.

---

39. De gele plaat is voor de Israëli's en de Palestijnen uit Jeruzalem. De blauwe voor Palestijnen uit de bezette gebieden.

We staan aan de kant van de weg waar de Israëlische auto's langs ons heen rijden. Het is surrealistisch, ze zien wie we zijn en dat wij hier niet mogen zijn. Gelukkig hebben niet alle Israëli's er altijd zin in de wet op te leggen…

Lang hoeven we niet te wachten, een vrachtwagentje met een geel nummerbord stopt bij ons: 'Dat is een Palestijn uit Jeruzalem', zegt een van mijn reisgenotes, een glimlachend jong meisje dat een schriftelijke cursus Frans heeft gedaan. We klimmen achterin. Onze chauffeur vraagt niets en zal ons geen sjekel laten betalen. Hij weet dat hij ons uit een hachelijke situatie redt, dat hij het risico loopt aangehouden of verklikt te worden door een Israëlische automobilist, maar voor hem geldt, als voor alle Palestijnen, dat solidariteit moet.

Vlak achter ons rijdt een Israëlische militaire jeep, niemand geeft een krimp, iedereen hier is ongelooflijk koelbloedig. De jeep haalt ons in, een soldaat hangt uit het raampje en kijkt aandachtig naar ons, mijn reisgenoten blijven strak voor zich uit kijken. Palestijnen kijken Israëlische soldaten of kolonisten nooit aan, hun blik zou te veel kunnen zeggen, dat kan gevaarlijk zijn, ze kijken liever maar niet.

We passeren het Israëlische vliegveldje Atarot en naderen de wegversperring in Ram. Net voor we daar zijn, stopt onze chauffeur en opent, nog altijd zwijgend, het portier. Te voet leggen we de paar honderd meter af tot aan de versperring.

Hier geeft mijn reisgezellin me tot mijn grote verbazing een teken en in plaats van in de rij te gaan staan voor het controleloket, steken we rustig de straat over zonder dat iemand ons wat vraagt!

In dit afgesloten land in oorlog zijn er zo van die rare onverwachte dingen, soms standrecht, soms een oosterse janboel! Dat is ook deel van het conflict, aan de ene kant burgers die zonder reden gedood worden, aan de andere kant enorme lacunes in het Israëlische veiligheidssysteem, die de Palestijnen gebruiken om te wonen, naar hun werk te gaan of familie in Jeruzalem op te zoeken… Er zijn niet echt regels. Of je blijft thuis, wat geen garantie op veiligheid biedt, of je waagt het erop, met het risico dat je er het leven bij inschiet.

En vaak heb je de indruk dat de Palestijnen bereid zijn dit risico te nemen om vitale, soms ook banale behoeftes te bevredigen, omdat ze het niet meer uithouden met al die restricties, omdat ze er soms uit moeten, een frisse neus halen!

Ik roep een taxi aan en ben net op tijd in het King David Hotel voor mijn ontmoeting met Itai.

Een gewetensbezwaarde

Het is alsof er een frisse wind door de vormelijke lobby van het King David Hotel waait als er een lange jongen met een open gezicht, lichte ogen en een brede kinderlijke glimlach soepel aan komt lopen. Ik weet direct dat dit Itai is. Ze hadden tegen me gezegd: 'Je zult wel zien, het is een heel bijzondere jongen!'

We hebben het meteen over de aanslag waarbij de dag tevoren negen doden zijn gevallen. Hij uit zich kalm, zonder de hartstocht die Palestijnen en Israëli's meestal aan de dag leggen als het over zo'n gevoelig onderwerp gaat.

'Ik ben tegen de bezetting, maar ook tegen zelfmoordaanslagen. De Palestijnen doen daarmee hun zaak geen goed en verliezen de sympathie die ze zich verworven hadden aan het begin van de intifada. Ik weet dat wij een grote verantwoordelijkheid hebben, we hebben hen vijfendertig jaar bezet en hen slecht behandeld, maar ik geloof niet dat die zelfmoordaanslagen een goede strategie zijn. Ik zou het nog kunnen begrijpen als er iemand in Jenin 's morgens wakker werd en zich uit wanhoop opblies te midden van een groep Israëli's, maar de huidige daden zijn gepland en worden aangemoedigd, en dat kan ik niet accepteren. Zelfs als ze denken dat dit de enige weg is om een einde te maken aan de bezetting, de enige manier om gehoord te worden, mag het nog niet. Ik ben echt teleurgesteld dat er niet méér Palestijnen in verzet komen tegen deze acties, dat ze ze alleen maar een beetje met de mond veroordelen. De mensen hier raken er steeds meer van overtuigd dat zij ons alleen maar willen doden, verjagen, de zee in drijven.

En zelfs als u me ervan zou overtuigen dat het een goede manier is om hun zaak vooruit te helpen, zou ik nog zeggen dat het rampzalig is voor henzelf: ze vernietigen er hun eigen samenleving mee. Je kunt de jeugd niet opvoeden met de gedachte dat het aanvaardbaar is vrouwen en kinderen te doden om je doel te bereiken, dat in de oorlog alles geoorloofd is... Een mens moet grenzen kennen waar hij nooit overheen gaat, om de doodeenvoudige reden dat hij een mens is en dat er anders geen menselijkheid meer is. Die grens hebben wij voor onszelf getrokken, wij gewetensbezwaarden.'

'Ja, hoe bent u tot die beslissing gekomen?'

'Ik ben net dertig, ik heb twaalf jaar in het leger gezeten, waarvan vier volle jaren als kapitein, vervolgens heb ik elk jaar ongeveer een maand gediend. Van 1991 tot 1994, tijdens de eerste intifada, vervulde ik mijn dienstplicht in de bezette gebieden. Ik heb er twaalf jaar over gedaan om te beseffen dat wat wij daar deden niet te rechtvaardigen is, dat het indruist tegen elke moraal, elke menselijkheid. Ook als u zou proberen me ervan te overtuigen dat het de enige oplossing is, zal ik blijven verdedigen dat we er alles aan moeten doen om een andere oplossing te vinden.'

'Als de Palestijnen zeggen: "Wij veroordelen de zelfmoordaanslagen tegen burgers, maar niet die tegen militairen of kolonisten, want de Israëli's weigeren te onderhandelen en wij hebben geen wapens", wat is dan uw reactie?'

'Het is volkomen legitiem dat ze tegen de soldaten doen wat ze willen. Ik heb me vaak ingeleefd in de Palestijnen en ik weet zeker dat ik ook zo zou handelen, maar ik weet óók zeker dat ik nooit een bom in een discotheek zou gooien.'

'En tegen de kolonisten die bezetters zijn?'

'Ik weet niet zeker of ik daarop een antwoord heb. Het is ingewikkeld, er zijn kinderen, vrouwen, en de meesten van hen zijn daar niet om ideologische maar economische redenen, omdat de regering van Israël zo gek is hen met allerlei materiële hulp aan te moedigen zich daar te vestigen. Heel wat van hen zouden maar wat graag weggaan als ze een financiële compensatie kregen.'

'Om terug te komen op uzelf, waar komen u en uw familie vandaan?'

'Ik ben in 1971 in Jeruzalem geboren. Mijn familie van vaderskant komt uit Turkije, mijn vader deed zijn aliah in 1954, niet dat hij problemen had in Turkije, maar om ideologische redenen; mijn moeder is al de zoveelste sefardische generatie in Jeruzalem. In mijn jeugd had ik niet veel contact met Arabieren. Als ik naar Bethlehem of Oost-Jeruzalem ging, sprak ik wel met Arabische winkeliers, maar dat bleef oppervlakkig. Op de universiteit waar ik nu geologie studeer, zitten geen Arabieren in mijn jaar, er zijn er maar een paar op de hele universiteit en we hebben weinig contact. Maar ik ben twee jaar in Jordanië geweest voor veldwerk. Daar heb ik veel Palestijnse vrienden gemaakt en we hebben heel wat afgediscussieerd.

Ten tijde van de eerste intifada was ik achttien jaar oud en diende overal als soldaat: in Hebron, in Gaza. Vanaf het begin probeerde ik afstandelijk te blijven en objectief te bekijken wat we daar deden, ik voelde dat het verkeerd was, en dat tot in de meest alledaagse situaties.

Ik heb altijd mijn best gedaan beleefd te blijven en andere mensen ervan te overtuigen dat ook te zijn, om hun plicht zo menselijk en correct mogelijk te doen. Ik heb ook mijn best gedaan mezelf ervan te overtuigen dat dit de enige manier was om de staat Israël te verdedigen, en ik geloofde erin. Je voelt je beter als je de scherpe kantjes eraf haalt, als je zinloos grof geweld probeert te vermijden. Maar op het eind besef je dat je alleen al door je aanwezigheid deel uitmaakt van de operatie en of je die nu subtiel aanpakt of niet, je bent sowieso bezig met aanhouden, vernederen, fouilleren. Of je dan dus goedendag zegt of niet, maakt niks meer uit. Uiteindelijk doe je wat het hele bezettingsleger doet. En je wist de onmenselijkheid van het aanhouden van mensen bij wegversperringen heus niet uit met correct gedrag.

Soms huilen soldaten nadat ze geschoten hebben. Dat is pure hypocrisie, een manier om jezelf vrij te pleiten, je ervan te overtuigen dat je een goed geweten hebt. Maar de Palestijnen die door ons bezet worden, wat kopen die voor ons schuldgevoel?'

Itai speelt met zijn glas.

'De ergste ervaring is de blik van de mensen als je hun huis 's nachts binnenvalt, ze verrast in hun slaap, hun intimiteit, als je in die piepkleine kamertjes over hun dekens heen loopt met je grote laarzen en dan alles begint te doorzoeken: de kleintjes huilen, klemmen zich vast aan hun moeder en zij neemt ze in bescherming tegen de monsters die wij voor hen zijn. Bijna alle Israëlische soldaten zeggen dat ze weten dat het verkeerd is wat ze doen, maar dat er geen andere weg is…'

Hij kijkt star voor zich uit en huivert.

'Dat achtervolgt me, de blikken van die mensen…'

'Wat bracht u ertoe ermee op te houden?'

'Er was geen concrete aanleiding, het was twee jaar lang een hele reeks gebeurtenissen en discussies met mijn militaire vrienden. Velen waren van mening dat wat we de Palestijnen aandeden onaanvaardbaar was. Ze vonden dat we excessen en bruut geweld moesten vermijden, maar wel door moesten gaan met de bescherming van Israël. Sommigen zeiden zelfs: "We leven in een democratie, we hebben geen keus, we moeten doen wat de democratisch gekozen regering van ons vraagt." Ik probeerde hun uit te leggen dat we juist omdát we in een democratie leven, het recht en de plicht hebben ons uit te spreken als we menen dat er grenzen worden overschreden. Die discussie gaat nog steeds door bij ons. Ik zeg tegen hen: "Dit conflict duurt al vijfendertig jaar. Vijfendertig jaren zouden voldoende moeten zijn om te begrijpen dat we niet kunnen winnen met geweld, dat de enige uitweg is: echte onderhandelingen, waarbij we accepteren een onafhankelijk land aan de Palestijnen te geven in plaats van autonome thuislanden die bewaakt worden door ons leger, zoals wij hun steeds voorstellen."

Maar weet u, die beslissing om te weigeren dienst te doen in de bezette gebieden was moeilijk. Ik had vijftig soldaten onder me. Ik voelde me verantwoordelijk. Voortaan zouden ze zonder mij gaan, de zaken kunnen verkeerd lopen, er kan er een gedood worden, ik voel me schuldig dat ik hen niet bijsta, het is niet eenvoudig, en daarom gaan velen van ons door, zelfs als ze weten dat het uitzichtloos is. Ze gaan uit trouw aan hun soldaten. Als officier leren we dat we het goede voorbeeld moeten geven, altijd de eersten van het peloton moeten zijn. Maar in de bezette gebieden kon ik gewoon niet meer tegen mijn mannen roepen: "Volg mij!" Ik wist dat als een van mijn manschappen daar gedood werd, ik zijn moeder niet recht in de ogen zou kunnen kijken en zeggen: "Hij is niet voor niets gestorven."

Daarentegen denk ik dat ik de plicht heb te zeggen: "Volg mij!" in wat ik nu doe. Vandaag zou ik de moeder van een soldaat recht in de ogen kunnen kijken en zeggen: "Ik heb gedaan wat ik kon om de volkomen nutteloze dood van deze jongens te verhinderen."

Alvorens tot mijn besluit te komen heb ik twee jaar nagedacht en veel gepraat met mijn commandant, en toen op een dag zei ik tegen hem: "Ik kom de volgende keer niet op. Ik wil overal elders wel dienen en ik wil best langer blijven, maar dit niet meer." Hij accepteerde mijn overplaatsing.

Ik had geluk, ik kreeg maar eenentwintig dagen gevangenisstraf, meestal zijn dat er achtentwintig, maximaal vijfendertig. Je hebt recht op een heel kort militair proces, waarvan de uitslag bij voorbaat vaststaat. Een andere meerdere van me moest het vonnis vellen, voorafgaand aan het proces hebben we drie uur gepraat, het belangrijkste voor mij was dat hij op het eind tegen me zei: "Ik ben het niet met u eens, maar ik begrijp de redenen voor uw besluit, en ik respecteer die."

De beweging van gewetensbezwaarden is opgezet door twee officieren die terugkwamen uit Gaza en zeiden: "Afgelopen, dit doen we dus niet meer!" Nu[40] zeggen al vierhonderdzestig man dat ze bereid zijn overal te dienen behalve in de bezette gebieden.

We vormen een groep en we hebben een publieke verklaring uitgegeven dat wat de soldaten in die gebieden doen niets te maken heeft met de verdediging van Israël. Sommigen noemen ons verraders, maar de media proberen steeds meer te begrijpen wat jonge patriotten ertoe brengt te zeggen: "Genoeg is genoeg."

---

40. Zomer 2002.

Want het is voor iedereen duidelijk dat we niet proberen onder de dienstplicht uit te komen, we zijn officieren van de elite-eenheid, niemand twijfelt aan onze vaderlandsliefde. Daarom is onze positie zo sterk en noopt zij tot nadenken. We zijn heel actief, we houden kleinschalige meetings, waarop we praten over onze ervaringen en activiteiten, over wat je concreet kunt doen om zo snel mogelijk een einde te maken aan die bezetting.'

'Hoe reageerde uw familie?'

'Het was niet makkelijk voor ze. Ze begrijpen me, maar ik weet niet zeker of ze het met me eens zijn. Mijn zusje bijvoorbeeld helemaal niet. De realiteit in Israël is zo complex dat er zelfs binnen een gezin verschillende meningen heersen.

Het probleem is dat al die zelfmoordaanslagen het begrip voor gewetensbezwaarden er niet groter op maken. Ik kan het moeilijk over moraal hebben bij zo'n moord op burgers. Wanneer je allemaal afgerukte lichaamsdelen op straat ziet liggen, is de eerste reactie natuurlijk dat je je wilt wreken. Maar we moeten niet vergeten dat dit ook de reactie van de Palestijnen is wanneer het leger hun kinderen doodt.

We moeten uit deze helse cyclus van geweld komen die zichzelf in stand houdt. De ander is als jijzelf, hij wil ook in vrede leven. Wij kennen de Palestijnen niet, we zien ze niet, we maken ons een beeld van hen alsof ze heel anders zijn, fanatiekelingen die houden van de dood, wij kunnen niet geloven dat zij normaal willen leven, in een land dat van hen is, zoals elk volk recht heeft op een eigen land.

Natuurlijk wil ik terrorisme bestrijden. Maar hoe? Door een stad te bezetten, gezinnen te arresteren, huizen te vernietigen, verdachten te vernederen en te martelen? Ja, natuurlijk vinden we soms wapens en vangen we soms een schuldige, maar tegelijk worden duizenden jonge mensen er zo toe gebracht de volgende generatie terroristen te worden.'

'Er zijn maar heel weinig gewetensbezwaarden, denkt u dat u toch echt invloed hebt?'

'We zullen nooit een massabeweging worden, dat weten we. Maar het organiseren van discussies en straatactiviteiten is belangrijk. Wij zijn bereid de prijs voor onze overtuiging te betalen. Diep in hun hart zijn veel mensen het met ons eens, maar ze durven er niet voor uit te komen. Heel weinigen maar willen een sticker op hun auto plakken met: "Laten we zo snel mogelijk stoppen met de bezetting!"

Voor dit conflict is er maar één oplossing: die van twee staten naast elkaar. Eén staat, zoals sommigen willen, is onrealistisch, iedereen zal veel gelukkiger zijn in twee gescheiden staten.'

Hij aarzelt even: 'Ik hoop dat ik er zeker van kan zijn dat de Palestijnen accepteren een land te hebben binnen de grenzen van de bezette gebieden en dat ze dan niet meer naar Israël kijken, maar ik ben daar helaas niet zo zeker van. Wat niet belet dat ik voor de stichting van een onafhankelijk, welvarend Palestina ben dat handeldrijft met ons. Degenen die er nu nog van dromen Israël terug te krijgen, zullen langzamerhand opzijgeschoven worden door de meerderheid die in vrede wil leven. Het zijn desperado's die uiteindelijk het loodje zullen leggen.

Maar er is veel geld nodig voor de vluchtelingen die niet naar huis terug kunnen en die hun leven elders zullen moeten opbouwen. En ook veel geld voor de opbouw van de nieuwe Palestijnse staat en om ervoor te zorgen dat armoede de gefrustreerde bevolking niet in de armen van het extremisme drijft. Dat is allemaal mogelijk, maar het zal tijd vergen. Het zal lang duren voor er vrede is tussen de twee landen. Verwacht niet dat er, zodra er een Palestijnse staat is, geen aanslagen meer zullen zijn of dat de Israëlische extremisten dan niet meer zullen schieten! Er gaat misschien wel een generatie overheen voordat de tegenstanders van zo'n tussenoplossing die accepteren.'

Israël zal oplettend moeten blijven maar dat vind ik niet erg want wij kunnen ons land dan veel beter verdedigen, zowel moreel als praktisch. Internationaal gezien hebben we dan duidelijke, erkende grenzen, terwijl we nu vechten voor een land dat het onze niet is. Nu zijn er geen grenzen, er zijn nederzettingen, alles is onduidelijk. Waarvoor vecht ik? Is het om mijn land te verdedigen of doe ik het als koloniaal, om iets te behouden dat niet van mij is?

Het ergert me te bedenken dat de meeste mensen in Israël bereid zijn het grootste deel van de bezette gebieden of die gebieden zelfs helemaal terug te geven, terwijl dat niet gebeurt, en ik geloof dat de meeste Palestijnen ook verlangen naar vrede op voorwaarde dat ze hun bezette gebieden terugkrijgen.

We zouden aan beide kanten leiders met visie moeten hebben, die moedig genoeg zijn om moeilijke beslissingen te nemen. Het zal niet makkelijk zijn voor Arafat om te zeggen: "Goed, ik teken een vredesverdrag, maar de vluchtelingen kunnen niet terug naar huis, op een paar duizend na die kunnen terugkeren in het kader van de gezinshereniging." En voor een Israëlische leider zal het even moeilijk zijn te zeggen: "Laten we de Tempelberg waar hun moskeeën staan teruggeven aan de Palestijnen, want ze moeten hun heilige plaatsen zelf kunnen besturen."

Dat zal allemaal niet makkelijk zijn. Maar toch blijf ik optimistisch, want ik weet dat aan weerszijden de overgrote meerderheid bereid is tot offers omwille van de vrede.'

Zelfmoordaanslagen

Wafa, de eerste vrouwelijke kamikaze

Op 27 januari 2002 blies een jonge vrouw van achtentwintig zich op in het centrum van Jeruzalem, waarbij ze één man doodde en er ongeveer veertig verwondde.

Het was de eerste keer sinds het begin van de intifada dat er een zelfmoordaanslag werd gepleegd door een vrouw en de schok was groot, zowel bij de Palestijnen als bij de Israëli's. In de westerse en Israëlische media werd direct, zoals te doen gebruikelijk sinds de eerste zelfmoordaanslagen, gewag gemaakt van het fanatisme van de jeugd die geïndoctrineerd zou zijn door religieuze bewegingen, gedrogeerd zelfs, en aan wie alle zaligheden van de mohammedaanse hemel en zeventig maagden beloofd worden, als het althans mannen betreft – voor de vrouwen is de mohammedaanse hemel minder gedetailleerd uitgewerkt...

Maar na onderzoek moest men zich wel neerleggen bij de pijnlijke conclusie dat Wafa niet paste in deze categorie van fanaten of verlichten, een categorie die het mogelijk maakt etiketten te plakken zonder iets uit te leggen. Ze had gestudeerd, ze had een beroep, en ze was dan wel een goede islamiet, maar niet bijzonder godsdienstig, want ze weigerde een hoofddoek te dragen, toch een niet mis te verstaan signaal in haar milieu.

Samen met een buurvrouw ging ik haar familie opzoeken in kamp al-Amari, bij Ramallah. Als in alle Palestijnse kampen staan hier allang geen tenten meer maar is het een verzameling kleine huisjes van gipsblokken of pleisterspecie, met daken van golfplaat die gloeiend heet worden in de zomer en ijskoud zijn in de winter. In de wirwar van steegjes, meestal van aangestampte aarde met in het midden een open riool, spelen hordes kinderen. Het geheel is bedekt met een laag verstikkend wit stof,

nog maar een klein ongemak vergeleken met de stromen mod-
der die in de winter het kamp maandenlang onder water zetten.

De moeder van Wafa, een stevige vrouw met grijs haar,
gekleed in een traditioneel, lang, geborduurd gewaad, zat op
me te wachten op de met kleurrijke lappen bedekte matras die in
eenvoudige oosterse milieus als divan dient. Aan weerszijden lag
nog een matras met kussens voor de gasten. Een lage tafel in het
midden. Niet de gebruikelijke tapijten, koperen snuisterijen of
plastic bloemen die de meeste Palestijnse interieurs opvrolijken.
Als enige versiering een landkaart van Palestina in kruissteekjes,
en de huwelijksfoto's van haar donkere, besnorde zonen met
hun vrouwen in witzijden jurken, op z'n Europees. In het
midden in een vergulde lijst het portret van een jonge vrouw
met rood golvend haar tot over haar schouders, in een zwarte
toga die een bul in ontvangst neemt; op het hoofd draagt ze de
vierkante baret die zo typerend is voor Britse studenten.

'Dat is Wafa,' zegt de moeder trots, 'tijdens de uitreiking van
het verpleegstersdiploma.'

Ik kom dichterbij en kijk onderzoekend naar dit wat ronde
gezicht, met het perzikhuidje, de zorgvuldig opgemaakte, heldere ogen en glimlachende lippen, en ik probeer het te begrijpen...

De familie komt oorspronkelijk uit een dorp in de omgeving
van Ramleh bij Jaffa. De ouders, boeren, zijn in juli 1948 met
tienduizenden anderen gevlucht, doodsbang voor het naderen
van de Israëlische troepen, waarover verhalen gaan van massa-
slachtingen in Deir Yassin, al-Duaimah, Abu Shashih, Kafr
Qassim en tientallen andere dorpen.[41] Toentertijd was de moeder, Wasfiyah, pas tien jaar oud.

'We liepen maar en liepen maar', herinnert de oude dame
zich. 'De hitte was verstikkend. Mensen vonden het goed dat we

---

41. In 1942 hebben joodse milities als Irgun, maar soms ook Haganah, waaruit
het Israëlische leger is voortgekomen, hele steden verwoest en de bewoners ervan
afgeslacht om de Palestijnen angst aan te jagen en ze zo te doen vluchten. Deze
feiten zijn lange tijd ontkend, maar er zijn inmiddels bewijzen voor geleverd
door het onderzoek van Israëlische 'nieuwe historici', zo'n vijftien jaar geleden.

overnachtten in hun boomgaarden en ze gaven ons eten. Wij waren bang, we wilden zo ver mogelijk van de Israëli's vandaan. Ten slotte kwamen we hier in Ramallah aan. Er was een tentenkamp opgezet door het Rode Kruis. Daar zijn we gebleven, en in de loop der jaren zijn de tenten vervangen door huizen.'

Wasfiyah trouwde met een jongen uit het kamp, die ook uit Ramleh kwam. Ze kregen vier kinderen. Wafa was het enige meisje, de oogappel van haar vader. Hij stierf toen ze acht jaar oud was.

'Ze ging in het kamp naar de basisschool en daarna naar de middelbare school in Ramallah. Al snel begon ze zich voor politiek te interesseren. Tijdens de eerste intifada, de intifada van de stenen, was ze pas veertien. Haar leraren kwamen bij me: "Probeer je dochter in bedwang te houden, ze is aanwezig bij elke demonstratie, dat is gevaarlijk voor haar!" Op haar vijftiende was ze al een van de leiders. Kijk maar!'

Ze wijst op een foto die me nog niet was opgevallen: een puber met stralende ogen die om het voorhoofd de zwart-met-witte band van de Fatah-strijders draagt.

'Ze kwam in opstand tegen het onrecht, al het onrecht dat de Palestijnen werd aangedaan, maar ook het onrecht hier in het kamp, de kleine dagelijkse onrechtvaardigheden. Ze wilde altijd anderen bijstaan, mensen in moeilijkheden helpen.'

De buurvrouwen die massaal zijn komen aanlopen om de buitenlandse journaliste te zien, knikken instemmend vanaf de drempel van het huis. In het kamp hield iedereen van haar, ze was zo behulpzaam, zo vrolijk. Ze kunnen nog steeds niet vatten hoe de jonge vrouw deze daad heeft kunnen plegen. Van iedereen zou je het je kunnen voorstellen, maar niet van Wafa!

In een hoek van het vertrek zit zwijgend de schoonzuster met haar kinderen om zich heen. Ze ziet eruit alsof ze er meer van weet, maar ik voel dat ze niets zal zeggen zolang de anderen erbij zijn.

'Op haar zeventiende', vervolgt de moeder, 'hadden we haar uitgehuwelijkt, een goede leeftijd voor een meisje. En voor Wafa dé manier om wat stabieler te worden. Geen gedemonstreer meer. Het was trouwens allemaal weer rustig geworden. De akkoorden van Oslo leken te wijzen op licht aan het eind van de tunnel. De Palestijnen kregen weer hoop en begonnen aan de structuren van hun toekomstige staat te werken.

Maar het huwelijk liep spaak. Wafa kon geen kinderen krijgen. Haar man hield van haar, maar in het Midden-Oosten is een man geen man als hij geen kinderen heeft. Na tien jaar vroeg hij een scheiding aan.'

'Dat is vast een grote schok geweest. Zat ze erg in de put?'

Depressie na een scheiding, die reden hebben sommige mensen aangevoerd om de daad van de jonge vrouw te verklaren. In een oosterse samenleving is het niet benijdenswaardig een gescheiden vrouw zonder kinderen te zijn.

De moeder zwijgt, ze heeft geen zin om te antwoorden, ongetwijfeld verscheurd tussen de traditionele moraal die wil dat een jonge gescheiden vrouw ongelukkig is en haar weigering de daad van haar dochter terug te brengen tot een psychologisch probleem, wat de Israëlische pers direct deed.

Schoonzusje Mervet beduidt me dat ze me wil spreken. Ik ga naast haar zitten.

'Weet u, ik was de beste vriendin van Wafa. We woonden hier al drie jaar bij elkaar. We waren ongeveer even oud, ze vertrouwde me dingen toe die ze nooit aan haar moeder zou vertellen. Het is waar dat ze vlak na haar scheiding triest was, maar al gauw raakte ze er bovenop, ze genoot van haar herwonnen vrijheid. Eerst deed ze haar hoofddoek af. Dat verweet ik haar, maar ze moest erom lachen en zei dat het hem niet in een hoofddoek zat en dat je beter een ongesluierde eerlijke vrouw kunt zijn dan een gesluierde hypocriet. Ik geloof eigenlijk dat haar scheiding haar bevrijdde. Zolang ze bij haar man was, voelde ze zich schuldig dat ze hem geen kind kon geven, maar daarna vergat ze dat. Ze leek veel gelukkiger dan eerst. Haar blikveld verruimde zich, ging van haar familie naar de wijde omgeving. Als verpleegster wist ze van geen ophouden, ze bezocht oude mensen, gaf zieken injecties en was voor iedereen een zonnestraal!'

'Hoe verklaart u haar daad dan?'

'Ze was al maanden totaal van de kaart van wat ze allemaal om zich heen zag gebeuren. Ze had zich aangemeld bij de Rode Halve Maan als verpleegster, en daar zag ze de gruwelijkste dingen. Ze was getuige van vreselijke dingen in Nablus, Jenin, Ramallah: vrouwen en kinderen die gedood werden als ze het uitgaansverbod trotseerden om eten te gaan kopen, stervende gewonden die ze niet kon helpen. Drie keer werd ze, toen ze probeerde te helpen, getroffen door rubberkogels[42]. Bij de wegversperringen zag ze vrouwen bevallen en vervolgens hun kind verliezen en zieken sterven, omdat ze het ziekenhuis niet snel konden bereiken. Ze vertelde me hoe ze de soldaten tevergeefs smeekte om de ambulance door te laten... Elke avond kwam ze uitgeput en gespannen thuis, ze vertelde ons precies wat er gebeurd was, ze kwam steeds meer in opstand tegen het Israëlische optreden jegens de burgerbevolking en ze werd misselijk van de onverschilligheid van de wereld. Maar ze heeft het met mij nooit over een zelfmoordaanslag gehad. Ik herinner me dat ze zweeg als daar in haar bijzijn over gepraat werd.'

'Denkt u dat ze daar al langer aan dacht of was het in een opwelling van wanhoop?'

'Het is in elk geval wel iets wat je goed moet voorbereiden. Je moet aan een riem met explosieven zien te komen, en daarvoor moet je bepaalde groeperingen benaderen. Die moeten jou accepteren, ze moeten van oordeel zijn dat je sterk genoeg in je schoenen staat om niet op het laatste moment in paniek te raken en onder druk van de Israëlische veiligheidsdiensten informatie los te laten die hen naar de bron zou kunnen leiden. En je moet de plek bepalen voor de aanslag en de manier om er te komen, wat beslist heel moeilijk is met alle surveillances. Dat moet echt dagen in beslag nemen, zo niet weken.'

Mervet schudt het hoofd, de tranen schieten haar in de ogen: 'En dan te bedenken dat Wafa helemaal alleen met die ver-

---

42. Dit zijn stalen kogels met rubber eromheen, die als ze van dichtbij worden afgevuurd, ledematen breken en zelfs kunnen doden.

schrikkelijke beslissing rondliep, al die tijd, en dat ik er geen flauw idee van had... Als ik het geweten had... misschien had ik haar ervan kunnen weerhouden!'

'En de dag ervoor, hebt u toen ook niets gemerkt?' dring ik aan. 'Was ze niet gespannen, bezorgd?'

'Nee, we aten met ons allen, ze vertelde net als anders wat ze die dag gedaan had. De volgende morgen ging ze om halfnegen naar de Rode Halve Maan. Toen ze om zes uur 's avonds nog niet terug was, begonnen wij ons zorgen te maken, want ze was altijd heel punctueel. We namen contact op met de Rode Halve Maan; familieleden, vrienden, niemand had haar gezien. Toen zochten we alle ziekenhuizen af, we dachten dat ze misschien gewond was geraakt. Pas na drie dagen hoorden we via de televisie dat zij de zelfmoordaanslag in Jaffa Street had gepleegd. We konden het niet geloven, we kunnen nog steeds niet begrijpen hoe zij daartoe heeft kunnen komen, ze hield zoveel van het leven.'

Ik voeg me weer bij Wafa's moeder, misschien heeft die een verklaring, maar ik krijg niets uit haar behalve de zinnen die de moeders van martelaren[43] altijd uitspreken: 'Ik ben trots op mijn dochter,' zegt ze ferm, 'want zij heeft een nobele zaak gediend, zij heeft zich opgeofferd voor Palestina.'

'Diende zij haar land niet evenzeer toen zij gewonden verzorgde?'

Ze antwoordt niet, ze kijkt me niet aan, ze is verstard als een stenen beeld en zegt ten slotte: 'Niets kon Wafa op andere gedachten brengen als ze van mening was dat een zaak rechtvaardig was.'

Ik zal niet zo wreed zijn haar te vragen of zij ook van mening is dat aanslagen op burgers rechtvaardig zijn.

---

43. In het Palestijnse spraakgebruik zijn al degenen die door Israëli's gedood zijn, martelaren. Dit geldt a fortiori voor degenen die gedood zijn in de strijd tegen de Israëli's.

Na Wafa hebben andere meisjes het voorbeeld gevolgd en ook zelfmoordaanslagen gepleegd: op 27 februari 2002 blies Darin Abu Ayad, eenentwintig jaar oud, studente Engels aan de universiteit van Nablus, zichzelf op bij een militaire versperring op de Westelijke Jordaanoever. Drie Israëlische politiemensen raakten gewond. Darin had verklaard dat zij het niet meer kon aanzien hoe al die Palestijnse vrouwen en kinderen werden gedood, en dat zij zich wilde wreken.

Op 29 maart blies Ayat al-Akhrass, achttien jaar, uit het vluchtelingenkamp Deheishe bij Bethlehem, zich op in een winkelcentrum in Oost-Jeruzalem, waarbij zij twee mensen doodde.

Op 12 april deed een jonge Palestijnse in West-Jeruzalem zich voor als zwangere vrouw en blies zichzelf op, waarbij zij zes mensen doodde.

Gedurende mijn twee maanden van interviews heb ik heel wat jonge mannen en vrouwen ontmoet die op de directe vraag 'Zou u bereid zijn een zelfmoordaanslag te plegen?' volmondig 'ja' zeiden. De organisaties zeggen dat het hun niet lukt om alle mensen die zich aanbieden te screenen, zo veel zijn het er.

Orits pijn

Op 9 maart 2002 om tien uur 's avonds kwam er een Palestijn binnen in Moment, een bij jongeren zeer geliefd café in Jeruzalem, hij blies zichzelf op, doodde aldus elf mensen en verwondde er tientallen.

Een van de slachtoffers was Limor ben Shoham. In het Hebreeuws betekent Limor zoete bloemengeur. Ze was zevenentwintig jaar oud.

Drie maanden later kon ik haar zus Orit ontmoeten, na bemiddeling door een Israëlische vriendin. Haar moeder wilde me niet ontmoeten zoals ze geen enkele journalist wilde ontmoeten, omdat dat in haar ogen aasgieren waren die zich voedden met haar ellende. Maar Orit had me een ontmoeting toegezegd, ze wilde praten, uitleggen…

Ik trof haar in de lobby van het King David Hotel, een van de weinige plekken waarvan mijn Israëlische gesprekspartners zeggen dat ze zich er veilig voelen – waarom? De veiligheidsdienst lijkt me er precies even efficiënt als elders, maar het King David is een van de bekendste plaatsen in Jeruzalem, een oase van weelde, die onderdak biedt aan zeer belangrijke gasten, dáárom voelt men zich er vast zo beschermd.

Ik zag een tengere vrouw op me afkomen, en ik werd meteen getroffen door haar grote kattenogen in een klein lijkbleek gezichtje met een krans van jongensachtig kort rood haar, alsof ze daarmee haar broze vrouwelijkheid wou ontkennen. Er straalde een grote gekwetstheid van haar af, een opstandigheid die net onder de oppervlakte zat, een onzegbaar verdriet.

Ze ging kaarsrecht op het randje van de stoel zitten, probeerde haar stem onder controle te krijgen en natuurlijk en objectief te lijken – maar wie zou van jou, kleine Orit, durven vragen om objectief te zijn bij deze aaneenschakeling van moorden die je land verscheurt en je familie verscheurd heeft? Dapper probeert ze zich rustig uit te drukken, over het conflict en een noodzakelijke 'democratische' oplossing, een oplossing waarover onderhandeld wordt, en die niet stoelt op haat... maar dat is te veel gevraagd, ze barst los: 'Arafat is net Hitler, met hem kun je niet onderhandelen! Waarom snapt de wereld dat niet? Waarom ziet de wereld niet dat wij alleen maar dit land hebben! Waar moeten we heen? Dit is de enige plek voor ons joden! De Palestijnen willen ons weg hebben. Recent nog hebben ze een bom geplaatst onder een vrachtwagen met gas in Afpula, midden in de stad; als we die bom niet ontmanteld hadden waren er honderden doden gevallen!'

Ik laat haar praten, haar pijn moet uitgesproken worden. Wanneer ik het na verloop van tijd waag te zeggen dat Sharon ook geen lieverdje is en dat er sinds het begin van de operaties veel Palestijnse kinderen zijn gedood, springt ze op.

'Hoe kunt u Sharon nu met Arafat vergelijken! Die begrafenissen zijn trouwens meestal fake! Spionagevliegtuigen hebben foto's gemaakt van zo'n rouwstoet en zodra die buiten het bereik van de camera is, staat de dode op en loopt weg.'

Ik kijk haar verbijsterd aan. Ze benadrukt: 'Denkt u dat ik lieg? Ik heb het zelf op televisie gezien!'

Nee, natuurlijk denk ik niet dat je liegt, ik weet alleen dat de honderden journalisten die het conflict verslaan, gedode Palestijnse kinderen hebben gezien, begrafenissen hebben bijgewoond, dat het er helaas genoeg zijn om geen macabere trucs te hoeven toepassen, en ik weet ook dat heden ten dage met digitale technologie alles kan worden 'getoond' wat men maar wil.

Ze ziet er zo breekbaar uit in haar lichte linnen jurk met blote schouders, te midden van het nepmarmer en klatergoud van het King David, een plaatje van zuiverheid, gekwetste rechtvaardigheid, verongelijkte onschuld.

'We zitten elke dag in angst, ik durf niet meer naar buiten, nog maar nauwelijks naar mijn werk, ik durf niet meer met het openbaar vervoer of naar een winkel, ik ben bang om naar de bank te gaan, in het park te wandelen, ik leef constant in angst voor terreur... Hoe zou u leven als u niet de straat op kon zonder gevaar te lopen vermoord te worden?'

Orit durft me haar verhaal zelfs niet te vertellen: 'Misschien moet ik u niet zeggen hoe ik heet, de terroristen willen zich dan misschien wreken en mij ook vermoorden.'

Met moeite kan ik haar ervan overtuigen dat ze als ze een bom plaatsen in een café niet speciaal háár proberen te treffen, temeer niet daar zij geen politieke verantwoordelijkheid draagt. Langzaam hervindt ze haar kalmte en geeft ten slotte toe dat een gesprekje met mij haar niet in gevaar zal brengen.

Orit is achtendertig, maar ze ziet eruit als een tragisch jong meisje: ze is erg vermagerd sinds de dood van haar zuster.

'Ik kan niet meer eten,' vertrouwt ze me toe, 'ik moet de hele tijd aan haar denken. Als u haar gekend had! Ze was zo vrolijk, zo dol op dansen, ze had massa's vrienden, meest artiesten zoals zijzelf, haar hobby was acteurs schminken, dat kon ze heel goed en daarvan wilde ze haar beroep maken... O, wat haat ik dat monster!'

Haar mooie glimlach breekt, ze is bijna in tranen. Ik voel me haast schuldig als ik zeg dat Sharon misschien ook niet precies doet wat nodig is om een eind te maken aan de moordpartijen. Ze verdedigt hem, ziet in Arafat de belichaming van het kwaad en beschouwt alle Palestijnen als mensen zonder hart die hun kinderen de dood in sturen voor de goede zaak. Daarmee wordt het Israëlische publiek dagelijks doodgegooid door de meeste media. Hoe zou ze de zaken dan anders kunnen zien?

'U denkt misschien dat ik de Arabieren verafschuw? Helemaal niet. Op het bedrijf waar ik werk, werken ook twee Arabische vrouwen, ik heb nooit problemen met ze, zelfs niet na de dood van mijn zuster. Ik heb niets tegen Palestijnen of Israëlische Arabieren, die zal ik nooit haten. Arafat, die haat ik. Hij buit zijn volk uit, geeft het geen kans zich te ontwikkelen, hij leert hun alleen maar om te doden.'

Ik probeer haar maar niet uit te leggen dat de Palestijnen het belang van onderwijs zozeer benadrukken dat ze het volk met de meeste diploma's in de hele Arabische wereld zijn. Ze herhaalt met samengeknepen lippen: 'Arafat is net Hitler. Sharon lijkt niet op hem, die stuurt geen kinderen de dood in, die stuurt geen terroristen.'

Wat moet ik je antwoorden, Orit? Moet ik het hebben over Sabra en Shatila, waar in veertig uur ongeveer tweeduizend burgers, vrouwen en kinderen, werden vermoord, nadat het kamp was afgegrendeld door de soldaten van Sharon?[44] Of over wat de soldaten van diezelfde Sharon vandaag de dag doen? Dat zou wreed en nutteloos zijn... Mijn houding die geen onvoorwaardelijke instemming uitdrukt is voor jou al een verwonding, een belediging van je lijden.

Orit aarzelt nu om te vertrekken, ze heeft me proberen te overtuigen en voelt wel dat ik haar gedachtegang niet echt volg, dat doet haar pijn, ze zegt tegen zichzelf dat ze niet had moeten komen. Maar ook al voel ik oprecht met haar mee en begrijp ik haar, ik kan haar niet volgen in haar conclusies.

Ze verwijt me dat, haar ogen bliksemen en haar glimlach is bitter: 'U denkt dat de Israëli's evenveel schuld hebben, u begrijpt het niet, u doet alsof we net zo zijn, maar dat is absolute onzin, we zijn niet gelijk! Onze soldaten zijn er niet om te doden, het is oorlog en ze verdedigen zich, soms kan er een incident plaatsvinden, dat is alles. Maar de Palestijnen willen bloed zien. Die vinden het prima om te sterven en hun kinderen te zien sterven. U kunt ons niet vergelijken, u hebt het recht niet ons te vergelijken!'

Ze stikt van verontwaardiging, het wanhopige gevoel dat ze niet begrepen wordt, maakt haar agressief, ik ben opeens bang dat ze een hysterische aanval krijgt of opstaat, alles van tafel veegt en wegrent, maar ze beheerst zich, ze slikt haar woede weer in en glimlacht dapper...

Hoe kan ik jou, kleine Orit, de wanhoop duidelijk maken van Palestijnse moeders wier zoontjes van acht, negen of tien jaar

---

44. Sabra en Shatila: in Libanon, in september 1982.

gedood zijn, van ouders die hun door kogels getroffen of onder het puin verpletterde kinderen bewenen, over de eer van bepaalde Israëlische soldaten, maar ook over hun eerloosheid en over de onmenselijke houding van velen van hen, zoals wanneer zij een kind van een jaar of tien dat van school naar huis loopt tot doelwit nemen, vijf keer op hem schieten en hem voor het leven verlammen?

Dit alles, Orit, kan ik je niet zeggen, het zou zelfs wreed zijn het te proberen, want jij hoort het toch niet.

Ik praat heel zachtjes tegen haar, zoals je praat tegen een ziek kind, maar mijn geweten staat me niet toe met haar woorden in te stemmen, ondanks mijn wens haar te helpen, haar verdriet te verlichten. Zo erg kan ik niet liegen. Soms liegt men tegen stervenden als die het onontkoombare einde niet aankunnen, maar jij, Orit, hebt het leven nog voor je, ooit zul je het wel moeten begrijpen, al was het maar om te kunnen doorleven.

'De wereld reageert niet', herhaalt ze tussen wanhoop en verontwaardiging. 'Die geeft beide de schuld, die doet net of we hetzelfde zijn. De Palestijnen doden ons en niemand zegt er wat van!'

Ze lacht misprijzend: 'Het meest van alles haat ik die Israëlische intellectuelen die ons de schuld geven en zeggen dat alles door ons komt.'

Haar knappe gezichtje is nu verwrongen van haat: 'Door hen zal het weer gebeuren!'

'Wat?'

'De holocaust! De Palestijnen moeten ons niet, die willen geen Israël, dat weet ik absoluut zeker! Er komt weer een holocaust, nu door de Palestijnen. Maar de wereld wil het niet zien, de wereld haat ons!'

Ze staat op, vecht tegen haar tranen. Ik pak haar handen vast, ik zou haar willen tegenhouden, troosten, maar wat kan ik zeggen? Ik kan haar nachtmerrie niet binnenstappen.

Ik zie haar weglopen over de stoep voor het King David, alleen en wanhopig, en ik wil ook huilen, huilen om het verdriet van deze broze jonge vrouw, zo alleen, zo opstandig tegen de wereld die haar niet begrijpt en die zij niet begrijpt, en die de bittere herinnering met zich meedraagt dat haar poging mij te overtuigen mislukt is...

Nee, kleine Orit, die poging van jou is niet mislukt, je hebt me het verdriet van jouw mensen van binnenuit doen voelen, en vooral de zee van onbegrip tussen twee volken die gemanipuleerd worden door sommigen van hun politici en extremisten.

En ik denk weer aan de woorden van Leïla Shahid[45]: 'Het conflict is minder een conflict tussen Palestijnen en Israëli's dan tussen het kamp van degenen die vrede willen en het kamp van hen die oorlog willen.'

---

45. Vertegenwoordigster van de PLO in Frankrijk.

Vrijheid van meningsuiting

De route van een Palestijnse journalist

Sinds de Israëlische invasie van eind maart 2002, nu vier maanden geleden, zit Jawdat Manar vast in Ramallah, waar hij werkt, ver van zijn gezin dat in Bethlehem woont. Normaal legt hij dat traject elke dag af, het kost hem een halfuur; maar sinds het uitgaansverbod en de versterkte versperringen heeft hij zijn vrouw en vier kinderen niet meer gezien. Zo gauw mogelijk wil hij ze naar Ramallah halen, als hij onderdak voor hen kan vinden en als hij genoeg geld heeft om een nieuwe, naar hij hoopt tijdelijke, behuizing te kunnen betalen.

'Het geeft niet als het niet zo comfortabel is, daar zijn we wel aan gewend,' zegt hij lachend, 'wij zijn kampkinderen!'

De familie van Jawdat komt uit het dorp Zakariya, vlak bij de luchthaven Lod. In 1948 werden ze daarvandaan verdreven en zijn ze naar een dorp in de omgeving van Hebron geëmigreerd, waar ze ook weer weg moesten; uiteindelijk vestigden ze zich in Bethlehem in het vluchtelingenkamp Deheishe. Hier werd Jawdat geboren.

Hij is een man met bruin haar, een beetje gedrongen, net de vijftig gepasseerd.

'Voor 1948 streed mijn vader met de Palestijnse beweging tegen de zionistische beweging en de joodse immigratie', vertelt hij. 'Daarna, onder Jordaans gezag, ging hij door met de strijd voor een onafhankelijk Palestina. De Jordaniërs zetten hem drie jaar gevangen, want we mochten dan wel leven zoals we dat zelf wilden, maar elke politieke activiteit was ons verboden. Ik herinner me nog hoe ik met mijn moeder mee mocht om hem op te zoeken in de gevangenis. Het was een oude gevangenis in Jeruzalem, alles was er zwart en vuil. Aangezien ik pas vijf was, mocht ik als enige zijn cel in en mijn moeder gaf me tot bolletjes gedraaide papiertjes met boodschappen erop, die ik hem gaf. Zo heb ik al heel jong geleerd te zwijgen. Mijn vader kwam terug toen ik acht was. Die dag was de onderwijzer de klas in gekomen met de woorden: "Je mag naar huis, er is een verrassing voor je!" Toen ik aankwam waren er heel veel mensen uit het kamp om mijn vader te verwelkomen. Het was de mooiste dag van mijn leven!'

Bij deze herinnering krijgt hij weer tranen in de ogen van ontroering.

'Ik denk aan al die kinderen van wie de vaders nu in de gevangenis zitten, vijfduizend mannen sinds de laatste Israëlische invasie. Het is verschrikkelijk, een huis zonder vader...

In het begin woonden we in tenten in het kamp, de school was ook in een tent en er was geen gezondheidscentrum. Maar we hadden vooral altijd honger. Op een keer bracht onze leraar een brood mee en dat liet hij op zijn tafel liggen toen hij even vijf minuten weg moest. We waren met ons veertigen, we pakten het brood en verdeelden het. Als ik er nu aan terugdenk, ben ik er zeker van dat hij dat expres gedaan heeft, maar hij wilde onze trots niet kwetsen door ons het brood zelf te geven. Hij deed alsof hij niks doorhad.

In het kamp had elk kind wiens vader afwezig was, dood of in de gevangenis, recht op een maaltijd per dag, die uitgedeeld werd door de UNWRA. Maar daarvoor moest je een kaart hebben. Een kaart die ook gegeven werd aan ondervoede kinderen. Toen ging ik in de rij staan voor de dokter: er waren er honderden zoals ik, die in de rij gingen staan voor die kaart. Ik herinner me dat ik drie keer bij de dokter was. En elke keer zei hij: "Jij bent gezond, jij hebt geen kaart nodig", maar ik had zo'n honger!

Nadat ik de school in het kamp had afgemaakt, ging ik naar de middelbare school in Bethlehem. Ik heb niet gestudeerd. Toentertijd was er op de Westelijke Jordaanoever geen universiteit en ik had niet genoeg geld om naar het buitenland te gaan.'

'Sinds wanneer bent u politiek bewust?'

'Sinds mijn vroegste jeugd. Thuis luisterde ik naar Radio

Caïro, onder de dekens, want dat mocht niet. Nasser die het had over de bevrijding van Palestina was mijn held. De gevangenneming van mijn vader en de situatie van de mensen in het kamp hebben ons politiek gevormd. Je vroeg elkaar: Waar kom je vandaan? Uit welk dorp? Hoe zijn jullie verdreven? Hoeveel doden?

Toen Nasser in 1971 stierf, heb ik met een stel vrienden een vreedzame demonstratie in Bethlehem georganiseerd. We waren met vijfentwintigduizend man. De Israëlische veiligheidsdienst riep me op en bedreigde me. Ze hielden me twee weken vast in de gevangenis. Ik was zestien. Toen begon ik echt actief te worden. Aangezien ik de PLO niet kon bereiken, die bevond zich immers buiten het land, streed ik ter plekke. Ik werkte in verdedigingscomités tegen de kolonisten die schoten op de mensen uit het kamp, later werd ik daar woordvoerder en ontmoette verscheidene delegaties. Maar ik ben nooit militair actief geweest. Daar heb ik het karakter niet voor, en ik denk dat ik me nuttiger kan maken op het politieke vlak, door te spreken en te schrijven. Daarom ben ik ook journalist geworden en dat heeft me heel wat keertjes in de gevangenis gebracht!'

'Wegens het uiten van uw mening? In Israël?'

Hij is verbaasd over mijn verbazing.

'De Israëlische pers is vrij, maar de Palestijnse niet. De waarheid is gevaarlijk voor Israël, het moet de wereld altijd het beeld tonen van een democratisch land, om ons rustig te kunnen blijven vermorzelen. Heden ten dage is de strijd om de opinie het belangrijkst: die gaat vooraf aan alle oorlogen en vormt er de rechtvaardiging van.

Gedurende de eerste intifada heb ik maanden gezeten. Ze omsingelden het gebouw waar ik werkte en haalden mijn bureau totaal overhoop. Ze wilden me voor de krijgsraad brengen, want ze hadden gevaarlijke pamfletten gevonden. Toen ze me die lieten zien, wees ik hun erop dat het kopieën waren van een artikel uit een groot Israëlisch dagblad, *Ha'aretz.*

"Mogen zij dat wel publiceren en ik niet?" vroeg ik hun.

"Het is tegen de Israëlische staat gericht."

"En de vrijheid van meningsuiting dan? Ik dacht dat Israël een democratie was?"

Ik zat een paar dagen in de gevangenis en toen lieten ze me vrij met een fikse boete. De Israëlische soldaat die me terugbracht zei tegen me: "Ik vind dit vreselijk, ik ben zelf ook journalist."

Ik was vrij, maar werken kon ik niet meer. Ze hielden mijn kantoor zes maanden gesloten, ze namen me mijn perskaart en mijn rijbewijs af en maakten mijn telefoonverbinding met het buitenland onmogelijk, wat twee jaar duurde.

Een andere keer had ik een artikel geschreven over de situatie in Bethlehem en geweigerd mijn bronnen te noemen. Ze arresteerden me en hielden me veertig dagen gevangen in een piepkleine cel, in het pikkedonker.

De derde keer, in 1990, hielden ze mijn kantoor twee volle jaren gesloten. Ik had een geschiedenis ontdekt en gepubliceerd, met bewijzen en al, over de veiligheidsdiensten. In Bethlehem was een christelijke begraafplaats ontheiligd. Volgens de Israëli's was dat het werk van moslims – ze proberen bij voortduring tweedracht tussen ons te zaaien. Maar ik had door tussenkomst van een soldaat die berouw gekregen had, ontdekt dat het de Israëlische veiligheidsdiensten zelf waren die Palestijnse gevangenen hadden aangevoerd – het was ten tijde van de Golfoorlog – en hen hadden gedwongen de graven te onteren. Om mij in te dekken nam ik een Israëlische getuige die het verhaal uit de mond van de soldaat optekende. Maar natuurlijk werd ik toch in de gevangenis gestopt en daar gemarteld.'

Hij wendt het hoofd af, het is duidelijk dat hij er niet meer over wil zeggen. Ik verander van onderwerp.

'Bent u nog wel eens teruggeweest in het dorp van uw familie bij Lod?'

'Ja, in 1967, zodra de grens openging, ik was toen twaalf jaar, ik kende het dorp als mijn broekzak, mijn opa had het er elke avond over gehad, dan beschreef hij de boerderij, de velden, de rust, de vredigheid…'

'Toen we er kwamen, stonden er nog wel wat huizen, maar de

begraafplaats waar onze voorouders gelegen hadden, was verwoest en ons huis ook, alleen de kelder was er nog. Mijn opa zat daar lang, heel lang… Ten slotte ging ik naar hem toe, de tranen stonden hem in de ogen. "Ik herinner me hoe we toen leefden, en ik denk aan het leven dat we nu hebben in het kamp", zei hij. We gingen terug en twee dagen later was hij dood.'

De glimlach die Jawdat sinds het begin van ons gesprek op zijn gezicht had, is plotseling weg.

'De Israëli's nemen ons nog steeds onze grond af en dan willen ze toch nog veiligheid! Nooit krijgen ze die als ze zo doorgaan! Want de nieuwe generatie heeft meer haat in zich dan die van mij of van mijn ouders. Zij hebben meer kwaad ondervonden en zij hebben gezien wat hun ouders en grootouders is aangedaan. Het lukt de Israëli's nooit om vrede af te dwingen met de wapens. Waarom willen de westerlingen dat niet begrijpen en waarom laten ze Israël zijn gang gaan? Zien jullie dan niet wat we doormaken? De Israëli's voeren een slimme, genadeloze oorlog tegen ons; is het Westen soms ook in oorlog met het Palestijnse volk?'

Charles Enderlin, Israëlisch journalist

Charles Enderlin, een Israëli van Franse origine, is sinds twee-entwintig jaar de zeer gewaardeerde correspondent van France 2 in Jeruzalem. Hij is de schrijver van twee alom gewaardeerde werken, *Les Négociations secrètes entre Israël et le monde arabe* [46] ('De geheime onderhandelingen tussen Israël en de Arabische wereld') en *Le Rêve brisé* [47] ('De uit elkaar gespatte droom'), en hij beklaagt zich erover dat hem in het huidige klimaat van onverdraagzaamheid het werken steeds moeilijker wordt gemaakt.

Ik had Charles Enderlin al vaak ontmoet bij de verschillende brandhaarden in het Midden-Oosten, maar nu ging ik hem voor het eerst opzoeken in zijn kantoor in Jaffa Street. Mijn bezoek kwam slecht uit, ze hadden net gehoord dat zich op deze mooie ochtend van 19 september 2002 een zelfmoordterrorist had opgeblazen in een bus in het centrum van Tel Aviv, waarbij er buiten hemzelf nog vijf doden waren gevallen en ongeveer vijftig gewonden, waarvan zes ernstig.

Tussen de telefoontjes en interviews met buitenlandse radio- en televisiestations door nam Charles toch de tijd me uit te nodigen voor een lunch aan een hoekje van zijn bureau en het met me te hebben over het vraagstuk van de vrijheid van drukpers in Israël.

'Stelt u zich eens voor, ik heb net de Goebbelsprijs gekregen!' briest hij. 'Ik heb schoon genoeg van die joodse extremisten die

---

46. *Les Négociations secrètes entre Israël et le monde arabe,* uitgegeven bij Ed. Stock, Parijs, 1977.

47. *Le Rêve brisé,* uitgegeven bij Arthème Fayard, Parijs, 2002, ondertitel: *Histoire de l'échec du processus de paix au Proche-Orient 1995-2002* (verslag van het mislukken van het vredesproces in het Midden-Oosten 1995-2002).

me proberen te intimideren! Sinds mijn reportage over de dood van de kleine Mohammed al-Durra[48], die stierf in de armen van zijn vader bij een Israëlische stelling, een reportage die de hele wereld is rondgegaan, achtervolgen ze me met hun haat en proberen ze me zo bang te maken dat ik stop met mijn journalistieke werk.[49] Ik heb doodsbedreigingen ontvangen en op aanraden van de politie heb ik een particuliere beveiligingsdienst ingeschakeld die 's nachts om mijn flatgebouw patrouilleerde. Ten slotte zijn we maar verhuisd, want we woonden op de begane grond met een tuin, en nu wonen we op de zevende verdieping, met intercom.

Mijn vrouw en mijn kinderen van acht en tien zijn op straat lastiggevallen door een jood van Franse afkomst. Mijn e-mail loopt over van de bedreigingen en beledigingen die allemaal op elkaar lijken, wat bewijst dat het een georganiseerde operatie is van een extremistische groepering. En nu kennen ze me de Goebbelsprijs toe! Ik ben trouwens in goed gezelschap: met *Le Monde* en *Le Nouvel Observateur*, die je toch echt niet kunt beschuldigen van antisemitisme!'

'Hoe is in Israël uw boek *De uit elkaar gespatte droom, het ware verhaal achter de onderhandelingen van Camp David* ontvangen?'

'Geen enkele Israëlische uitgever wilde de rechten kopen om het in het Hebreeuws uit te geven. Maar de film die ik over diezelfde onderhandelingen gemaakt heb, wordt deze herfst waarschijnlijk uitgebracht. De film bewijst dat de Israëlische kant, en dan met name Ehud Barak, medeverantwoordelijk is voor de mislukking, die ons in de huidige situatie gebracht heeft. De film is al in Frankrijk vertoond en is nu ook uit in

---

48. Op 29 september 2000 gedood.
49. In haar verslag van 2002 wijst de CPJ (Committee to Protect Journalists/ Vereniging ter Bescherming van Journalisten) te New York de door Israël bezette gebieden aan als gebieden op de wereld waar de breideling van de persvrijheid en het geweld tegen journalisten het meest voorkomen. De inhoud van dit rapport wordt bevestigd door dat van Reporters sans frontières/Verslaggevers zonder grenzen.

de Verenigde Staten, maar daar hebben ze hem zo gemonteerd dat bijna alles de schuld lijkt van Arafat.

De sfeer hier is verstikkend geworden, meer en meer is er nog maar één manier van denken. Ze zeggen: "We kunnen niet anders. We moeten ons verdedigen." Wat me nog de meeste zorgen baart, is dat die blindheid gevaarlijk is voor Israël zelf.

Een in militaire aangelegenheden gespecialiseerde correspondent rapporteerde dat het leger in drie weken tijd, sinds het begin van de intifada, toen de Palestijnen alleen nog maar stenen gebruikten, al driehonderdduizend kogels had afgeschoten in Gaza en zevenhonderdduizend op de Westelijke Jordaanoever. Hij schreef twee kritische artikelen over het optreden van het leger. Die zijn nergens opgepikt, er kwam geen enkele reactie. De correspondent merkte dat alle analyses van inlichtingendiensten die tegen het officiële regeringsstandpunt ingaan, terzijde worden geschoven. Dat is heel erg, want sinds de gigantische miskleun in 1973 van onze militaire inlichtingendiensten moet elke analyse gevolgd worden door een contra-analyse. Strategisch en tactisch nadenken, reflectie, is nodig, maar bestaat niet meer. Ze slaan er gauw op, maar de regering heeft geen enkel serieus beleid voor de lange termijn, ze weet niet waar het heengaat.

Denken ze nu echt dat ze alle Palestijnen zullen kunnen vernietigen? Repressie doet duizenden zelfmoordaanslagplegers opstaan, tegen wie niemand veel zal kunnen uitrichten. Vergeet niet dat in Gaza, het armste gebied waar de extremisten de grootste aanhang hebben, vijftig procent van de bevolking onder de vijftien is. Waar denkt Sharon op af te stevenen, met zijn politiek van verstikking en onderdrukking en zijn weigering te onderhandelen?

Naar mijn mening storten wij langzaam in de afgrond.'

Ram Loewy, een geëngageerd filmmaker

In Tel Aviv wilde ik absoluut Ram Loewy ontmoeten. Ik was onder de indruk van de films van deze Israëlische cineast die zonder militant te doen ondubbelzinnig laat zien hoe de bezetting écht is voor de Palestijnen en die aldus bepaalde Israëlische mythes ontzenuwd heeft. Zoals in zijn documentaire over de uitzetting van Palestijnse families in 1948, die de officiële lezing dat de Arabieren vrijwillig vertrokken waren, ontkrachtte, of zijn film over het verschil in behandeling van joodse en Arabische delinquenten of die over Israëlische soldaten die zelf vertellen over martelingen.

En dan is er nog zijn korte film over Mohammed, een jongetje uit Gaza dat geen benen meer heeft, omdat de soldaten hem niet snel genoeg doorlieten bij de wegversperringen om hem nog medische hulp te kunnen bieden, de kleine Mohammed met wie ik dankzij Ram gesproken heb.[50]

'Ik heb moeten vechten als een leeuw voor elke film die uitkwam', zegt hij lachend met zijn open gezicht waarop zoveel enthousiasme en idealisme te lezen staan dat je vergeet dat hij rimpels heeft en kaal begint te worden. 'De censuur heeft alles in het werk gesteld om ze te verbieden, maar hoe meer obstakels er opgeworpen werden, des te meer publiciteit ik kreeg. Er waren grote demonstraties bij het televisiestation waar ik werkte, zelfs rechts deed mee om het principe van de vrijheid van meningsuiting te verdedigen.'

Ondanks alle moeilijkheden en lastercampagnes heeft Ram Loewy het nooit opgegeven, maar hij erkent dat hij die films heeft kunnen maken omdat hij zelf jood is: 'De Israëli's zouden nog geen kwart van die kritiek accepteren van een niet-jood, die

---

50. Zie het hoofdstuk 'Een jongetje dat een beetje anders is'.

zou meteen verdacht worden van antisemitisme, wat hét argument is om ernstige kritiek naast je neer te leggen.'

Hoe komt hij aan zoveel inzicht en moed?

'Ik heb het geluk dat ik een heel bijzondere familie had. Ik ben hier in 1940 geboren uit ouders die als Poolse emigranten in Frankrijk de laatste boot van Marseille naar Haifa namen in april 1940. Mijn vader was de uitgever van een joodse krant in Dantzig, de enige antinazizistische krant. In 1938 werd hij gevangengenomen, en zodra hij weer vrij was, publiceerde hij zijn krant weer in Gdansk. Woedend gaven de Duitsers opdracht aan de Polen om hem het land uit te jagen. Wat hem het leven redde, want hij verliet Polen een maand voor het uitbreken van de oorlog!

Mijn grootouders van vaderskant daarentegen zijn gestorven in het getto van Lodz. En van moederszijde zijn al mijn ooms, tantes, neven en nichten omgekomen in het getto van Warschau, op één oom na, die dichter was, en een tante: zij konden ontsnappen dankzij een christenfamilie.

Toen mijn vader hoorde van het bestaan van vernietigingskampen was dat, naast een drama voor de joden, ook een persoonlijk drama voor hem. Want zijn opvoeding was Duits en de daden van de nazi's stelden heel de cultuur waarop hij zo trots was ter discussie. Hij was van 1905, zijn jeugd lag voor de Hitlerperiode. Hij schreef in het Duits, was student en verslaggever in Berlijn geweest, hij was eigenlijk veel meer Duits dan Pools. Hij had mijn moeder ontmoet toen hij haar ging interviewen in Gdansk, waar ze gekroond was als schoonheidskoningin…'

'Spraken uw ouders vaak over de jodenvervolgingen?'

'Nee. Toen ik jong was had niemand het over de shoah, niet bij ons thuis en niet bij de buren. En ik heb nooit een film over de holocaust willen maken. Die mag je niet gebruiken voor politieke doeleinden, zoals dat nu constant gebeurt. Ik vind dat onwaardig en ben het helemaal eens met Finkelstein[51], die zegt

---

51. Amerikaans filosoof, schreef *The Holocaust-Industry*. Nederlandse vertaling: *De Holocaust-industrie*, uitg. Metz en Schilt, 2000.

dat er momenteel een holocaust-industrie is die het mogelijk maakt onverdedigbare zaken toch te rechtvaardigen.

Mijn vader is naar Israël gekomen vanwege de oorlog, niet omdat hij geloofde in een joodse staat. Hij was een scepticus, hij had veel humor. Maar mijn moeder was een overtuigd zioniste die al heel actief was in de zionistische beweging in Polen. Ik was padvinder, een beetje socialistisch.

Maar voorbij het zionisme blijft de holocaust op het persoonlijke vlak toch altijd een vraagteken in het leven van elke jood: wat is er precies gebeurd, en waarom? Toen ik nog heel jong was, zestien of zeventien jaar, vroeg ik me dat af. Wat doe je om je te verzetten in een omgeving waar zulke afgrijselijke dingen gebeuren? Ik ben van mening dat je nog meer alert moet zijn op de afgrijselijke zaken die je zelf begaat dan op de afgrijselijkheden die jou worden aangedaan.'

Ik ben onder de indruk van zijn woorden. Sommige mensen in Israël en Palestina hebben meer morele diepgang dan je in onze verwende westerse wereld nog tegenkomt. Mensen die in tragische omstandigheden zitten, denken vast meer na, om te begrijpen wat hen overkomt en om mogelijke alternatieven te bedenken. De meesten reageren instinctief en oppervlakkig en maken de haat alleen maar groter; maar anderen realiseren zich dat het van vitaal belang is niet een uitweg maar een echte oplossing te vinden en bereiken zo een bewonderenswaardig inzicht.

'Die afgrijselijke dingen die ons zijn aangedaan worden nu gebruikt als een vlag om onze wandaden mee te rechtvaardigen', gaat Ram verder. 'Ik ben van mening dat wat Duitsers of niet-joden in de oorlog hebben gedaan om ons te helpen, heel belangrijk is. Wat wij individueel doen om de verschrikkingen die maar doorgaan aan de kaak te stellen, is van cruciaal belang. Sinds ik zestien ben denk ik er al zo over. Al wat ik doe is dus min of meer verbonden met de holocaust.

Wilt u weten hoe ik dit bewustzijn ontwikkeld heb? De avondmaaltijden thuis waren altijd een strijdperk. Mijn moeder die geloofde in zionistische slogans, mijn sceptische vader die me vragen stelde à la Socrates en me zo dwong mijn overtuigingen te heroverwegen. Want voortdurend refereerde ik aan de zionistische en socialistische padvindersideologieën die elkaar mooi aanvulden. Het zionisme was toen de joodse manier om het recht hier op aarde te brengen.

Want dat is zionisme eigenlijk: van de joodse staat een voorbeeld maken voor de wereld. De Bijbel zegt dat wij het uitverkoren volk zijn, en dat op het einde der tijden iedereen naar Jeruzalem zal komen, dat dat het licht zal zijn voor alle naties.

Toen interpreteerden wij die woorden in socialistische termen, we namen het op voor de strijd van de zwarten in Afrika, voor de vrijheid der volkeren, voor alle edelmoedige bewegingen. We hadden heel hoge ethische normen en we wisten totaal niet wat we de Palestijnen aandeden!'

Al luisterend begrijp ik beter hoe onverdraaglijk het moet zijn voor bepaalde Israëli's die met dit soort gedachten zijn opgevoed nu te moeten vaststellen dat het onrecht nog steeds doorgaat. Niemand kan het verdragen zichzelf in de rol van beul te zien.

'Ik had nog nooit Palestijnen van hier gezien (Israëlische Arabieren noemen wij ze) voordat ik naar de universiteit ging. In Tel Aviv waren er geen Arabieren. Van voor de oorlog van 1948 herinner ik me dat er wel een paar waren die op ezeltjes fruit en snoep kwamen verkopen, maar daarna nooit meer. Toch wist ik, door de gesprekken met mijn vader, dat Palestina geen land zonder volk was.

Vervuld van het zionistische, socialistische ideaal besloot ik mijn militaire dienstplicht te vervullen in een kibboets, als boer. We waren ervan overtuigd dat we een nieuwe staat moesten opbouwen. Van de joodse natie die gespecialiseerd was in het zakendoen, moesten we een volk worden dat de grond bewerkt en dat verbouwt. Maar al snel moest ik constateren dat de meeste mensen de kibboets gebruikten als een makkelijke manier om door je dienstplicht te komen, waarna ze snel teruggingen naar het burgerleven. Ik kwam in opstand, noemde hen schijnheilig en we kregen ruzie.

Ik verliet de kibboets met een slecht geweten. Ik moest iets doen wat nuttig was voor de samenleving. Ik ging op mijn tweeëntwintigste terug naar de universiteit om economie en politieke wetenschappen te studeren. Tegelijkertijd werkte ik om mijn brood te verdienen voor de radio in Jeruzalem. Daar kreeg ik voor het eerst Arabische vrienden. Het was in een periode dat de Israëlische Arabieren onder militaire bezetting stonden.[52] Ze werden onderworpen aan alle mogelijke restricties, de regering gebruikte de dorpsburgemeesters, de zogenaamde "yes men", om alles onder controle te houden. Er vonden veel grondonteigeningen plaats en de geheime diensten waren oppermachtig.

Nu zijn er nog steeds onteigeningen en allerlei controles. Maar het verschil is dat de binnenlandse Palestijnen zich bewust zijn geworden van hun rechten. Toen waren ze veel docieler, ze accepteerden alles gelaten alsof ze er niets tegen konden uitrichten, alsof het natuurverschijnselen waren. Heel vroeger waren ze overheerst door de Turken, daarna door de Engelsen, vervolgens door de Jordaniërs en nu dan door de Israëli's, het was wat Allah je oplegde. Maar nu strijden ze.

Het begin van mijn politieke strijd was een radio-uitzending voor jongeren over het conflict tussen joden en Arabieren. Opzettelijk toonde ik de positieve aspecten van de Arabische wereld. Op een dag ging ik naar een pro-Arabische demonstratie, wetende dat dit moeilijk zou liggen op mijn werk. De meeste demonstranten waren Israëlische Arabieren. Ik hield een spandoek op, hooligans vielen me aan en een cameraman van het journaal filmde ons. Ik verwachtte dat ik zou worden ontslagen; de vrouw die aan het hoofd stond van de afdeling belde me op en zei: "Hallo, Ram, ik heb je op televisie gezien. Heel goed wat je gedaan hebt!"

Ziet u, in tegenstelling tot wat veel Palestijnen denken, is de Israëlische samenleving niet één blok. Gedurende heel mijn carrière, eerst bij de radio en later bij de televisie, moest ik keiharde kritiek en censuur accepteren, maar ik kreeg ook heel

---

52. Van 1948 tot 1965.

135

veel lof. Ik heb zelfs de Israëlische communicatieprijs ontvangen, wat zoiets is als een ridderorde.

Maar ook al verdedig ik de rechten van de Palestijnen, ik blijf een echte patriot. In 1973 bijvoorbeeld, was ik net in het buitenland, en ik heb het eerste vliegtuig terug genomen om mee te kunnen vechten.'

'Hebt u gediend in de bezette gebieden?'

'Ja, ik was reservist in Gaza van 1967 tot 1973. Het was de tijd dat er een illusie van vrede was, alles was rustig. Wij waren de bezetters, maar een groot deel van de Palestijnse bevolking accepteerde de bezetting en had er economisch voordeel van. We gingen eten in restaurants, als toeristen, we deden inkopen in de winkels, we werden goed ontvangen ondanks zo af en toe een terroristische actie.

Ik heb me nooit in de omstandigheid bevonden dat ik de keuze had tussen doden en gedood worden, maar ik herinner me dat we bijvoorbeeld naar vluchtelingenkampen gingen, de mensen uit hun huizen haalden en ze onder een boom verzamelden, en dan hun huizen doorzochten. Er waren soldaten die de spaarcentjes of de radio van een heel arm gezin afpakten, ik werd dan boos en ging naar de commandant. Soms vroeg hij hun de buit terug te geven. Een andere keer namen de soldaten de schapen, geiten, kippen of konijnen mee, alles waarvan die mensen moesten leven. Ik probeerde hen daar tevergeefs van te weerhouden.

Ik zat helemaal verstrikt in de tegenstrijdigheden, tussen het feit dat ik mijn land wilde verdedigen en het voortdurend immoreel en contraproductief lastigvallen van onschuldige burgers.'

'En nu, hoe ziet u nu de toekomst?'

'Om eruit te komen moeten twee dingen heel duidelijk zijn: ten eerste dat de Palestijnen mensen zijn zoals wij, en ten tweede dat het huidige machtsevenwicht in het Midden-Oosten niet eeuwig zo zal blijven. We hebben maar weinig tijd om tot een akkoord te komen met de Palestijnen en de Arabische wereld. Als we het niet snel doen, gaan we eraan.'

'Wat pessimistisch! De macht zal nog lang ten gunste van Israël doorslaan! Amerika steunt u volledig!'

'Daar ben ik het niet mee eens. Wat er op 11 september in de Verenigde Staten gebeurd is, is een voorbeeld van wat er hier kan gebeuren: een situatie van permanente haat, totaal onbegrip en kleine terroristische groepjes met massavernietigingswapens (als ze die nog niet hebben, krijgen ze ze binnenkort), allemaal heel beangstigend.

Onlangs werd er een bom gevonden in een gaswinnings-gebied ten noorden van Tel Aviv. Als die ontploft was, waren er duizenden doden gevallen. Dan waren alle Palestijnen beslist uitgezet naar Jordanië. Wat volgens mij sowieso binnenkort gaat gebeuren, zodra er een conflict is dat de aandacht van de wereld afleidt, met Irak of een ander land. De Arabische wereld zal reageren en het hele regionale evenwicht zal worden verstoord.

Onze samenleving is wel sterk, maar ook erg broos: vanwege het trauma van de holocaust hebben wij voor onze buren een angst die buiten alle proporties is en werpen wij barricades op in plaats van met hen te onderhandelen.

Nu hebben we nog de mogelijkheid het eens te worden, maar niet lang meer. Wanneer iedereen is uitgerust met biologische en chemische wapens zijn we in groot gevaar als de haat zo groot blijft als hij nu is. Rabin snapte dat, daarom probeerde hij het probleem op te lossen en de Palestijnen een land te geven. Hij is vermoord door de kortzichtigen onder ons die niets willen afstaan.'

'Israëli's die zo lucide zijn als u vormen een kleine minderheid. Hoe komt dat?'

'In hun hart weten de Israëli's drommels goed wat ze gedaan hebben, ze weten dat hun land is gebouwd op het stelen van andermans grond en het gewelddadig verjagen van de bevolking. Maar ze willen er niet aan denken, er niet over praten, zoals ze vroeger niet wilden praten over de holocaust. Vandaar hun gigantische onvermogen om tot een dialoog met de Palestijnen te komen. Want de zelfmoordaanslagpleger die zichzelf opblaast wanneer hij anderen opblaast, handelt niet slechter dan wij dat doen in de Palestijnse steden en kampen. Dat is heel moeilijk om toe te geven voor de Israëli's. Ze moeten die kamikazes wel zien als onmensen. En zodra je anderen ziet als onmensen, is alles geoorloofd.'

'Vertelt u eens over uw films. Gaan die allemaal over politieke onderwerpen?'

'Nee, ik heb allerlei soorten films gemaakt, zoals bijvoorbeeld een heel eenvoudige detective. Maar de detective is wel Arabisch. Het blote feit dat je een Arabische detective plaatst in een joods milieu is voor Israëli's al een schok en zet ze aan het denken. Wij kunstenaars weten dat we niet veel invloed hebben, maar het weinige wat we doen is belangrijk.

Ik zou althans niet in staat zijn alles te slikken en mijn mond te houden. Dat zou mijn dood zijn.'

Palestijnse en Israëlische kinderen

Een school in Palestina

Het is een groot gebouw van twee verdiepingen waarop de Palestijnse vlag wappert. De lokalen zien uit op gangen rondom een brede overdekte speelplaats waar honderden kinderen met oorverdovend lawaai voetballen of volleyballen.

In april 2002, tijdens de bezetting die een maand duurde, was de school veranderd in een voorlopig detentiecentrum voor honderden gevangenen. De school werd, als alle door Israëlische soldaten bezette publieke gebouwen, geplunderd, met uitwerpselen besmeurd en ontdaan van zijn archieven en computers, maar nu, in de maand juni, heeft hij zijn bestemming hervonden: zevenhonderd leerlingen tussen de zes en de zestien jaar oud gaan er weer heen, behalve op de (vele) dagen dat het leger een uitgaansverbod instelt.

De directeur, Yasser al-Qasrawi, een dynamische man van een jaar of veertig, ontvangt ons. Hij is verheugd dat hij weer terug is op zijn school, nadat hij er zelf twee weken gevangen heeft gezeten.

'Waarom hadden ze u gearresteerd?'

'Nergens om. Ze hebben me niet eens ondervraagd. Ik was een van de duizenden. De soldaten hielden systematisch elke man tussen de vijftien en de zeventig aan. Op een dag lieten ze me weer vrij, zonder enige uitleg.'

Onder de trofeeën van de school die op planken achter hem staan uitgestald, bevinden zich patroonhulzen van verschillend formaat, van de dikke hulzen van fragmentatiekogels die vanuit helikopters worden afgeschoten tot de kleinste, uit machinepistolen.

'De kinderen die dicht bij de nederzetting Pisgot wonen, brengen er bijna elke dag wel mee', zegt hij. 'Ze vertellen dat ze haast niet konden slapen, dat er op hen geschoten werd, dat ze de hele nacht in de keuken moesten blijven. Geen wonder dat de resultaten op school zo slecht zijn. Die stakkers kunnen zich niet meer concentreren. Bij het minste geluid van een auto of vliegtuig schrikken ze op, ze zijn bang, druk en agressief. De meesten van hen hebben gezien hoe de soldaten hun eigen huis of dat van de buren binnengingen, hun ouders vernederden of mishandelden, alles plunderden, en vaak een vader of broer meenamen naar de gevangenis. Ze worden voor het eerst geconfronteerd met tanks, vliegtuigen en helikopters die op hen schieten. Van sommige kinderen zijn zelfs ouders of vriendjes gedood. Alleen al van onze school zijn er vorig jaar drie kinderen omgekomen. Kijk, hier...'

Hij wijst naar drie portretten van heel jonge jongens aan de muur tegenover ons.

'Obeid Darraj, negen jaar, is 's nachts in zijn slaap door een kogel geraakt. Zijn huis staat vlak bij de nederzetting Pisgot. De hele dag had hij zijn ouders geholpen met de voorbereidingen voor het Suikerfeest, dat de Ramadan afsluit.

Mohammed Kuwak is samen met zijn twee zusjes gedood in de auto die bestuurd werd door hun moeder. Er werd een raket afgevuurd door een Apache-helikopter[53] om zijn vader, een activist, te treffen.

De derde, Amir Faruk, tien jaar, werd door een kogel getroffen toen hij van school naar huis liep. Hij zat in groep zeven, hij was de beste leerling van de klas, een vrolijk joch van wie iedereen hield. Hij werd in het hoofd geraakt en lag twintig dagen in coma in het ziekenhuis, waar zijn vriendjes hem kwamen opzoeken. Na zijn dood zetten ze zijn foto op een schoolbank, met bloemen erbij. Het jaar daarop namen ze zijn foto mee naar de volgende klas. De leraren en ik waren het daar niet mee eens, we willen niet te veel martelaren, uit angst dat de kinderen hen als voorbeeld gaan nemen. Maar zijn vriendjes eisten dit, anders zouden ze het gevoel hebben dat ze hem in de steek lieten.

---

53. Apache-helikopters zijn uitgerust met geleide raketten en mitrailleurs.

Amir is gestorven toen hij rustig op weg naar huis was. Hij gooide zelfs niet met stenen. Kinderen gooien alleen maar stenen bij de wegversperringen, en die zijn er hier niet in de buurt. De wachtlopende soldaten bij de nederzetting hebben hem neergeschoten, of misschien een kolonist. De kinderen zijn erg bang voor de kolonisten, die zelfs scholen aanvallen.'

Als hij mijn ongelovige gezicht ziet, dat lees je namelijk nooit in de internationale pers, legt hij uit: 'Op 18 september 2002 zijn er in een school ten zuiden van Hebron vijf kinderen van ongeveer acht jaar oud bij een explosie gewond geraakt. De Israëlische politie en de Shin Beth[54] zeggen dat dit het werk moet zijn geweest van joodse extremisten. Om kwart voor tien 's ochtends explodeerde er een bom bij de fontein op de speelplaats. Een paar minuten later en er waren driehonderdtachtig kinderen op de speelplaats geweest. Toen de politie en de brandweer arriveerden, ontdekten ze een tweede bom die twee minuten later had moeten ontploffen, als iedereen bijeen zou zijn geweest om de eerste gewonden te verzorgen. Godzijdank is de eerste bom voor de pauze geëxplodeerd en zijn alleen een paar leerlingen licht gewond geraakt door in het lokaal rondvliegende glasscherven. Anders was het een bloedbad geworden.

Deze aanslag lijkt op twee eerdere aanvallen. Op de ene school vielen acht gewonden. In het andere geval is een groep kolonisten uit Bat Ayin op een ochtend heel vroeg onderschept bij een meisjesschool in Oost-Jeruzalem. Ze waren bezig een auto vol explosieven neer te zetten voor de ingang. In maart 2002 is er weer een bom ontploft op een andere school in Oost-Jeruzalem, waarbij een leraar en vier leerlingen gewond werden. Een clandestiene joodse groepering eiste de actie op, maar er is niemand gearresteerd... zoals gewoonlijk.'

Ik neem afscheid van de directeur en begeef me naar het klaslokaal van Amir. Op de eerste rij staat op een bank aan een

---

54. De Israëlische geheime dienst.

tafeltje de foto van een jongetje met lichte ogen. Erop is in rode letters te lezen: 14 januari 2001. Op de tafel een vaas bloemen, die zijn vriendjes regelmatig verversen. Aan de muur een kleurenets van de al-Aqsamoskee waar ze allemaal ooit hopen te bidden. Jeruzalem ligt maar twaalf kilometer van Ramallah, maar aangezien dit door de Israëli's verboden gebied is, komen ze er nog moeilijker dan in China.[55] Naast de moskee hangt een foto van Marwan Barghuti, een Fatah-leider, de held van de nieuwe generatie, die momenteel in de gevangenis zit. En dan nog een paar foto's van 'martelaren', de vader van een jongen uit de klas, de broer van een andere...

Ik heb gevraagd of ik mocht spreken met de beste vriendjes van Amir. Een stuk of zes kinderen tussen de tien en elf jaar oud komen het lokaal in; onder hen bevindt zich Imad, een neefje van Amir, een dunne, bleke jongen met donkere ogen.

'Ik was erbij toen het gebeurde', vertelt hij. 'We waren hulzen aan het oprapen op weg naar huis. Alles was rustig, er was die dag geen demonstratie, niets. Aan de kant van de nederzetting riepen soldaten ons, we renden weg, maar daartegenover stonden ook soldaten. Die schoten. Amir kreeg een kogel in zijn hoofd en een andere in zijn mond. Ik schreeuwde zo hard ik kon, mensen kwamen aanrennen en tilden hem op, terwijl de soldaten zonder een spier te vertrekken achter hun versperring bleven staan. Amir werd naar het ziekenhuis gebracht, hij was al in coma. Na een paar dagen ging hij dood... En dan te bedenken dat ze durven te beweren dat het rubberkogels zijn!'

'Zijn jullie na de dood van je vriendje opgehouden met het gooien van stenen?' vraag ik aan het groepje om me heen.

'Wat maakt dat uit, of we nou gooien of niet, die soldaten slaan er toch op en schieten toch wel', antwoordt een klein

---

55. Volgens de besluiten van de Verenigde Naties maakt Oost-Jeruzalem deel uit van de Palestijnse bezette gebieden die door Israël moeten worden teruggegeven.

ventje met dikke wangen, dat Abdel Rahman heet. 'De vorige keer liep ik naar school en toen riep een soldaat me. Ik ging naar hem toe en hij begon me te slaan, zomaar, zonder enige reden...'

De anderen bevestigen dat: 'Ja, dat is mij ook gebeurd, de soldaten gooiden een keer gasbommen naar me toe, en ik had niks gedaan!'

'Mij ook! Ik was met vriendjes, de soldaten riepen ons en begonnen ons toen te stompen. Dat gebeurt vaak, je weet nooit wanneer, soms doen de soldaten je niks...'

De oude leraar die erbij is legt me uit: 'Als de soldaten de stenengooiers niet te pakken kunnen krijgen, wreken ze zich op zomaar een kind.'

'Oké, maar jullie maken mij niet wijs dat je nooit stenen gooit bij de versperringen!'

Ze stoten elkaar aan en erkennen dan lachend: 'Ja, we gooien ze wel en dan rennen we weg.'

Ali, een echte krullenbol, doet niet mee met de algehele vrolijkheid.

Als ik hem ernaar vraag, vertelt hij ten slotte met ogen die zorgvuldig wegkijken: 'Een paar weken geleden op een vrijdag was ik met een groep kleintjes aan het stenen gooien. Er kwam een oudere jongen voorbij. De soldaten schoten hem een kogel recht in het gezicht, hij viel en begon te bloeden. Mensen droegen hem een auto in, maar hij was al dood voor hij in het ziekenhuis was. En hij gooide helemaal geen stenen, hij kwam alleen maar voorbij', mompelt hij met verstikte stem.

'En wat heb je toen gedaan?' vroeg ik heel zacht, bang dat hij zou gaan huilen.

'Ik ben naar huis gegaan, ik was zo ongelukkig, ik zei tegen mezelf dat het mijn schuld was. Toen heb ik een paar dagen geen stenen meer gegooid... maar toen ben ik toch weer begonnen.'

'Maar leggen jullie me nou eens uit, waartoe dienen die stenen, tegenover soldaten met stenguns?'

'We gooien ook molotovcocktails!' protesteren ze beledigd.

'We weten precies hoe je die moet maken, de groten hebben het ons geleerd!'

Een heel klein blond joch genaamd Basil, richt zich op: 'We gooien stenen om ons land te verdedigen!'

'En wat wil je later worden?'

'Dan wil ik mijn land verdedigen met wapens', antwoordt het engeltje.

Iedereen valt hem bij: 'Wij ook. Nu gooien we nog stenen om het vechten te leren en om te leren niet bang te zijn. Later gaan we echt vechten!'

'Ik wil mijn neefje wreken', zegt Imad somber. 'Als ik groot ben, ga ik vechten.'

'Maar Palestina zal jullie nodig hebben om zich te ontwikkelen! Welk vak kiezen jullie?'

Ali wil onderwijzer worden, Abdel Rahman wil de meubelzaak van zijn vader overnemen en Basil wordt journalist: 'Om te vertellen wat er hier gebeurt, het onrecht, de wreedheid van de soldaten. Ik heb gezien hoe ze de buren arresteerden. De hele familie moest het huis uit, naar buiten, ze sloegen de vader en zijn twee zonen heel gemeen en toen namen ze de jongste mee. Die hebben we nooit meer teruggezien. Zijn moeder huilt aldoor.'

'Mijn vader is gearresteerd', zegt Salim, een magere jongen met witte vlekken in zijn gezicht van de ondervoeding. 'Na twintig dagen kwam hij weer vrij, ze hadden niks tegen hem. Het was in april. De soldaten hadden een uitgaansverbod ingesteld en gezegd dat alle mannen van vijftien tot vijfenzestig jaar naar het plein moesten komen, en daarna zijn ze de huizen gaan doorzoeken. Ze vonden niets. Aangezien ik de oudste ben, ik ben elf, ben ik verantwoordelijk als mijn vader er niet is. Ik volgde de soldaten dus op de voet om te zien of ze niets wegnamen. Bij onze buren hadden ze al het spaargeld meegenomen, zevenduizend sjekel.'

'Bij ons ook', zegt Ali. 'Ze hebben de gouden armbanden van mijn moeder gestolen en tweeduizend sjekel.'

'Bestelen de soldaten jullie?'

'Tuurlijk! Altijd! Dat staat zelfs in de Israëlische kranten!'[56]
Voor de zoveelste keer zeg ik: 'De Israëli's zijn erg sterk. Hoe willen jullie ze nu verdrijven met stenen?'

Basil, de krullenbol, kijkt me verwijtend aan: 'Niet alleen met stenen en molotovcocktails, er zijn ook zelfmoordaanslagen! Dan dood je tenminste een paar Israëli's voordat je sterft.'

'Vinden jullie dat ook?' vraag ik zijn klasgenoten.

Ze zijn het er allemaal mee eens.

'Als je nu toch moet vechten, is dat dan niet beter met een geweer?' vraag ik nog.

'Met een geweer, dat kán lukken, maar het is moeilijker; een zelfmoordaanslag is altijd prijs! En daar zijn ze bang voor: er gaan mensen weg uit de nederzettingen vanwege die aanvallen!'

'Maar denken jullie niet dat je alleen maar tot vrede kunt komen via onderhandelingen?'

Als één man antwoorden ze: 'Nee! Met wat hier allemaal gebeurt, al die martelaren, kan dat niet, we geloven niet meer in onderhandelingen, de Israëli's liegen toch altijd.'

'Maar dachten jullie voor de intifada wel dat er een vredesverdrag zou komen en dat je vriendschap zou kunnen sluiten met de Israëli's?'

'Vroeger wisten we nog niet waar zij toe in staat zijn! Nu kennen we ze: ze gedragen zich als beesten, ook tegenover vrouwen en kinderen. Zelfs als het vrede is, zullen we nooit vrienden worden.'

De oude leraar heeft me even apart genomen: 'Weet u, dit zijn normale reacties, deze kinderen lijden te zeer: elke dag angst, maar ook honger. Als de vader in de gevangenis zit of gewoon werkloos is, zoals de meesten hier sinds de laatste twee jaar, dan is er thuis bijna niets te eten. Maar voor geen goud zou een van deze kinderen opbiechten dat hij honger heeft, en de ouderen natuurlijk nog veel minder. Ze vertellen juist hoe goed ze de vorige dag thuis gegeten hebben. Dat is een kwestie van waar-

---

56. Met name in de grote krant *Ha'aretz*.

digheid. Alleen de moeders laten wel eens wat los. En sinds een paar maanden is het probleem nog nijpender.'

Inderdaad. De cijfers van USAID[57] van augustus 2002 laten zien dat dertig procent van de Palestijnse kinderen lijdt aan chronische ondervoeding en eenentwintig procent aan acute ondervoeding, een massale toename ten opzichte van de cijfers over 2000, die respectievelijk zeven en een half procent en tweeënhalf procent bedroegen.

Twee recente rapporten van de Verenigde Naties en de Wereldbank melden dat het overgrote deel van de Palestijnen werkloos is en dat zestig procent leeft van minder dan twee dollar per dag.[58] De rapporten voegen hieraan toe dat de instorting van de Palestijnse economie te wijten is aan maatregelen die door de Israëlische militairen zijn opgelegd: uitgaansverboden, wegversperringen en allemaal restricties voor de landbouw en het goederenvervoer, alsmede restricties ten aanzien van werk.

De humanitaire organisaties die momenteel hulp bieden aan een derde van de bevolking van Gaza en de Westelijke Jordaanoever luiden de noodklok: er zal zich een ramp voltrekken, de voedselvoorraden moeten zo snel mogelijk worden vlotgetrokken.

En dan moet het voedsel ook nog kunnen worden uitgedeeld...

Onlangs heeft de PAM, een agentschap van de Verenigde Naties voor het Wereldvoedselprogramma, een officiële klacht geuit over de opzettelijke vernietiging door het Israëlische leger van meer dan vijfhonderd ton voedselhulp die verkregen was dankzij giften van de Europese Commissie. Deze hulpgoederen, die lagen opgeslagen in Gaza, hadden uitgedeeld moeten worden aan tweeënveertigduizend armen.

Op 3 december 2002 omsingelden soldaten het gebouw met pantserwagens, plaatsten staven dynamiet en bliezen alles op,

---

57. United States Aid for International Development.
58. Het leven in Palestina is even duur als in West-Europese landen.

ondanks de protesten van de verantwoordelijken die hun vroegen het voedsel in veiligheid te mogen brengen. Tijdens de operatie werden twee Palestijnse burgers die probeerden het te verhinderen, gedood en twintig anderen gewond. Dit zijn geen op zichzelf staande daden of vergissingen: op 30 januari 2003 verpletterden twee pantserwagens en twee bulldozers de al-Manaramarkt voor verse voedselproducten te Hebron, een stad in spertijd, waar een groot gedeelte van de bevolking hongerlijdt.

De leraar met zijn witte baard die me apart heeft genomen is eigenlijk pas vijfenvijftig jaar oud, maar de moeilijkheden van het leven hebben hem, als zoveel Palestijnen, vroegtijdig oud gemaakt. Hij geeft al vijfendertig jaar wiskunde.

'Wij zijn ook bang', vertrouwt hij me toe. 'Voor de kinderen proberen we rust uit te stralen, maar elke dag zijn we bang dat de soldaten zullen binnenvallen en geweld gaan gebruiken, en elke avond nemen we alle belangrijke documenten van school mee naar huis, uit angst dat ze die anders verbranden, zoals dat in april nog gebeurd is. Waarom, zult u vragen, waarom boeken en tafels verbranden? Zijn geschoolde Palestijnen een gevaar voor hen? Negen leraren van deze school wonen in dorpen rond Ramallah. Vaak kunnen we het huis niet uit, want dan komt er plotseling een patrouille, werpt een versperring op en houdt ons opgesloten in het dorp. Dat duurt meestal maar een paar uur, net lang genoeg om arrestaties te verrichten. Alle dorpen omsingelen zou echt te veel mensen en pantserwagens vergen. Dus blokkeren ze ons op een andere manier, door de toegang tot Surda te versperren, de enige toegangsweg naar Ramallah. Zo gaan de boeren economisch kapot. Ze kunnen zich niet meer bevoorraden in de stad of daar hun producten verkopen.'

'Hoelang doet u er normaal over, van huis naar school?'

'Ik woon zelf in het dorp Beit Safafa, zestien kilometer maar. Maar om om acht uur op school te zijn ga ik al om zes uur weg, want ik moet langs twee versperringen. Soms sluiten de soldaten alles volledig af, dan moet je terug en in het dorp blijven terwijl de kinderen op school zitten te wachten...'

Hij schudt zijn grijze hoofd: 'Weet u, in de dorpen is het nog erger dan in de stad, de boeren zijn simpele zielen en de Israëli's beschouwen hen als dieren, ze kunnen ontzettend bruut optreden.

Drie dagen geleden viel het leger mijn dorp binnen en stelde een uitgaansverbod in. Toen kwamen er kolonisten uit de vlakbij gelegen nederzettingen Halamich en Atarot, en onder het toeziend oog van de soldaten rukten zij tweehonderd vruchtbomen uit de grond. Dat doen ze geregeld: ze strijken neer, verwoesten en vertrekken weer. Ze willen de mensen uit de kleine dorpen dwingen tot vertrek, om de grond in te pikken en hun nederzettingen uit te breiden. Sommige boeren, die familie hebben en geld, zijn al verhuisd naar Ramallah.

Om ons weg te krijgen proberen ze ons ook doodsangst aan te jagen, zoals ze dat onze ouders deden in 1948. In het begin van de intifada kwamen ze een jongere halen, namen hem mee de nederzetting in en vermoordden hem. Vervolgens bemanden ze een jaar lang een militaire post in het centrum van het dorp en controleerden al onze bewegingen.

En dat alles omdat ons dorp nog heel wat grond heeft, hoewel de Israëli's er al veel van geconfisqueerd hebben ten behoeve van een militaire zone. Wij mogen veel van onze eigen velden niet meer in, ze schieten op boeren die er zich in wagen. En ze gebruiken een oude Britse wet die de staat het recht geeft land in te lijven dat braak ligt. Ik heb zelf een groot terrein, dat nu binnen de nederzetting ligt. Ik bezit de eigendomsakte. Maar wat voor nut heeft die bij dit soort mensen?

Zowel in mijn dorp als in alle andere is het verboden te bouwen voorbij de laatste huizen van het dorp. Er is geen plaats meer, jongeren kunnen geen gezin stichten, en dus gaan ze in ballingschap. Je mag ook geen put slaan in je eigen tuin, want het grondwater is van Israël. Als je het toch doet, word je zwaar gestraft. We proberen ons te redden met bassins waarin we het regenwater opvangen, maar 's zomers is het leven heel zwaar.'

'Er wordt gezegd dat het Israëlische leger onder dekking van een oorlog tegen Irak de dorpsbewoners zal dwingen te verhuizen naar de steden. Wat denkt u daarvan?'

'O, onze verhuizing is al een stokoud plan! Dáárom snijden ze trouwens ook zo'n drie of vier keer per week de watertoevoer af. Ze proberen ons op alle manieren weg te krijgen. Maar wij blijven hier. We kunnen nergens heen.'

Twee dagen later lees ik in de Israëlische krant dat Palestijnen geschoten hebben op een auto en daarbij twee kolonisten uit Atarot hebben verwond. En weer moet ik vaststellen dat die aanslagen niet uit de lucht komen vallen: deze is kennelijk een antwoord op de verwoesting van de boomgaarden in Beit Safafa.

Drie maanden later in september, op het tijdstip dat de scholen weer begonnen, wilde ik de kinderen nog eens zien. De school was verhuisd naar een ander gedeelte van al-Bireh. Het is nu de Amin al-Husseinischool, genoemd naar de Palestijnse leider die in de jaren dertig en veertig van de vorige eeuw de opstand tegen de Engelsen en de joden aanvoerde.

De nieuwe gebouwen die lekker naar verse verf ruiken, staan pal aan de voet van de nederzetting Pisgot. Het is onvoorstelbaar dichtbij: boven op de heuvel ligt Pisgot, tweehonderd meter lager de school. De ingang is binnen schootsafstand.

Ik druk mijn verbazing uit: 'Hoe kunt u nu zo'n groot risico nemen?' vraag ik aan de oude leraar die me verwelkomt.

'Dit terrein is van de gemeente. Iets anders is te duur voor ons.'

'Maar zo provoceert u de kolonisten!'

'De Autoriteit heeft besloten om al het gebied dat van ons is te benutten, zelfs als het dicht tegen de nederzettingen aan ligt, want anders pikken de Israëli's het in, en langzamerhand kan Ramallah dan helemaal niet meer uitbreiden, zoals dat nu al het geval is in de meeste van onze dorpen. We moeten ons blijven verzetten, anders is het zo dadelijk afgelopen met Palestina. Aangezien je privé-personen niet kunt dwingen daar grond te kopen, vestigen we er overheidsinstellingen.'

Ik trof Imad weer, het neefje van Amir Faruk, blonde Basil, Ali met zijn krullenbol, Salim, nog magerder dan voor de vakantie, en Abdel Rahman, de zoon van de meubelverkoper.

Gisteren hebben ze hun nieuwe lokaal ingericht en ze tonen me een tafeltje vooraan dat bedekt is met bloemen. De plaats van Amir. Ze zeggen dat ze daar het hele jaar door bloemen zullen neerzetten, net als op de plaatsen van Obeid en Mohammed.

Basil vertelt me dat zijn buurjongen in de zomer gedood is in zijn eigen huis. Zijn vader was het raamkozijn aan het verven, hij hielp mee en kreeg een kogel in zijn borst.

'Hij heette Ubay, hij was tien, we speelden altijd samen.'

Ik informeer bezorgd of ze bang zijn, met hun school zo dicht bij de nederzetting.

'Nee hoor,' pochen ze, 'we moesten er toch al elke dag langs toen we naar de oude school gingen. Nu zijn we gewend aan tanks, pantserwagens en soldaten, dus een nederzetting maakt ons niet meer bang!'

De nieuwe directeur roept de kinderen: de openingsceremonie gaat beginnen. De school is al een week open, maar vanwege het uitgaansverbod zijn de kinderen er vandaag voor het eerst.

Op de speelplaats staan zo'n vijfhonderd jongens tussen de elf en de zestien jaar netjes opgesteld in rijen.

De directeur heeft een microfoon in de hand en begint zijn speech: 'De Israëli's plunderen jullie scholen en vernietigen jullie boeken. Ze willen jullie verhinderen om te leren, ze willen je dom houden zodat jullie een volk van stakkers worden. Daar moeten jullie je tegen blijven verzetten. Jullie moeten hard studeren, tegen alles en iedereen in, om je land Palestina op te bouwen. Leve Palestina en glorie aan onze martelaren!'

Ik maak me ongerust, zijn stem moet te horen zijn in de nederzetting... maar dan spreek ik mezelf toe: wat hebben ze tenslotte te verbergen? De kolonisten weten heus wel hoe de Palestijnen over hen denken!

'De kinderen die een dode in de familie hebben, zullen hier spreken voor hun klasgenoten', gaat de directeur verder.

Imad komt naar voren, hij is nog bleker dan anders.

'Amir, je bent er niet meer, we treuren om je afwezigheid, maar je dood was niet vergeefs, we zweren je dat wij de strijd zullen voortzetten om Palestina te bevrijden.'

Een minuut stilte die zwaar valt, sommige kinderen hebben vochtige ogen.

Dan geeft de directeur een teken. Langzaam verspreiden de kinderen zich en lopen naar hun lokalen.

Ik neem afscheid van Basil, Ali, Salim, Imad en Abdel Rahman en kijk ze na met een steek in mijn hart, en ik betrap me erop dat ik de God van de christenen, de moslims en de joden smeek hen te beschermen...

Kaïro, kinderpsychologe

Kaïro is een jonge vrouw van ongeveer dertig. Ze is tenger en gedistingeerd, een Palestijnse van goede familie. Haar ouders zijn naar de Verenigde Staten geëmigreerd, waar zij geboren is, maar na haar studie heeft ze ervoor gekozen terug te keren naar haar land om er te werken.

Als kinderpsychologe houdt ze zich met name bezig met de jongensschool Mughtanabeen in al-Bireh, waar ze met me naartoe is gegaan.

Op de terugweg in de taxi zucht Kaïro: 'Deze generatie, die voortdurend blootstaat aan bombardementen, fusillades en spertijd krijgt het nog heel moeilijk als ze eenmaal volwassen is! Ik zie in mijn praktijk veel kinderen die zo getraumatiseerd zijn dat ze het huis niet meer uit durven. Ze gedragen zich als peuters, klemmen zich vast aan hun moeder en worden heel agressief. Ze interpreteren elk geluid als gevaar, een tank of een explosie of een bom. Ze durven niet meer in het donker te zijn, en sommigen krijgen als ze een ambulance horen een angstaanval en verstoppen zich in paniek onder hun bed. Soms zijn kinderen die opgroeien in zeer grote armoede net zo getraumatiseerd als kinderen die bombardementen hebben meegemaakt, want al twee jaar leven zij in voortdurende angst voor de volgende dag, met daarbij nog de irritatie van hun ouders.

We hebben een studie uitgebracht over twaalfhonderd kinderen die heel arm zijn of zich in een zeer bedreigd gebied bevinden. We vroegen hun: "Als je nu naar huis kon en daar doen wat je wilt en krijgen wat je wilt, wat zou je dan het liefste willen?" Veel kinderen antwoordden: "Fruit eten" of "Ik wil niet dat er soldaten in huis komen." Ze hebben geen dromen meer, ze zien niet verder dan de directe toekomst. Deze situatie duurt al zo lang dat ze de hoop hebben opgegeven. Ze vragen niets meer, geen speelgoed, geen snoep, geen televisie, ze zijn zo gelaten alsof ze van binnen al dood zijn.

Zelfs de ouders hebben geen ambitie meer voor hun kinderen, ze durven niet over een toekomst te spreken, ze leven van dag tot dag. En de kinderen, die zien dat de situatie steeds slechter wordt, worden heel pessimistisch. Veel moeders zeggen tegen me: "Ik heb geen geld, geen gezag, ik ben óp, mijn kinderen gehoorzamen me niet, ze willen niet meer naar school." Maar het is moeilijk voor de kinderen om naar school te gaan als ze rammelen van de honger. Hoe kun je je aandacht erbij houden als je maag bijna leeg is en het je grootste zorg is aan eten te komen voor de volgende dag! De gevolgen van ondervoeding zijn niet direct zichtbaar, maar het gewicht van de kinderen neemt af, hun aandacht en hun leervermogen verslappen. En dan zeggen ze: waarom zou ik leren? Er is toch geen werk, al jaren zien ze dat hun vader werkloos is...'

'Hebben de mensen op het platteland dan tenminste nog wat te eten?'

'Niet altijd. Het is daar soms zelfs nog erger want de dorpen zijn helemaal omsingeld door nederzettingen en de meeste mensen zijn al hun landbouwgronden kwijtgeraakt. En wat degenen betreft die nog wel land hebben, vaak wachten de kolonisten tot de oogst rijp is en komen dan met hun bulldozers om alles plat te walsen, zodat veel boeren niet eens meer proberen in te zaaien. Sinds het begin van de intifada hebben de Israëli's zo duizenden dunums[59] verwoest.

In het centrum van Ramallah stoppen we bij een café en drinken onder de druiventrossen een glas lekkere sterke zoete thee. Ik kan niet nalaten te vragen: 'Hoe kom je aan je naam, Kaïro? Dat is toch de hoofdstad van Egypte?'

Ze begint te lachen.

'Mijn vader was een nationalist en groot bewonderaar van Nasser. Toen de alliantie tussen Egypte en Syrië tot stand kwam

---

59. Een tiende hectare.

(die niet lang geduurd heeft), was hij zo blij dat hij mij de naam Kaïro gaf, mijn zusje heet Damascus en mijn jongste broertje Abdel Nasser!'

'Vertel nog eens wat over jezelf. Waarom ben je weggegaan uit Amerika, waar je geboren bent, om je hier te vestigen?'

'Toen ik vijftien was besloten mijn ouders om mijn zusje en mij een tijdje naar Palestina te sturen om kennis te maken met onze eigen cultuur, want we waren volkomen veramerikaniseerd. Ze waren moslims maar ze spraken nooit over godsdienst en politiek, toch waren de wortels belangrijk voor hen. Ze stuurden ons hierheen om ons te leren dat er meer manieren van leven zijn, niet om ons hier te laten blijven. Ik werd verliefd op het land. Ik bleef hier om psychologie te studeren aan de universiteit, van 1974 tot 1979, daarna ging ik terug naar de Verenigde Staten voor mijn proefschrift. Daar ontmoette ik mijn man, die ook uit al-Bireh komt. We zijn weer hier sinds 1987 en we zijn getrouwd tijdens de eerste intifada.'

'Verlangt u soms op moeilijke momenten niet terug naar uw leven in de Verenigde Staten?'

'Nooit! Hier vind je een menselijkheid, een solidariteit die in het Westen niet meer bestaat. De mensen zijn ongelooflijk veerkrachtig. Sinds de meer dan vijfendertig jaar dat de bezetting nu duurt, hebben ze geleerd om ook de grootste moeilijkheden te overwinnen. De Israëli's willen ons ontdoen van onze menselijkheid, ons zo zeer tot wanhoop brengen dat we het opgeven. Maar we weten dat ze niet kunnen winnen als wij moed houden. Tenzij ze ons allemaal afmaken! Wat onmogelijk is, niet alleen vanwege de reacties in de rest van de wereld, maar ook vanwege het morele beeld dat ze willen behouden van zichzelf. Ze kunnen wel bepaalde feiten verdoezelen, maar geen genocide.

Er is nog een essentieel punt: wij hebben geen minderwaardigheidsgevoel, zoals gekoloniseerde volken dat zo vaak hebben. Wij hebben nooit op de Israëli's willen lijken. Zij zijn zij en wij zijn wij, met onze eigen waarden. Hun spullen zijn misschien beter, maar dat betekent niet dat zijzelf beter zijn. Het bevalt ons best hoe wij zijn. Dat is heel belangrijk. De mensen leven in de zwaarste omstandigheden en desondanks hebben ze artsen, ingenieurs en advocaten in de familie.

De kinderen zien wat de ouderen allemaal voor elkaar krijgen, ondanks de moeilijke omstandigheden. Wij Palestijnen zijn er trots op te zijn zoals we zijn en zolang dat zo blijft, krijgen de Israëli's ons niet klein. Er zijn gezinnen die het heel moeilijk hebben om te overleven, maar de mensen bezwijken niet. Ze denken niet aan opgeven.'

Ze kijkt me aan met stralende ogen. De vermoeidheid van daarnet is verdwenen: 'Wij leggen onze kinderen uit dat nergens ter wereld een bezetting eeuwig heeft geduurd, dat volken er altijd weer in slagen hun onafhankelijkheid te herwinnen. We zeggen tegen hen: "Zolang jij gelooft dat jij en je land een toekomst hebben, zul je overleven. Ja, mensen raken gewond, maar overal raken mensen gewond en sterven ze. Zolang jij erin gelooft en alles doet om je leven te verbeteren, kunnen ze je niet vernietigen. Ze overwinnen pas als je accepteert overwonnen te worden."

Dit houden we onze kinderen steeds weer voor en we proberen het hen te doen ervaren. Daarom organiseren we bijvoorbeeld zomerkampen op school, met heel jonge leraren, tussen de achttien en de vijfentwintig jaar, die dicht bij hen staan... De kinderen zijn met hun vriendjes, ze kunnen schilderen, dansen, toneelspelen. Zo leren ze te kiezen wat ze willen. We hameren op hun recht om zelf te kiezen en zelf te beslissen. Ze leren ook te zoeken naar informatie, zich duidelijk uit te drukken, een dialoog te voeren, geen dingen te zeggen die kwetsen. Ze leren dat iedereen een andere manier heeft om zich uit te drukken maar dat ze allemaal gelijk zijn, dat ze allemaal dezelfde gevoelens van angst, woede en moedeloosheid hebben.

Het belangrijkste in zo'n kamp is dat de kinderen voelen wat geluk is, dat ze weten dat het bestaat en dat ze het kunnen bereiken, dat ze weer zin in van alles krijgen, een doel hebben, weer hoop krijgen...'

'Als ik groot ben, maak ik ze dood!'

Vanmiddag hebben een paar mensen zich ondanks het uitgaansverbod op straat gewaagd in Ramallah. Tanks rijden er niet door de wijken, die staan allemaal opgesteld in het centrum van de stad, vooral rond de Muqata'a waar Arafat al weken gevangenzit.

Met Liana, mijn vriendin die schrijfster is, zijn we op weg naar al-Bireh, de tweelingstad die in het verlengde van Ramallah ligt. Plotseling klinkt er achter ons karakteristiek motorgebrom, en wij bevriezen ter plaatse: in een wolk van stof halen twee jeeps ons in, zonder te letten op de wandelaars en de vrouwen die op hun balkons met elkaar praten. We herademen. Alles is hier onvoorspelbaar, alles hangt af van het parool van de dag en ook van de soldaten. Sommigen hebben beslist een hekel aan de rol die ze moeten spelen en vermijden het zorgvuldig om een vrouw aan te houden die aan het boodschappen doen is, of om te schieten op voorbijgangers die een luchtje scheppen.

Vandaag is het een half uitgaansverbod, net genoeg om de economie te verstikken, maar dan kun je tenminste nog wel naar buiten om een luchtje te scheppen.

Het is zes uur in de avond, de zon zakt naar de horizon, een gouden gloed verspreidt zich over de stad, je betrapt jezelf erop dat je de bezetting vergeet en bedenkt hoe mooi het leven is.

De twee jongens met wie we een afspraak hebben, zitten al op ons te wachten op een stenen muurtje. Met hun fris gewassen kleren en keurige haren zien ze eruit als brave, een tikje geïntimideerde kinderen. Amin is dertien, Hashem vijftien, ze zijn buren van elkaar en allebei dol op voetballen.

'Tot vorig jaar speelden we elke dag op het grote veld daarboven, net tegenover de nederzetting Pisgot', vertelt Hashem. 'Elke keer kwamen er soldaten langs die schoten om ons bang te maken. Op een dag schoten ze op een jongen die er voetbalde en verwondden hem aan zijn kuit. Hij viel, hij bloedde erg, gelukkig kwam er een ambulance die hem naar het ziekenhuis gebracht heeft. Nu gaat het weer goed met hem, maar hij is mank, hij kan nooit meer spelen.'

'Waarom hebben ze op jullie geschoten? Gooiden jullie met stenen?'

'Nee, we speelden gewoon.'

Liane legt me uit dat de kolonisten van Pisgot voor geen enkel middel terugdeinzen om alles leeg te krijgen rond hun nederzetting, ook al is het Palestijns gebied.

'Overal in het land is het zo, als de kolonisten vinden dat iets te dicht bij hun nederzetting gebeurt, verhinderen ze de kinderen om te spelen, de volwassenen om langs te lopen en de boeren om hun land te bewerken. Elke dag komen er zo mensen om het leven.'

'Nu kunnen we niet meer naar het grote veld, nu moeten we naar een klein veldje vlak bij school', zegt Hashem treurig, 'We kunnen niet meer echt oefenen.'

'Maar we hebben wel iets gevonden om hen te pesten,' komt Amin ondeugend tussenbeide, 'we laten vliegers op in de richting van de nederzetting met de kleuren van de Palestijnse vlag, dat maakt ze woest, kijk zelf maar!'

Inderdaad schommelen er brutaal twee grote zwart-groen-rood-witte vogels op zo'n vijfhonderd meter afstand, net boven de muren rond Pisgot.

Ik kijk naar Amin. Hij is klein en tenger en heeft het gerimpelde gezichtje van een ondervoed kind.

'Vroeger ging ik stenen gooien, maar nu niet meer, het dient nergens toe, er worden alleen maar kinderen bij gedood. Ik wil een strijder worden om mijn vader te wreken.'

Hij zegt dit rustig, als iets vanzelfsprekends waar niet aan te tornen valt.

'Die rotzakken hebben mijn vader gedood toen hij aan het joggen was! Hij was erg sportief', herinnert hij zich met een trots glimlachje. 'Overdag werkte hij als huisschilder en in de namiddag trainde hij altijd in de sportzaal. Er kwam een patrouille soldaten langs, en ze schoten op hem. Dat was op

5 juli 2000. Er was zelfs geen uitgaansverbod!'

'Waaróm schoten ze dan?' vroeg ik ongelovig.

'Er waren schoten gelost in de omgeving, de soldaten kwamen eraan en schoten als represaille op de eerste de beste die ze zagen...'

Zijn stem stokt. Zijn vriend Hashem werpt hem een ongeruste blik toe, wendt zich tot mij en zegt fel: 'Alsof die lui excuses nodig hebben! Zelfs als we niks gedaan hebben, maken ze ons nog zomaar dood! Een buurjongen van mij van tien is in zijn bed gestorven omdat hij geraakt werd door een kogel die door het raam naar binnen kwam. En', zijn donkere ogen schitteren, 'ze hebben zelfs mijn hond gedood... zomaar! U moest eens weten hoe lief en vrolijk die was, hij was nog geen twee jaar oud, hij was altijd bij me. Op een dag klonken er schoten achter ons huis dat dicht bij de nederzetting staat, er kwam een tank aan, mijn hond blafte, de tank richtte langzaam de loop op hem en schoot. Mijn hond spatte uit elkaar.'

Hij klemt zijn lippen op elkaar: 'Als ik groot ben, maak ik ze dood!'

'Dan zullen er wel onderhandelingen gevoerd zijn en is het hopelijk vrede.'

'Dat geloof ik niet. We zien toch dat al die onderhandelingen niks uitmaken, de Israëli's houden nooit woord. Die krijg je alleen met geweld weg!'

Op de terugweg maakt Liane me deelgenoot van haar bezorgdheid: 'De situatie is in de afgelopen twee jaar van bezetting volkomen veranderd. Nu hebben niet alleen jongeren het over het gebruik van geweld, maar ook kinderen. En niet meer alleen de armen en wanhopigen, maar steeds meer kinderen uit de middenklasse, die het niet meer kunnen aanzien.

De woorden van de Israëlische advocate Lea Tsemel[60] schieten me te binnen: 'Palestijnen kenden geen haat. Die hebben wij hun geleerd. We zijn goede leermeesters.'

---

60. Zie het hoofdstuk 'Lea Tsemel, een Israëlische advocate voor de Palestijnen'.

De kinderen van Fortunée

Sinds een paar dagen probeer ik met Israëlische kinderen in contact te komen. Mijn vriendin Neomi had drie afspraken voor me geregeld, waarvan er een op het laatste moment werd afgezegd. De twee andere kinderen kwamen niet opdagen in het café waar ik uren op hen wachtte. Ik begin te wanhopen. Ik kan me goed voorstellen dat ouders niet willen dat hun kinderen het gevaar lopen in verwarring te raken wanneer er pijnlijke zaken worden aangeroerd, maar ik moet echt reacties van jonge Israëli's hebben, om beter te begrijpen hoe zij door dit conflict worden getroffen in hun dagelijks bestaan.

Iemand had het over Fortunée, een moeder van drie kinderen. Ik leg haar mijn project uit en zonder een spoor van aarzeling stemt ze toe.

Fortunée, een brunette uit Libanon, heeft de schoonheid van een oosterse jodin en de elegantie van een Libanese. Ze is getrouwd met een journalist en is zelf documentaliste, met als specialisatie het Nabije Oosten, ze staat in contact met heel veel tegenstrijdige meningen en ideeën, wat maakt dat ze een zeer open geest heeft.

'Komt u maar tegen het eind van de middag, dan zijn de kinderen wel thuis. Onder de huidige omstandigheden gaan ze bijna nooit uit. Dan hebt u alle tijd om met ze te praten.'

Het huis van Fortunée ligt vlak bij de Mahane Yehuda-markt, in een zeer centraal gelegen oude wijk van Jeruzalem, waar de laatste twee jaar diverse aanslagen hebben plaatsgevonden.

Ik verlaat de hoofdstraat, ga een paar traptreden af en bevind me in een rustige straat met leuke huizen van okergele steen.

Zodra ik aanbel aan het smeedijzeren hek, komt er een meisje in korte rok aanrennen om me open te doen en ze brengt me naar een schaduwrijke tuin waar haar oudere broer en zus al op me wachten met een ijskoude cola voor zich.

Noga, de jongste, is elf. Ze is rank, en met haar lange kastanjebruine haar en groene ogen is ze zo sierlijk als een Tanagra-beeldje, maar ze is zo uitgesproken als een echt kind van de eenentwintigste eeuw. Bij de gedachte dat ze zal worden geïnterviewd heeft ze het niet meer van ongeduld en wil absoluut als eerste aan het woord komen.

'Ik mag nergens heen van mijn ouders,' beklaagt ze zich, 'en al helemaal niet naar Canyon wat ik de leukste plek vind in Jeruzalem. Vroeger ging ik er minstens een keer per week heen!'

Canyon is een reusachtig winkelcentrum aan de rand van Jeruzalem. Er zijn honderden winkels die artikelen importeren uit de hele wereld, het is een echte consumententempel waar de Israëli's alles kunnen vinden wat hun hartje begeert. Maar het is ook de ideale plek voor een grote terroristische aanslag. Sinds twee jaar wordt Canyon bewaakt door een leger van politie-agenten, maar je weet maar nooit…

Haar broer Noam, een prachtige puber van zestien met lang donker haar, doet er nog een schepje bovenop: 'Het leven is onmogelijk geworden, je kunt niet meer naar de film, niet naar de winkels in het centrum, niet naar de cafétjes in Jaffa Street en Ben Yehuda, waar Jeruzalem vroeger bruiste van leven. Ik mag van mijn ouders zelfs niet meer met de bus, ik moet altijd lopen of een taxi nemen. Toch zijn er nog steeds concerten en tentoonstellingen, want de burgemeester van Jeruzalem wil bewijzen dat we ons niet laten intimideren. Er gaan vrij veel mensen naartoe, maar wat is er leuk aan? Iedereen is gespannen en angstig, de politie is overal, je wordt aldoor gefouilleerd. Dan ga ik net zo lief niet!'

Noga komt tussenbeide: 'Als ik eens op straat loop, ben ik vaak bang, vooral als ik daarvoor net een aanslag gezien heb op televisie. Ik vind het heel erg als ik zie dat er kinderen gedood zijn en ik ben dan blij dat ik het niet ben!'

'Ben je bang op straat als je een Arabier ziet?'

Ze aarzelt.

'Ja, wel een beetje… maar dan zeg ik tegen mezelf dat het misschien een Arabier is die de Israëli's wel mag. Niet alle Arabieren zijn slecht, ze willen niet allemaal aanslagen plegen.'

'Ken jij mensen die gedood zijn?'

'Ja, een vriend van mijn ouders in het noorden van het land.'

'Een meisje van mijn school is gedood bij een aanslag op een bus', zegt Noam. 'Ze zat in een andere klas, maar we kenden elkaar wel. Dat was een ontzettende schok!'

'Wat moet er gebeuren om dit allemaal te stoppen?'

'Weet ik niet, ik weet alleen dat Arabieren doden nergens toe leidt. Sharon kan hier en daar eens een aanslag verijdelen, maar daarna begint het toch weer.'

'Over twee jaar moet je in dienst. Heb je daar al over nagedacht?'

'Natuurlijk. Ik wil wel, maar niet in de bezette gebieden. De kolonisten overtreden de internationale wetten met hun nederzettingen. Waarom moeten de soldaten hen dan verdedigen? Op school discussiëren we daarover met vrienden, maar we zijn maar een kleine minderheid die er zo over denkt.'

Sarit heeft tot nu toe haar mond gehouden, maar nu doet ze een duit in het zakje. Ze ziet er sportief uit, met haar korte haar, ze is twintig jaar oud en vervult op het moment haar dienstplicht.

'Ik geloof nooit dat Sharon erin slaagt de aanslagen te stoppen, want de Palestijnen zijn nu veel gemotiveerder dan vroeger. In 1996, 1997 dachten de meesten dat de akkoorden van Oslo zouden uitmonden in de stichting van een Palestijnse staat. Dat denkt nu niemand meer, de hele bevolking is gefrustreerd. En ze weten dat wij ondanks ons machtige leger één zwakke plek hebben: we willen geen doden aan onze kant. Daarom treffen ze ons waar ze kunnen en waar het pijn doet, met die zelfmoordaanslagen.'

'Vertel me eens, hoe is het leven van een twintigjarige Israëlische in zo'n context?'

'In Tel Aviv, waar ik gelegerd ben, is het wel ontspannen, je zit er verder weg van het probleem, zelfs als een bom je er zo af en toe weer aan herinnert. Maar hier in Jeruzalem is het heel zwaar. Ik ben dol op dansen maar ik ga nooit meer naar de disco. Ik ken elke plek waar een aanslag is gepleegd, ik moet er altijd aan denken als ik er langs kom. Maar je kunt je ook niet laten leiden door je angst, je kunt niet altijd opletten, je gaat toch wel eens uit. Vorige week nog dacht ik: kom op, en ik ben naar een restaurant in Ben Yehuda gegaan.'

'Ontmoet je wel eens Palestijnen?'

'Als dat al voorkomt, praten we altijd over andere dingen, anders wordt het te gespannen. Ik hoop dat we elkaar ooit kunnen ontmoeten, misschien ik niet, maar mijn kinderen...'

Een vriendinnetje van Noga is erbij gekomen, Morane, een mollig meisje met kort haar en een blauwe parkiet op haar schouder. Ze is op het stenen muurtje gaan zitten en luistert zwijgend naar ons. Met haar hoofd schuin aait ze heel zachtjes de veren van de vogel.

'Mijn beste vriendin is vier maanden geleden omgekomen in de bus', zegt ze plotseling. 'We wonen in Gilo. Op 18 juni van dit jaar wilden we bus 32 nemen om naar school te gaan in Jeruzalem. Maar die dag waren er zoveel mensen dat mijn moeder besloot dat ik maar moest meerijden met de buurman die met de auto ging. Aangezien hij geen plaats had voor mijn vriendinnetje, zeiden we tegen elkaar: "Tot straks op school!" Ik heb haar nooit meer teruggezien, ze is omgekomen bij de explosie in de bus, met negentien anderen, er waren vijftig gewonden.[61]

Ik had ook moeten sterven', zegt ze met een heel klein stemmetje en ze houdt haar hoofd wat schuiner om de zachtheid en de warmte van haar parkiet beter te voelen.

Morane neemt nog steeds elke dag bus 32 naar school. Haar moeder is gescheiden en heeft geen geld om elke dag een taxi te betalen.

---

61. Gilo is een nederzetting in de gemeente Jeruzalem. Op 18 juni 2002 blies een 23-jarige student, die woonde in een kamp bij Jenin, zich op in een bus. De aanslag werd opgeëist door Hamas.

'Ik ben erg bang', bekent ze. 'Ik probeer altijd achterin te zitten en als ik iemand zie die er verdacht uitziet, verstop ik me achter de bank en hoop dat die bank zal exploderen en ik niet.'

Ze lijkt me nog zo getraumatiseerd dat ik me bezorgd afvraag of ze wel bij de psycholoog is geweest.

'Ja, twee keer. We praatten met ons drieën, zij, mijn moeder en ik, en we moesten steeds huilen. Maar nu', ze richt zich op, 'houd ik mijn zorgen binnen, ik leef normaal, ik neem de bus, ik ga naar Canyon en zelfs naar het centrum, naar Ben Yehuda.'

Ze is ontwapenend, dit meisje met haar blauwe parkiet, je voelt hoe verward ze is, hoe eenzaam als kind van gescheiden ouders, je voelt haar behoefte aan liefde die ze compenseert door met haar wang teder tegen de veren van haar vogel aan te strijken.

En als ik zeg: 'Bravo, Morane, je bent heel dapper', klaart haar hele gezichtje op en zegt ze, alsof ik haar een cadeau gegeven heb: 'Dank u wel.'

Als ik de kinderen van Fortunée verlaat, is het bijna zes uur, weldra begint de sabbat. De winkels hebben hun ijzeren rolluiken laten zakken en de straten zijn verlaten. Als ik de Agrippa Street af loop op zoek naar een taxi, zie ik een groepje van een stuk of tien orthodoxe joden met pijpenkrullen en zwarte hoeden bij elkaar staan voor de ingang van een jazztent. Ze lijken er te staan wachten en scanderen onderwijl een zin die ik niet begrijp. De oudste, met een prachtige witte baard, moedigt hen aan. De deur van de bar gaat op een kiertje open, ik heb net de tijd een jonge man te zien die de deur snel weer dichtdoet. De groep gaat steeds harder scanderen. Dreigend.

Na verloop van enige minuten gaat de deur wagenwijd open en vier jongens in spijkerbroek en zonder keppeltje verschijnen in de deuropening, met hun instrumenten onder de arm. Het zijn kennelijk muzikanten die van een repetitie komen. De donkere groep mannen omsingelt hen schreeuwend. Kalm proberen de musici hen uit elkaar te duwen om zich een weg te banen. Maar dat willen de anderen niet, ze dringen dreigend op.

Aangevuurd door de oude man met de baard stelt een zwakke jongeman zich op tegenover een van de musici, beledigt hem en wil hem slaan. Dat bekomt hem niet best, de ander, die twee keer zo groot is als hij, raakt geïrriteerd, maar zodra hij de hand maar optilt om te slaan, doet de zwakke man een stap naar achteren en verstopt zich tussen zijn metgezellen die om hem heen gaan staan.

Het geroep neemt toe, beledigingen en verwijten dalen neer op de goddeloze muzikanten die het wagen te spelen tijdens de sabbat. Tot mijn grote verbazing blijven laatstgenoemden on-aangedaan. Toch zouden ze zich makkelijk kunnen ontdoen van dit handjevol fanatici dat hun de doorgang verspert, maar ze zorgen er daarentegen juist voor beleefd te blijven en hen vooral niet aan te raken. Ze weten dat dit een provocatie is, dat de fanatici hen zover willen krijgen dat ze erop los slaan, om hen dan te kunnen beschuldigen van geweld jegens weerloze man-nen van God…

Op het trottoir ertegenover kijken voorbijgangers misprij-zend toe.

Ten slotte komt een man met een keppeltje tussenbeide, omdat hij het niet meer kan aanzien. Na lang onderhandelen geven de mannen van God hun actie op en dan kunnen de vier muzikanten eindelijk weg.

Het is maar een klein incident, maar het is tekenend voor de geweldige spanningen die de Israëlische maatschappij teisteren. Ik denk aan de opmerking van een vriend, kort geleden: 'Als onze maatschappij niet bijeengehouden werd door de angst voor het Palestijnse gevaar, zou zij imploderen.'

De kinderen van Daphne

Vanmiddag heb ik een afspraak in de German Colony, een oude wijk in West-Jeruzalem, bij een jonge vrouw die ik twaalf jaar geleden heb leren kennen. Ze was toen studente en demonstreerde voor evenveel recht op een beurs voor Israëlisch-Arabische studenten als voor joodse studenten.

In de deuropening van haar leuke huis staat Daphne me al op te wachten. Ze is niets veranderd, ze is nog steeds groot en blond en sportief, behalve dan dat ze nú de moeder is van twee dochtertjes: Emilie van zes met lange blonde krullen en een ondeugend gezicht en Danièle van negen, met bruine krullen en een zeer bedachtzaam snoetje.

We zitten onder de veranda met vers geperst sinaasappelsap. Eerst wisselen we nieuws uit, daarna hebben we het over de situatie.

'Op een dag', vertelt Daphne, 'zijn we net aan een aanslag ontkomen. Het was halfacht, ik bracht de kinderen met de auto naar school. We reden door een klein straatje toen ik een heel harde explosie hoorde, een paar meter achter ons. Ik zag stukken verkoold hout in het rond vliegen en ook wat me stukken vlees leken, ik gaf gas en reed zo hard mogelijk de straat uit. Er vielen geen doden, de terrorist had zichzelf te vroeg opgeblazen, maar het scheelde maar een paar seconden of wij hadden er midden in gezeten.'

'Ik geloof dat ik me hem nog wel herinner, hij was lopend en droeg een schoudertas', zegt Emilie.

'Waren jullie bang?' vraag ik aan de kinderen.

De twee meisjes schudden krachtig het hoofd.

'Nee, we zijn niet bang.'

Emilie zegt: 'De vader van een jongen bij mij in de klas is

gedood. Ze woonden in de bevrijde gebieden. Er ging een kogel dwars door zijn borst en toen was hij dood. Het jongetje praat er nooit over, maar ik weet dat hij de Palestijnen haat.'

'Dat is nog des te erger,' zegt Daphne, 'omdat de vader juist pro-Palestijns was en actief werkte aan een toenadering tussen de twee volken.'

'Praten jullie daar op school over?' vraag ik aan de oudste.

'Nee, op school moeten we opstellen schrijven over al die mensen die in Amerika zijn omgekomen in de Twin Towers. We moeten hun namen noemen en beschrijven wat ze deden.'

'En als er doden zijn in Israël, schrijven jullie dan ook waarom die mensen gestorven zijn?'

'Nee, nooit.'

'Maar Amerika is zo ver weg! Is het niet belangrijker voor jullie om op te schrijven wat er hier gebeurt?'

Danièle aarzelt: 'Daar zijn veel meer mensen doodgegaan', zegt ze ten slotte.

De moeder oppert dat het misschien is om aan de kinderen het betrekkelijke van hun eigen problemen te tonen, om dat wat hier gebeurt te relativeren en hen te doen voelen dat het niet zoveel te betekenen heeft naast wat er in New York heeft plaatsgevonden.

'Bij mij op school zijn de kinderen bang voor Arabieren', zegt Emilie.

'En jij? Ben jij ook bang?'

'Als ik er één zie op straat roep ik heel hard: "Kijk, een Arabier! Pas op, een Arabier!"', en ze schatert alsof het een goede grap is.

'Je bent dus bang.'

'Nee hoor', zegt ze en ze lacht nog harder.

'Ze doet een vriendinnetje na', legt haar moeder uit. Ze voegt eraan toe, terwijl ze zich naar Emilie toe draait: 'Ik heb je al gezegd dat dat niet aardig is. Hoe zou jij het vinden als mensen op straat zouden roepen: "Een jodin! Een jodin!" zodra ze jou zagen?

Weet u, ze had een tijdlang op school een juf die ontzettend racistisch was en voortdurend zei: "Arabieren zijn vies, lui, gemeen, ze doden onze soldaten en onze kinderen." Zij heeft Emilie zozeer beïnvloed dat die thuis al die dingen herhaalde. Ik probeerde tegengas te geven maar dat is niet altijd makkelijk, ze worden verscheurd tussen wat wij thuis zeggen en wat de meesten van hun vriendjes op school zeggen.'

'Maar hoe zie je dan dat iemand een Arabier is?' vraag ik aan de kinderen. 'Dat kan toch ook een oosterse jood zijn?'

Ze zeggen allebei dat ze dat meteen zien, ze dragen andere kleren, lopen anders, ze kunnen niet uitleggen waar het hem in zit, maar ze herkennen ze wel.

'Zitten er Arabieren bij jullie op school?'

'De scholen zijn gescheiden, er zitten geen Arabische kinderen bij joodse kinderen', zegt Daphne. 'Maar ze komen ze wel tegen op sportles.'

'Ik heb een Arabische vriendin met wie ik ga zwemmen,' zegt Danièle, 'die is heel aardig, ook al heeft ze een raar accent in het Engels.'

'En bij mij op zwemles zitten twee Arabische jongetjes,' zegt Emilie, 'die zijn niet lief, die vechten met de anderen.'

'Misschien schelden die anderen hen wel uit', antwoordt Danièle. 'Palestijnen vechten er natuurlijk voor om hun land terug te krijgen, dat is logisch. Die kinderen willen ook een thuis.'

Hun moeder geeft me een knipoog en zegt hardop: 'Danièle begrijpt heel goed wat haar ouders haar hebben uitgelegd. Emilie is nog klein, die moet nog veel leren.'

Wat leidt tot een hevig verontwaardigd protest van belanghebbende.

'De leerkrachten hebben zo veel invloed', klaagt Daphne. 'Sommigen druppelen gif in die jonge, kneedbare geesten. Als de kinderen niet uit een gezin komen dat het evenwicht kan herstellen, hoe kun je dan verwachten dat ze de Palestijnen niet zullen haten als ze eenmaal groot zijn? In feite wordt dit soort ordinair racisme niet bestreden maar juist aangemoedigd door onze hoogste gezagsdragers.

Zo beschrijft Moshe Ya'alon, de nieuwe chef-staf, de Palestijnse dreiging als een "kanker" en verklaart: "Er zijn allerlei oplossingen voor kankerwoekeringen. Momenteel pas ik chemotherapie toe." En generaal Meir Dagan, het nieuwe hoofd van de Mossad en een persoonlijke vriend van Sharon, propageert "liquidatie-eenheden".

Met zulke leiders komen we er zéker niet uit!'

'Voor mij zijn alle Arabieren verdacht'

De familie Albrecht is welgesteld, asjkenazi van oorsprong, en woont in de chique wijk Old Katamon, ten zuiden van de oude stad van Jeruzalem. Als ik er arriveer, tegen het einde van de middag, is de hele familie bijeen om me te ontvangen in hun grote, lichte appartement met uitzicht op een rozentuin. De vader, Moshe, een veertiger, met een keppeltje op zijn bruine krullen en een vriendelijke blik, is in Israël geboren uit Nederlandse ouders. Hij is kinderarts en verzorgt uit dien hoofde vaak Arabische patiënten, van wie hij de taal een beetje spreekt. Zijn blonde, glimlachende vrouw Rachel is onderzoekster in de biologie. Ze is in Frankrijk geboren en heeft meteen na haar universitaire studie haar aliah gedaan.

Het echtpaar heeft vier kinderen: Rivka (veertien jaar), Efrat (twaalf), Michal (tien) en een nakomertje, Yishai, van twee. Het is duidelijk een hecht gezin, dat zichzelf 'orthodox' noemt. De meisjes staan ingeschreven bij joodsorthodoxe scholen die semi-particulier zijn en waar wekelijks zestien uur wordt besteed aan godsdienstonderwijs, en ze zitten op zionistische jeugdverenigingen.

Politiek noemt Moshe zich 'centrumrechts' en zijn vrouw Rachel deelt zijn politieke keuzes. Hij vertelt dat hij als arts voor het laatst is opgekomen als reservist tijdens het offensief tegen het kamp Jenin, afgelopen april.

'Er zijn soldaten in mijn armen gestorven', zegt hij en hij legt me uit dat de beschuldigingen van de Palestijnen dat het een slachting was, pure leugens zijn die door de antisemitische buitenlandse pers de wereld zijn rondgegaan.

'Dat kamp was een broeinest van terroristen. Als er onschuldigen terecht zijn gekomen in de gevechten, dan betreur ik dat zeer, maar we moesten doen wat we gedaan hebben. Dat wijzelf trouwens drieëntwintig doden te betreuren hadden, komt doordat we zo omzichtig te werk gingen: we hadden het kamp ook kunnen bombarderen vanuit de lucht, dan was de zaak afgehandeld zonder één enkel slachtoffer aan onze kant.'

In 1999 heeft Moshe voor Netanyahu gestemd en in 2001 voor Sharon. Hij is net als zij van mening dat ze het merendeel van de bezette gebieden moeten houden en voert een klassiek argument aan: 'Wij bevinden ons met vijf miljoen joden in een zee van vijandige Arabieren. Wij kunnen het risico niet lopen de gebieden helemaal terug te geven, dat zou zelfmoord zijn.'

De twee meisjes kunnen niet wachten om te worden geïnterviewd, ze trommelen met hun vingers op de lage tafel waar we omheen zitten. Rivka, de oudste, een puber met amandelbruine ogen en lang krullend kastanjebruin haar, heeft al de vormen van een vrouw maar de gezichtsuitdrukking van een kind. Efrat met haar sproeten en haar brutale blik is een vechtster, ze doet aan karate maar is ook dol op opera. 'Ze kent heel veel melodieën uit haar hoofd', zegt haar vader trots.

Ik vraag hun wat er in de afgelopen twee jaar, gedurende de intifada, veranderd is in hun dagelijks leven.

'Als ik buiten ben, ben ik altijd bang voor een aanslag. Als we worden uitgenodigd om ergens te gaan eten, in een pizzeria bijvoorbeeld, wordt er tegenwoordig bij gezegd: "Bewaking bij de ingang". Anders mag ik niet van mijn ouders', zegt Rivka.

'Ik herinner me nog precies het begin van de intifada, want dat was in oktober 2000, precies tijdens mijn bat-mitsva[62]. Er waren meer dan honderd mensen bij ons, maar een paar families die op de Westelijke Jordaanoever wonen, anders gezegd kolonisten, maar Rivka noch haar zusje noch haar ouders gebruiken die term, hadden het niet aangedurfd. Ik had een bezoek gepland aan de Stad van David, het antieke centrum aan de voet van de oude stad. Ik zou hun gids zijn, en ik had me wekenlang

---

62. Religieuze plechtigheid waarop een meisje van twaalf jaar en één dag wordt toegelaten tot de gemeenschap der volwassenen.

voorbereid, maar vanwege de intifada moest de excursie worden afgelast.'

Efrat kwettert van ongeduld en zegt: 'Ik ben niet bang. Ik ga nog steeds naar de plaatsen waar ik graag heen ga. Nou ja, niet naar alle. Van Pizza Sababa, naast café Moment waar afgelopen maart bij een zelfmoordaanslag elf doden vielen en vierenvijftig gewonden, laten we de bestelling thuisbezorgen.'

'Toen Moment explodeerde', gaat Rivka verder, 'was ik net in het gebouw van de jeugdvereniging waar ik op zit, zo'n honderd meter verderop. We hoorden de knal. Wie een EHBO-cursus had gevolgd, ging helpen. Ik ben direct naar huis gegaan. Sindsdien is ons lokaal dicht.'

'Kennen jullie mensen die gedood zijn bij die aanslagen?'

'Ja, maar uit de verte', zegt Efrat. 'Ik kende Eran Picard een beetje, een jongen van achttien, van oorsprong Frans, die is gedood tijdens de aanval op de nederzetting Aztmona in de Gazastrook, in maart 2002. Hij zat op een premilitaire gods-dienstige school. Zijn familie woont vlak naast ons, we zagen ze altijd met sabbat, hij had een zusje van mijn leeftijd. Toen ik hoorde dat hij dood was, vond ik dat heel erg.'

'En van mij', zegt Rivka, 'zijn er twee leidinggevenden van de jeugdvereniging gedood bij de aanslag op pizzeria Sbarro, in augustus 2001. Een verschrikkelijke aanslag: vijftien doden en negentig gewonden. Ik kende ze niet zo goed, maar toen we het hoorden – we waren net op kamp bij Tel Aviv – werden we allemaal doodsbang.'

Maar ze zijn het meest 'aangeslagen' door de aanslag van 18 juni 2002 op een bus bij Gilo, in het zuiden van Jeruzalem.

'Dat was een vreselijke dag', herinnert Rivka zich, met starende ogen alsof ze alles opnieuw beleeft. 'Ik was op school, we waren net klaar met het gebed, en toen hoorden we het nieuws. De meeste meisjes wonen in de buurt van Gilo. Ze schreeuwden, sommigen huilden omdat hun ouders de tele-foon niet opnamen. Iedereen werd gek. Later hoorden we dat de oom van een van mijn vriendinnen in de explosie gedood was en dat van anderen familieleden waren gewond. Maar ondanks alles leef ik nog net zo als vroeger.'

'Ik ook!' zegt Efrat. 'Ik probeer er zo min mogelijk aan te denken. Ik ga met alles door, joggen, zang, piano.'

'Hebben jullie Palestijnse vrienden, of op zijn minst Arabisch-joodse?'

'Nee, maar ik zou het best willen', zegt Efrat. 'Zolang ze mij maar waarderen. Ik denk dat ze niet zo heel anders zijn dan wij. Ze hebben net zo'n soort leven, ze doen dezelfde dingen. Natuurlijk is hun geloof een beetje vreemd. Maar ja... iemand van ons zou gewoon moeten beginnen. Maar iedereen wacht tot de ander wat doet. Ik weet niet hoe we daar uit moeten komen...'

Rivka heeft meer aarzeling: 'Misschien zou ik een vriend kunnen hebben... Maar na wat er gebeurd is met die jongen in Ashkelon ben ik bang, en ik denk dat ik ook wel reden heb om bang te zijn.'

'Wat is er dan gebeurd?'

'Kent u het verhaal van Ofir Nahum niet? Hij was een jongen van zestien die op internet een Palestijnse had opgeduikeld. Toen hij naar hun afspraakje kwam, werd hij vermoord! Eigenlijk vind ik elke Arabier die ik niet ken verdacht. Zodra ik er op straat een zie, verdenk ik hem. Ik geloof niet dat het allemaal terroristen zijn, maar ik kan er niks aan doen, zo is het nu eenmaal.'

'Snappen jullie dat de Palestijnen van jullie leeftijd doodsbang zijn voor de soldaten?'

'Helemaal niet!' roept Rivka verontwaardigd uit. 'Onze soldaten doden geen kinderen. Ze doden alleen als ze zeker weten dat iemand op het punt staat een terroristische daad te begaan. En wat kunnen wij eraan doen als er ongelukken gebeuren? Als er ergens een terrorist zit, moet je schieten, zelfs als er net mensen voorbij komen. Ons leven staat dan op het spel, het is zij of wij. Trouwens, Israëlische soldaten zullen nooit expres burgers doden. Wat dat betreft zijn de Palestijnen hun leven veel zekerder dan wij!'

Ik ben een beetje knock-out van deze laatste opmerking en vraag: 'En wat dan te denken van al die burgers in Jenin of Gaza die gedood zijn toen er een zware bom werd afgeworpen op een woonwijk, midden in de nacht?'

Heel zeker van haar zaak antwoordt Rivka in precies dezelfde bewoordingen als haar vader zo straks: 'Jenin moest. We hadden het hele kamp kunnen platbombarderen en dan waren er niet drieëntwintig van onze soldaten gesneuveld. En wat Gaza betreft, dat moest ook. Salah Shehadeh[63] moest uit de weg geruimd worden. We hadden geen keus.'

'De mensen rond Shehadeh waren niet onschuldig', voegt Efrat eraan toe. 'Als Chirac op straat loopt, lopen zijn mede-werkers om hem heen. Zo was het ook voor Shehadeh. Hij was omringd door zijn medewerkers.'

Ik herinner haar eraan dat de aanval plaatsvond tegen mid-dernacht op een flatgebouw en dat er onder de doden negen kinderen waren, van wie twee baby's.

Op dat moment komt de vader, die zijn kroost met argus-ogen volgt, tussenbeide: 'En wat was er gebeurd als we dat niet gedaan hadden?'

'Dan hadden ze nog meer zelfmoordaanslagen gepleegd', antwoordt Rivka. En Efrat benadrukt: 'Die willen ons gewoon dood hebben. Kijk maar naar hun uitingen van vreugde op straat na elke zelfmoordaanslag, dan juichen ze en delen ze snoepjes uit...'

Haar vader komt weer tussenbeide: 'En hier, wat gebeurt er hier als er Palestijnen sterven?'

'Dan delen wij geen snoep uit, wij denken niet aan wraak', verklaart Rivka.

'Als we een kind doden, vinden we dat erg!' zegt Efrat.

Ik verander van onderwerp en vraag hun welke onderhandelingen er volgens hen gevoerd moeten worden om tot vrede te komen.

Efrat is heel stellig: 'Ik kan me niet voorstellen dat we hun ook maar één van onze steden, één stukje van onze grond zouden afstaan. Ik wil niet terug naar de grenzen van voor

---

63. Hamas-leider, gedood door een bom op 22 juli 2002.

1967. Mijn land strekt zich uit van de Middellandse Zee tot aan de Jordaanvallei. Veel soldaten zijn daarvoor gesneuveld. Er zijn genoeg Arabische staten, dus laten ze daar maar gaan wonen!'

'En Nablus?' vraag ik. 'Nablus, een van de oudste Palestijnse steden, is dat ook van de Israëli's?'

'Ja, natuurlijk is dat van ons!' zegt Rivka, meegesleept. '...Nou ja, daar valt over te praten.'

'U moet begrijpen dat dit land van ons is', benadrukt Efrat. 'Wij hebben de macht, dus wij beslissen. Als ze niet onder ons gezag willen leven, gaan ze maar weg. Ik snap het niet: wij delen alles met hen, we geven hun water, ze zouden ons dankbaar moeten zijn! Waarom willen ze onze staat in gevaar brengen?'

'Misschien omdat zij van mening zijn dat de bezette gebieden van hen zijn', kan ik niet nalaten tegen te werpen, ontzet over de zelfverzekerdheid van beide meisjes. 'De Verenigde Naties hebben Israël achtendertig keer officieel gevraagd om de bezette gebieden terug te geven.'

'O, de Verenigde Naties...' Efrat lacht sarcastisch.

Rivka is minder onverzoenlijk en wil wel een poging wagen: 'Ze hoefden misschien niet allemaal onder ons gezag te staan. Het uiteindelijke akkoord zou een vorm van autonomie kunnen geven aan bepaalde Palestijnen. Maar dat is het dan ook. Na wat ik gezien heb sinds de akkoorden van Oslo en vooral sinds de intifada, heb ik geen cent vertrouwen meer in ze. Wij hebben gegeven en zij hebben gedood. Als je een snoepje geeft aan een kind en dat slaat je, doe je het niet nog eens, anders krijg je weer een klap. Ik geloof niet dat wij ooit naast elkaar zullen kunnen leven; zelfs als ze nu zeggen dat ze vrede willen geloof ik ze niet. Je moet je wel tweemaal bedenken voor je die Arabieren je vertrouwen schenkt!'

Als ik afscheid neem van de familie Albrecht denk ik aan de grote verantwoordelijkheid van de journalisten, om nog maar te zwijgen van de politici die ook zo hun redenen hebben om de waarheid te verbloemen. En ik zeg tegen mezelf dat als dit gezin en de meeste Israëlische burgers een vermoeden hadden van wat er echt gebeurt in de bezette gebieden, zij er beslist volkomen anders over zouden denken.

'Ze schoten voor de lol op mij'

Ik dacht nog aan mijn gesprek met Rivka en Efrat toen ik de volgende dag in Ramallah naar het Abu Rayacentrum voor revalidatie van lichamelijk gehandicapten ging, dat Ramallah, Jenin en Tulkarem bedient.

Op de gangen kom ik jongelui tegen met ingevallen gezichten die zich moeizaam voortbewegen op hun krukken of weggedoken zitten in een rolstoel, alleen of met familie om zich heen. Ik kijk ze maar niet aan om hun mijn medelijden te besparen, maar is het eigenlijk niet nog erger om net te doen alsof je ze niet ziet? Glimlachen ter aanmoediging dan maar? In hun toestand zouden ze dat op kunnen vatten als een provocatie...

Ik heb een afspraak met Nasser en hij haalt me uit mijn geaarzel. Zijn gezicht met het smalle snorretje straalt goedheid uit. Hij is een van de psychotherapeuten die de zware taak hebben de jonge invaliden weer hoop te geven, hen ervan te overtuigen dat het leven, zelfs als je aan een rolstoel gebonden bent, nog de moeite waard is.

'Negentig procent van de mensen hier zijn gewonden van de intifada', zegt hij. 'Men heeft het altijd over de Palestijnse doden, meer dan tweeduizend in twee jaar tijd, maar er zijn ook meer dan veertigduizend gewonden, waarvan er vijf- à zesduizend voor het leven gehandicapt zijn. En daaronder bevinden zich veel kinderen. Kom, ik zal u Hussam voorstellen.'

In een witte kamer ligt op zijn bed een bleek, blond jongetje met grote blauwe ogen naar ons te kijken als we binnenkomen.

'Hussam, hier is een vriendin van me, een journaliste uit Frankrijk', zegt Nasser terwijl hij de dikke kussens opschudt, die maken dat Hussam rechtop kan zitten.

Bij het woord Frankrijk schenkt het kind me een glimlach: Fransen doen het op het ogenblik goed, sinds er een paar als menselijk schild hebben gediend voor Arafat en anderen met hun aanwezigheid de afbraak verhinderd hebben van de Geboortekerk in Bethlehem.

De dertienjarige Hussam komt uit Beit An, een dorpje tussen Nablus en Ramallah. Met een klein stemmetje vertelt hij zijn verhaal: 'Op vrijdag 5 april, de dag dat het Israëlische leger Nablus binnenviel, ging ik naar buiten om te kijken wat er aan de hand was. Zodra ik het dorp uit was, zag ik drie soldaten op een heuvel. Ik was helemaal alleen. Ze legden aan en begonnen op me te schieten, de ene kogel na de andere. Ik werd eerst geraakt in mijn linkerhand, toen in mijn linkerarm, ik probeerde weg te komen maar kreeg een kogel in mijn rug en toen nog een in mijn linkerbeen. De kogel in mijn linkerarm ging door mijn borst en bleef zitten tegen mijn ruggengraat. De dokter zegt dat het dumdumkogels[64] waren, speciale kogels die branden in je vlees.'

Hij vertelt het allemaal kalm en gelaten, met een droef glimlachje: 'Het was net alsof ze voor de lol op me schoten, zoals je schiet op poppen op de kermis. Er kwam een Israëlische patrouille langs, die stopte en raapte me op. Daarna weet ik niets meer...'

'Hij is naar een ziekenhuis in Israël gebracht, bij Tel Aviv', zegt Nasser. 'De kogel in de borst bij de ruggengraat is verwijderd en hij werd daar verpleegd. Vijfenveertig dagen.'

'Waren ze aardig tegen je?' vraag ik Hussam.

'Gewoon, net als tegen alle andere patiënten. Mijn familie mocht me komen opzoeken, mijn moeder, mijn oudste zus en mijn kleine broertje. En mijn vader is aldoor bij me gebleven.'

'En heb je nu nog pijn?'

'Niet erg. Sinds een paar dagen studeer ik zelfs weer een beetje. Ik probeer het toelatingsexamen voor de volgende klas voor te bereiden. Morgen heb ik een natuurkundetoets.'

---

64. Wapens die verschrikkelijk lijden veroorzaken zijn verboden volgens de Haagse conventie. Hieronder vallen ook de dumdumkogels die in het lichaam exploderen en waarvan het omhulsel inkepingen heeft.

Ik wend me tot Nasser.

'Hoe doet hij dat? Hij kan geen boek vasthouden!'

'We hebben een apparaat ontworpen dat het boek voor hem vasthoudt. Af en toe zetten we hem in een stoel, om hem weer te leren zitten, maar dat vermoeit hem erg.'

'En wanneer mag hij weer naar huis?'

'Dat weten we nog niet precies, maar wel binnenkort', antwoordt Nasser en hij zegt zachtjes: 'Pas op, hij verstaat wel wat Engels en hij weet niet hoe ernstig zijn toestand is.'

Ik wend me weer tot Hussam: 'Wat vind jij van de Israëlische soldaten?'

'Er zijn goeie en slechte', antwoordt het kind zachtjes. 'Die officier die me gered heeft bijvoorbeeld, was een prima man. Die anderen niet, die wilden me doden, zomaar, voor de lol. Ze zijn allemaal weer anders en met de burgerbevolking is het net zo.'

Ik bewonder de ongelooflijke rijpheid van dit kind van dertien. Hij heeft geen woede en geen bitterheid, hij constateert en oordeelt alsof hij daar niet zelf in dat bed ligt, voor het leven verlamd door de kogels van soldaten die voor de lol op hem schoten.

Ik geef hem een kus op het voorhoofd en ga snel weg om niet te laten zien dat ik huil. Dit mooie joch weet het nog niet, maar hij is voor altijd verlamd.

Leven in spertijd

De familie Sambar woont in de benedenstad van Ramallah in een oud huis van één kamer van vijfentwintig vierkante meter, die in tweeën wordt gedeeld door een hoge kast, als scheidingswand tussen de ouderlijke slaapkamer en die van de acht kinderen, van Wassim van vijftien tot Malak van drie.

Om in het piepkleine keukentje te komen dat is ingericht in een aangrenzend schuurtje, moet je het huis uit; en wat de wc betreft, zij gebruiken die van de buren, in een dertig meter verderop gelegen hutje.

Op 28 maart heeft het Israëlische leger bij de bezetting van Ramallah een militaire post recht tegenover de woning van de Sambars ingericht en om gemakkelijker te kunnen keren met de tanks hebben ze toen twee buurhuizen opgeblazen.

Deze maand van spertijd was een bezoeking voor de Sambars.

'We mochten onze kamer niet uit', vertelt de moeder, een vrouw van vijfendertig met een broodmager gezicht. 'Zevenentwintig dagen lang moesten we met ons tienen blijven zitten koekeloeren in één kamer, zonder naar de keuken of de wc toe te kunnen. Ik mocht zelfs geen eten gaan klaarmaken. Als ik de deur maar op een kier deed, richtten ze hun geweren al op me en dreigden me overhoop te schieten. De kinderen hadden honger, de kleintjes huilden, ze begrepen niet waarom ik hun niets te eten gaf. Ik smeekte de soldaten me naar de keuken te laten gaan, maar als enig antwoord richtten ze hun geweren op me.'

De oudste jongen, Wassim, een angstig uitziende puber, blijft voorovergebogen op zijn stoel zitten.

'Aangezien de wc buitenshuis is, mochten we daar niet heen', zegt hij. 'Mijn zusjes gebruikten een oude vuilnisbak die we in een hoek van de kamer hadden gezet. Al gauw ging het vreselijk stinken en we moesten in de stank blijven zitten. Ik weigerde om die bak te gebruiken, ik wilde naar de wc. Mijn ouders zeiden dat het te gevaarlijk was; ik drong zo aan dat ze het ten slotte goed vonden. Ik glipte 's nachts naar buiten en legde die dertig meter heel zachtjes af. Maar toen ik eruit kwam, stonden er soldaten. Ze gingen om me heen staan, geboden me de handen omhoog te doen, bedreigden me met hun geweren en begonnen me te ondervragen: "Wat doe je daar? Hoe heet je? Hoe oud ben je?" en ze sloegen me met hun geweerkolven.

Toen mijn vader zag hoe ze me sloegen, rende hij naar buiten en riep: "Stop! Stop! Het is nog maar een kind, hij wou alleen maar naar de wc!" Uiteindelijk lieten ze me gaan. Maar sindsdien heb ik erg veel pijn in mijn rug, ik kan niet meer gewoon lopen…

De volgende dag heel vroeg vielen de soldaten het huis binnen, ze waren met een stuk of vijftien man en brulden als gekken, ze gooiden onze spullen om en schopten overal tegenaan met hun laarzen. Ze sloten ons allemaal op in de keuken en begonnen de kamer te plunderen. Daarna kwamen ze onze vader halen, dwongen hem op de knieën en sloegen hem voor onze ogen. We huilden, maar we konden niks doen. Toen deden ze een plastic zak over zijn hoofd en namen hem mee, met nog andere mannen.'

'Waarvan werd hij beschuldigd?'

'Weet ik niet, misschien was het omdat ze een Palestijns vlaggetje in ons huis hadden gevonden. We hebben dagen op hem gewacht, we dachten dat hij misschien dood was, we waren ziek van ongerustheid…'

'En hoe aten jullie gedurende die spertijd van een maand?'

'Ik had nog wat in voorraad,' zegt de moeder, 'maar nadat ze de kamer vernield hadden, kwamen ze naar de keuken, waar ze de ruiten braken, het eten op de grond gooiden, alles vertrapten, ik moest iets doen, de kinderen stierven zowat van de honger. Door het raampje kon ik de soldaten hier tegenover zien. 's Nachts sliepen de meesten van hen, dan was er maar één die de wacht hield en ik wachtte dan tot hij zich omdraaide. Dan deed ik de deur zachtjes open en kroop naar de keuken.

Daar veegde ik de bloem bij elkaar die op de grond lag, met stof ertussen en olie en glasscherven en allerlei afval, en dat deed ik in een oude krant. Ik goot water in een oud conservenblik en kroop doodsbang terug met de buit: als ze me hadden gezien, hadden ze me gedood.

Binnen zeefde ik de bloem om er de ongerechtigheden, vooral het glas, uit te krijgen, ik mengde hem met koud water, want ze hadden zowel de elektriciteit als het gas afgesloten, en dat aten we. We hadden vreselijke maagpijn en we waren zo vermagerd dat we aan het eind van het beleg wel skeletten leken, maar zo hebben we tenminste overleefd.'

Tayseer, de jongste jongen van twaalf jaar, met dik haar en felle ogen, zegt dat hij het nooit zal vergeten.

'Ze zeiden tegen ons: "Binnenkort is het vrede, dan word je vrienden met de Israëli's." Dat geloofde ik toen. Nu weet ik dat het onmogelijk is. Ze gedragen zich als beesten: ze pisten en poepten expres voor onze deur. En dieven zijn het ook: op een dag werden we wakker van het geluid van brekend glas. We keken naar buiten en zagen soldaten autoruiten kapotslaan om cd-spelers te stelen. Ze braken de ruiten van onze auto, maar onze cd-speler stalen ze goddank niet, misschien omdat het een oude was. En die hebben het over terrorisme! Zijn zij dan soms geen terroristen? Ik zal nooit vergeten hoe ze mijn vader op de grond gooiden om hem te slaan en hoe ze lachten toen mijn moeder smeekte, en dan mijn oudste broer die misschien nooit meer rechtop zal kunnen lopen... en al die mensen die ze gedood hebben... Vroeger dacht ik dat ze net zo waren als wij. Nu begrijp ik dat het onmensen zijn. Ik haat ze. Als ik groot ben zal ik me wreken.'

De kleine strijder

Een oud huis in al-Bireh, dicht bij de nederzetting Pisgot. Je komt er via een piepklein tuintje met een vijgenboom en een mispel. De begane grond, vroeger de stal, is in gebruik als keuken, keurig opgeruimd, met blinkend gepoetste koperen en tinnen potten.

Op de eerste verdieping een grote zitkamer, vol knuffeldieren en plastic bloemen, met aan de muur spreuken uit de Koran in goud op een zwarte of groene ondergrond. Goed in het zicht staat de koelkast, met een enorme roze olifant erop; boven op de kasten liggen stapels matrassen, want 's nachts dient dit vertrek als slaapkamer.

Het is een bescheiden maar verzorgd interieur. De vader, een rondtrekkende groenteman, is al twee jaar werkloos. De moeder verdient de kost voor het gezin als werkster.

Um Ayman is pas rond de dertig, maar haar gezicht met de witte hijab eromheen is getekend. Ze zegt dat ze al twee jaar duizend doden sterft om haar zoon.

'Hij luistert niet, hij wil stenen gooien, hij wil de confrontatie met de Israëli's. Zijn vader en zijn oom kunnen hem nog zoveel slaan, zijn grote broer kan praten wat hij wil, niets helpt. Ik ben altijd bang thuis te komen en de buren aan te treffen om me het bericht van zijn dood te geven. Maar wat kan ik doen? Hem vastbinden? Opsluiten? Als ik dat doe gaat hij er meteen vandoor en komt nooit meer thuis… Soms volg ik hem en om hem te doen stoppen ga ik dan tussen hem en de soldaten staan, dan houdt hij wel op. De jongens gooien geen stenen als er vrouwen bij zijn, ze schreeuwen dat we uit de weg moeten gaan, ze zijn woedend, maar ze willen ons niet in gevaar brengen.'

Een joch met kroeshaar en een zonverbrande huid komt binnen. Ayman. Hij heeft een lang T-shirt aan en een broek met vlekken, hij is net elf, maar hij is al hard en gespierd, met stevige handen die vast heel ver kunnen gooien.

Als ik hem vraag of hij uit school komt, werpt hij me een donkere blik toe.

'Daar wil hij niet meer heen', jammert de moeder. 'Hij wil alleen nog maar vechten. Zo was hij vroeger niet, hij is veel agressiever geworden sinds hij gewond is geraakt.'

De grootmoeder, een stevige vrouw met een weelderige boezem, glimlacht: 'Ayman heeft grote politieke theorieën. Hij zegt: "Presidenten in de wereld gaan en staan overal, maar de Israëli's beletten onze president zich te bewegen. We moeten de Muqata'a bevrijden!" En hij wil dat we gaan demonstreren: "Dat is jullie plicht. Abu Ammar[65] zit gevangen en jullie blijven lekker thuis, een schande."'

Later hoor ik dat Ayman 's avonds vaak bij haar komt om zich te wassen en de sporen van zijn wandaden uit te wissen voordat hij naar zijn ouders teruggaat...

'Gisteravond ben ik trouwens zelf gaan demonstreren', zegt ze terwijl ze haar witte sluier af doet en haar gezicht afveegt met een spons. 'We waren met duizenden in de straten van Ramallah en we sloegen op pannen, zodat Arafat het vanuit de Muqata'a, waar hij gevangenzit, zou horen[66]. De Israëlische soldaten waren woedend, maar aangezien het een vreedzame demonstratie was zonder stenengooierij en we ook niet te dichtbij kwamen, konden ze moeilijk op ons gaan schieten.'

'Wij waren er ook', zeggen de tantes trots.

De moeder werpt hun een afkeurende blik toe: 'Ik zeg tegen Ayman: "Wacht tot je groot bent. Wat heeft je vriendje dat nu

---

65. 'Koosnaam' voor Yasser Arafat.
66. De pannendemonstratie van 25 september 2002 bracht heel Ramallah op straat. Drie dagen lang hadden er spontaan demonstraties plaats om Arafat te steunen, toen de Palestijnen vreesden voor zijn leven. De Muqata'a werd dan ook constant gebombardeerd en het kantoor van de oude leider werd doorzeefd met kogels.

dood is ermee gewonnen? Hij ligt onder de grond, hij bestaat niet meer!" Maar hij antwoordt: "Nee, hij is in het paradijs." Wat kan ik daar op terugzeggen?'

Omringd door al deze vrouwen, zijn moeder, zijn grootmoeder, zijn twee tantes en zijn zus, die allemaal door elkaar heen praten, zit Ayman onaangedaan met de armen over elkaar, echt een man die de vrouwen maar laat praten.

Maar ondanks al dat vertoon is er één ding dat hij niet kan veranderen: zijn kinderkoppie.

Ik ga recht voor hem staan om hem te dwingen me aan te kijken.

'Ayman, vertel me eens hoe je gewond bent geraakt?'

Tot mijn stomme verbazing hangt hij niet de held uit. Hij krijgt net de baard in de keel en met zijn overslaande stem vertelt hij de feiten, alsof het de gewoonste zaak van de wereld was.

'Het was in januari. De soldaten hadden het kantoor van Arafat omsingeld en er werd gezegd dat ze hem kwaad zouden doen. Bulldozers wierpen overal in de omtrek aarden wallen op. Ik was met een groepje kinderen, ik moedigde ze aan: "Kom, laat niet toe dat ze Abu Ammar omsingelen!" maar ze waren bang. Het was de eerste keer dat we naar de Muqata'a gingen, anders gingen we altijd naar de versperring bij Qalandiya; zij gingen weg en zo was ik daar op mijn eentje aan het stenen gooien.

Toen kwamen de kinderen uit kamp Qalandiya. Dat zijn geen lieverdjes! De Israëli's gooiden een gasbom naar ons die niet ontplofte, ik raapte hem op, haalde de pen eruit en gooide hem terug. Ze moesten achteruit. Daarvan maakten wij gebruik om dichter bij de bulldozer te komen, maar er kwamen twee jeeps aan. Die lui van Qalandiya gooiden een molotovcocktail op een jeep, die meteen vlam vatte, de soldaten begonnen te schieten en ik werd geraakt. Ik viel, ik kon niet meer ademen. Mijn vriend Jihad droeg me, samen met een brancardier. Ze brachten me naar het ziekenhuis. De dokter opereerde me.'

Hij doet zijn T-shirt omhoog en toont een groot litteken op zijn linkerzij, ter hoogte van het hart.

'Hij heeft waanzinnig veel geluk gehad', zegt zijn moeder. 'De kogel is door de ribben gegaan tot op twee millimeter van het hart. Hij was achtenveertig uur op de intensive care, en daarna nog drie maanden thuis in bed.'

'Deed het veel pijn?' vraag ik Ayman.

Hij doet luchtig: 'Het prikte.'

'Was je niet bang om te sterven?'

'Nee. Als ik doodga ben ik bij al mijn vrienden die al dood zijn. Zeven zijn er al gedood. Eén toen hij in de auto zat met zijn vader, een strijder. Een ander toen hij uit het raam keek. Ik ga naar hun graven, ik leg er bloemen neer en begiet ze.'

'Maar als jij doodgaat, wat moet je moeder dan doen?'

Hij aarzelt, werpt haar een blik vol tederheid toe, buigt het hoofd en zegt: 'Die zal wel huilen.'

Um Ayman slaakt een diepe zucht.

'Hij zegt aldoor tegen me: "Als je hoort dat ik dood ben, moet je niet huilen maar zingen." Als hij me dat zegt, barst ik in tranen uit.'

'En hoe vinden je vader en je oudere broers dit allemaal?'

'Mijn broers zeggen: "Blijf bij ons zitten" en als mijn vader weet dat ik weg wil, slaat hij me om me tegen te houden. Hij heeft gelijk, hij wil me zien opgroeien, hij kan niet accepteren dat ik sterf. Ikzelf ben daar niet bang voor, maar ik zou niet invalide willen zijn.'

Daar is dan eindelijk zijn zwakke plek. Ik schaam me dat ik ervan profiteer, en zeg tegen mezelf dat het voor de goede zaak is. Ik stort me erop: 'Maar als je zo doorgaat, kun je wel invalide worden.'

Hij kijkt lang naar zijn voeten en zegt dan met een klein, zielig stemmetje: 'En toch moet ik stenen blijven gooien! Zij bezetten mijn land en doden onze mensen. Logisch dat ik stenen naar ze gooi! Ik kan niet accepteren dat ze hier zitten, ze hebben hier niks te zoeken!'

'Al op de kleuterschool gooide hij een fles vruchtensap naar een jeep', valt zijn moeder in.

Waarom komt de gedachte bij me op hem te vragen of hij

naar de moskee gaat? Vast vanwege de westerse simplistische gedachte dat elke nationalistische strijd van moslims gelijkstaat met een jihad[67].

'Vroeger ging ik wel naar de moskee, maar nu heb ik andere dingen te doen', zegt hij als een verantwoordelijk man die het bidden overlaat aan vrouwen en grijsaards.

Ik onderdruk met moeite een glimlach.

'En voordat je gewond werd, had je toen ook al problemen met de soldaten?'

'Ja, ik heb verschillende keren rubberkogels op mijn armen en benen gekregen en ook gas, maar dat geeft niet', zegt hij op de ferme toon van de veteraan.

'En ben je al wel eens gearresteerd?'

'Ja, twee keer. De eerste keer renden de anderen weg. De soldaten kregen mij te pakken en sloegen me, ze vroegen waarom ik stenen gooide. Ik zei tegen hen: "Omdat jullie je op onze grond bevinden, dan moet ik wel!" Ze bonden me vast en namen me mee naar de nederzetting Pisgot. Daar maakten de kolonisten zich vrolijk om me, omdat ik nog zo klein was, ik was acht, ze deden een aansteker aan vlak onder mijn neus om me bang te maken, maar ik werd niet bang. Onlangs, in juni[68], kregen ze me te pakken bij kamp al-Amari, toen ze de huizen in het kamp gebombardeerd hadden. Ik had een ijzeren staaf bij me, ik probeerde ze wijs te maken dat ik die nodig had voor een klusje thuis, maar ze hadden foto's van me waarop ik stenen aan het gooien was.

Ze namen me mee in een jeep en de hele dag moest ik stenen rapen langs de weg die werd aangelegd voor de kolonisten. Daarna namen ze me mee naar hun post bij het kamp. Ze vernederden me. Verhinderden me om naar de wc te gaan, iedereen kreeg te drinken behalve ik, ik was erg moe maar ik mocht niet slapen. Ze wilden de namen weten van mijn vrienden. Ze sloegen me en hielden mijn hoofd in het gat van de wc

---

67. Heilige oorlog.
68. Juni 2002.

terwijl ze vroegen: "Wie gooiden er nog meer met stenen?" Ik zei: "Niemand." Op een gegeven moment begon ik te huilen; toen zeiden ze: "Vooruit, ga maar, maar de volgende keer houden we je vast."

Bij het weggaan wou een soldaat me een hand geven, maar ik weigerde, en toen zeiden ze: "Als je hem geen hand geeft, houden we je vast."

Ik zei: "Hou me dan maar; want een hand geven doe ik niet."

Er kwam een oude man uit het kamp, hij probeerde tussenbeide te komen: "Laat hem toch, het is nog een kind."

Toen duwde een soldaat me tegen de oude man aan opdat die door mij zou vallen, maar ik deed een stap opzij en viel op de soldaat, die ik meesleepte in mijn val.'

Bij die herinnering klaart Aymans gezicht op, hij vergeet zijn volwassen air en grinnikt zoals het een joch van elf betaamt.

'De Israëli's waren woest. Gelukkig kwamen er net internationalen[69] aan voor een gesprek met de officier en terwijl die om hem heen stonden, ben ik ervandoor gegaan.'

'Weet je hoe je molotovcocktails moet maken?'

Hij haalt de schouders op: 'Dat weet elk kind in de wijk! Het is makkelijk zat: benzine, wat zand, een lap die je aansteekt, en weggooien maar.'

'Denk je echt dat kinderen het Israëlische leger kunnen verdrijven?'

'In elk geval maken we ze bang. Een paar dagen geleden riep een soldaat ons. We zeiden tegen hem: "Laat je wapen liggen en kom als je een vent bent." Hij liet zijn wapen achter, wij gooiden stenen naar hem en hij vluchtte weg. En dan die Merkava-tanks van ze, die zijn heus niet onoverwinnelijk. Wij hoeven er maar op te klimmen en ze kunnen niet meer op ons schieten, en dan schroeven we de koplampen los en de luidsprekers en de antennes en nemen die mee.'

Aymans moeder roept ons als getuigen aan, ze begint een

---

69. De verschillende non-gouvernementele organisaties (ngo's).

lange preek tegen hem af te steken. Hij antwoordt niet. Hij blijft beleefd en verveeld staan. Het is duidelijk dat hij niet luistert, zijn moeder kan zeggen wat ze wil, het gaat volkomen langs hem heen. Preken van volwassenen zullen hem echt niet op andere gedachten brengen. Geduldig wacht hij tot de storm geluwd is en hij weer naar zijn vriendjes toe kan… om stenen te gooien.

Op de terugweg legt de onderwijzeres die me had meegenomen uit dat uit onderzoek blijkt dat kinderen die stenen gooien de minste psychologische problemen vertonen.

'Ze slapen 's nachts goed, ze hebben het gevoel dat ze doen wat ze moeten doen. Hun daden zijn in overeenstemming met hun zienswijze. Ze voelen zich nuttig en niet schuldig zoals zovele anderen die er niet tegenin gaan. En kinderen die stenen willen gooien en wie je dat verbiedt, doen het stiekem. Dan kun je zelfs niet meer proberen ze te beschermen. Bovendien doen ze het samen met hun vriendjes, als zij niet gaan, horen ze niet meer bij de groep. Mijn zoon doet het ook… Je kunt alleen maar tegen ze zeggen: "Degenen die gestorven zijn, zijn voor niets gestorven."'

Ze zucht: 'Ik weet niet of we wel zo hadden moeten praten tegen die jongen. Hij had tranen in de ogen. Nu weet hij niet meer wat hij moet doen. Het is niet eenvoudig voor een kind om te aanvaarden dat zijn vriendjes gedood zijn en dan toch rustig te blijven, dat is een echt trauma dat hij alleen maar kan overwinnen door ze te wreken. Je voelt aan Ayman dat dit een innerlijke noodzaak voor hem is. Als hij zijn vriendjes niet wreekt, voelt hij zich laf. En dat is voor hem vast erger dan de dood.'

Gaza

De Gazastrook, die omgeven is door elektrische hekken en militaire posten en volledig is afgesloten van de buitenwereld, wordt vaak beschreven als een reusachtige gevangenis zonder dak. Bijna een kwart van het gebied van 363 vierkante kilometer is geconfisqueerd ten behoeve van 7000 kolonisten, terwijl 1.200.000 Palestijnen op elkaar gepakt zitten op de resterende 288 vierkante kilometer.

Meer dan tachtig procent van de inwoners van Gaza, die al tweeënhalf jaar gevangenzitten in dit gebied waar ze niet uit kunnen, zonder werk en zonder bronnen van inkomsten, leven onder de armoedegrens en zijn voor hun overleven afhankelijk van de UNWRA of van hulp die verleend wordt door Europa, de Arabische staten en diverse liefdadigheidsinstellingen.

De afdelingen van de Verenigde Naties luiden de noodklok en vragen met spoed om meer hulp, teneinde een humanitaire ramp te voorkomen. Maar Israël verzet zich hiertegen en verklaart dat deze hulp ook ten goede zou kunnen komen aan terroristen en hun gezinnen.

Kamp Jabaliya

Kamp Jabaliya, in het noorden van de Gazastrook, is een van de grootste Palestijnse vluchtelingenkampen. Er zitten ongeveer honderdduizend mensen die merendeels afkomstig zijn uit de dorpjes vlakbij, in de zone die nu aan Israël toebehoort.

Om niet te verdwalen in de wirwar van stoffige straatjes die allemaal op elkaar lijken, heb je de begeleiding nodig van een van de bewoners. Mijn gids van de dag is José, een Spaanse fotograaf die een boek aan het maken is over het leven in Jabaliya en er al een jaar woont. De Palestijnen beschouwen hem als een van hen.

We arriveren bij een armzalig huis van betonblokken, de woning van zijn vriend Nabil, wiens dochtertjes hij wil fotograferen omdat die, zoals hij zegt, echte Palestijnse schoonheden zijn. We komen op een binnenplaats van cement zonder een spoortje groen: in een hoek de waterplaats, waar een zwangere vrouw omringd door drie of vier kinderen aan het afwassen is; aan de andere kant doen een mat en een paar kleurige matrassen dienst als divans.

Een kleine man met een energiek gezicht ontvangt ons. Dat is Nabil, hij was drie jaar toen hij in dit kamp kwam, in 1948, met zijn ouders die afkomstig waren uit een dorpje in het noorden van de Gazastrook. Zijn twee dochters staan bij hem, glimlachend en gereserveerd. Ze zijn niet alleen beeldschoon zoals José me al gezegd had, maar ook lang en rank en ze zien eruit en bewegen als prinsessen.

Yassera van zestien, met enorme grijze ogen in een bleek gezicht dat omkranst wordt door bruine krullen, is net kwikzilver. Momenteel bereidt ze zich voor op haar eindexamen. Ze is de beste van haar klas en droomt ervan naar de universiteit te gaan, 'als papa dat goedvindt'. Haar oudere zus Jamila ziet eruit als een madonna, met haar lage wrong en haar zachte glimlach. Ze is getrouwd, heeft een zoontje van een jaar en is net begonnen aan een cursus voor het diploma van secretaresse.

Nabil is trots op zijn dochters. Anders dan veel oosterse vaders vindt hij dat ze net als de jongens moeten doorleren.

'Ik betaal me blauw om al mijn kinderen eindexamen te laten doen, maar meer kan ik niet opbrengen, vooral nu niet want ik heb geen werk meer.'

Nabil was de chauffeur van een Palestijnse gedeputeerde, maar met de versperringen die de Gazastrook in drieën snijden en het zelfs de autoriteiten onmogelijk maken de enclave te verlaten om naar de Westelijke Jordaanoever te komen, is hij nu werkloos. Als de situatie volgend jaar beter is, zal hij doen wat hij kan om de universitaire studie van zijn dochter te betalen.

'Bent u ooit teruggeweest naar uw geboortedorp?' vraag ik hem.

'Ja, na 1967, toen de grenzen open waren. Ik heb toen zelfs in mijn eigen dorp gewerkt. Ik plukte er sinaasappelen. Ik herinner me nog dat ik er werkte met een Hongaarse jood. Op een dag vroeg die mij: "Waar kom je vandaan?"

Ik antwoordde: "Van hier."

"Maar er zijn hier geen huizen, waar woon je dan?"

"In Gaza."

"Waarom zeg je dan niet dat je uit Gaza komt? Waarom blijf je zeggen dat je van hier bent?"

"Hoe kan ik nou ooit vergeten dat mijn vader, mijn grootvader en al mijn voorouders hier zijn geboren en hier hebben geleefd en dat zij deze aarde bewerkt hebben!" antwoordde ik. "Ik zeg trouwens altijd aan mijn kinderen dat wij hier vandaan komen."

Hij was woedend. Ik had zin om tegen hem te zeggen: "Jij komt uit Hongarije", maar dat durfde ik niet, omdat ik bang was mijn werk te verliezen of zelfs gearresteerd te worden.'

'Is het moeilijk om als knecht het land te bewerken dat vroeger van je familie was?'

'Ik was zo klein, ik herinner me er weinig van. Het is veel

moeilijker voor degenen die daar hun hele leven gewoond hebben. Toen wij in 1967 teruggingen, knielde mijn grootmoeder op de grond in haar tuin en bedekte huilend haar hoofd met aarde. Kort daarop stierf ze.

Toen ik daar werkte, had ik een Jemenitisch-joodse baas met wie ik het heel goed kon vinden. Maar er woonde in het dorp ook een Amerikaanse jood die er grond gekocht had en er een huisje op gezet had waar hij maar een maand per jaar zat. Mijn baas en ik snapten niet wat hij daar deed. Die Jemeniet en ik leken op elkaar, het enige verschil was de godsdienst en dat is niet belangrijk. Het probleem tussen de joden en ons is geen godsdienstig probleem, of onbegrip, nee, het is dat wij dezelfde grond opeisen.

Daarna heb ik tien jaar gewerkt in een fabriek in Ashkelon. Er waren daar Marokkaans-joodse arbeiders met wie ik tamelijk vrijuit kon spreken. Op een dag, toen een van hen een tractor bestuurde, lette hij niet op en vernielde een heel oude boom. Ik zei tegen hem: "Laat die boom met rust, die is geplant door mijn voorvaderen, waarom beschadig je hem zomaar?" Hij antwoordde: "Val me niet lastig met je voorvaderen!" Met oosterse joden kun je tenminste praten, we spreken dezelfde taal.'

Hij zucht: 'Nu mogen we niet meer werken in Israël. We zijn helemaal opgesloten. We kunnen ons zelfs niet meer binnen Gaza bewegen!'

Zijn dochters zijn Gaza nog nooit uit geweest. Ze dromen niet, als andere jonge meisjes, van Parijs of New York, nee, ze dromen ervan hun eigen land Palestina te leren kennen en bovenal zouden ze Jeruzalem willen zien!

'Maar voor het moment is dat onmogelijk, sinds drie jaar geven ze geen uitreisvisa meer af.'

Nabil merkt op dat de verhoudingen met de Israëli's vroeger toch echt minder gespannen waren.

'We konden bij ze gaan werken als arbeider, je werd dan vaak wel vernederd en altijd onderbetaald voor het vuilste werk, maar je verdiende tenminste je brood. Nu is het doffe ellende.

Zodra wij begonnen onze rechten op te eisen, een echt land en niet een door hun leger gecontroleerd "reservaat", antwoordden de Israëli's met geweld. We kunnen niet meer tegen het leven in dit overvolle kamp, we stikken, we willen terug naar huis. Vroeger...' Zijn stem breekt. 'Vroeger had elk gezin een tuin, daar kweekten we groenten, we hadden een fatsoenlijk leven.'

'Maar als alle Palestijnen terugkeren naar huis, is dat toch het einde van Israël?'

'Dat weet ik', zegt Nabil bitter. 'Ik sterf van verlangen naar mijn grond, mijn wortels, maar ik weet dat het niet kan...'

Hij zucht diep en kijkt me met glanzende ogen aan: 'Wat ik nu echt wil, zijn de gebieden die ze bezet hebben, in ruil voor vrede. Normale betrekkingen met Israël. Meer vraag ik niet. Ik wil als méns kunnen leven!'

Alle Palestijnen die ik heb gesproken, hebben die wens geuit om terug te kunnen keren naar huis, maar tegelijkertijd erkennen ze dat dit onmogelijk is.

'Het grootste obstakel voor vrede is, denk ik, dat de Israëli's bang zijn, ze vrezen voor hun veiligheid', breng ik te berde.

'En onze veiligheid dan? Is die niks waard?' roept Nabil verontwaardigd. 'Elke dag worden er kinderen gedood die op weg zijn naar school en elke dag worden er vrouwen vermoord als ze boodschappen doen! Denkt u soms dat jongeren menselijke bommen zouden worden als wij de kans kregen op een fatsoenlijk leven?'

Yassera komt sidderend tussenbeide: 'Als ik zie hoe de soldaten huizen vernietigen met de gezinnen er nog in, wil ik me meteen opblazen bij de Israëli's om al die onschuldigen te wreken. Vroeger dacht ik niet zo, maar sinds ik van al die verschrikkingen hoor, vooral in Jenin, voel ik dat ik ertoe in staat ben. Het belangrijkste is niet om Israëli's te doden, maar om ze doodsbang te maken, zodat ze niet meer normaal kunnen leven, niet meer naar buiten durven uit angst voor een aanslag. Ze zullen ons onze grond heus niet teruggeven uit de goedheid van hun hart!'

'Weet u,' zegt Jamila terwijl ze haar baby wiegt, 'als je de kleintjes van een poes pijn doet, zal de moederpoes krabben, bijten, alles doen om ze te verdedigen. Dat gebeurt instinctief. Waarom zouden wij dan maar lijdelijk moeten toezien hoe onze kinderen gedood worden zonder ons te verdedigen? En de enige manier daartoe zijn die aanslagen, aangezien we geen wapens hebben. Ik ben er niet toe bereid, want ik heb een baby, maar ik heb geen leven meer. Ik woon bij een Israëlische versperring, de tanks en mitrailleurs schieten onophoudelijk, mijn kind is doodsbang, het slaapt niet meer, we leven constant in angst dat de soldaten ooit binnenkomen, ons huis vernietigen, erop los schieten zonder reden, zoals ze dat zo vaak doen, omdat ze de zenuwen hebben of omdat een van hen getroffen is en ze in het wilde weg wraak willen nemen. Geloof me, ik ben absoluut niet van plan de hand aan mezelf te slaan, maar als er ooit iets met mijn kind gebeurt, zal ik niet aarzelen mezelf op te blazen met zoveel mogelijk Israëli's erbij, om het te wreken.'

'Maar jij, Yassera, je bent pas zestien, je hebt het leven nog voor je, zou jij zoiets kunnen doen?'

Zonder aarzeling antwoordt ze fel: 'Als het nog erger wordt, als ook de mensen om ons heen lijden en gedood worden, dan zit er niets anders meer op. Jullie in het Westen hebben het over zelfmoord, maar het is geen zelfmoord, het is verzet.'

'Maar Israëlische baby's zijn je vijand toch niet! Vind je het normaal aanslagen te plegen waarbij die ook gedood worden?'

Hun moeder is naderbij gekomen en bemoeit zich er nu mee. Ze is vijfendertig jaar oud, heel knap en in verwachting van een jongen, 'het wapen van de demografie', zegt ze glimlachend.

'Ik kan me niet verheugen over de dood, zelfs niet over die van een vijand. Ik denk aan de moeder van het kind, ik begrijp haar verdriet, want wij maken hetzelfde door. We voelen dat lijfelijk, het is niet abstract. Degenen die zich erover kunnen verheugen, hebben het nooit meegemaakt, maar wij hebben allemaal minstens één dode in onze Palestijnse families.'

'Vorig jaar dacht ik er nog net zo over als mijn moeder,' zegt

Yassera, 'maar nu, na al die verschrikkingen die we doorstaan hebben, zijn de meesten van ons van gedachten veranderd. De Israëli's hebben haat gezaaid in onze harten.'

Khan Yunis

De stad Khan Yunis is heel bedrijvig, met straten vol kinderen met felle ogen, cafés in de openlucht waar in de schaduw van de palmbomen mannen in jellaba aan hun waterpijp lurken en triktrak spelen. Langs de winkels slenteren jonge meisjes met een hijab en vrouwen in lange gewaden en zwarte sluiers, terwijl, begeleid door een concert van claxons, ezels langs draven met jongetjes op hun rug, die trots zware manden vol groenten naar de markt brengen.

We zijn hier ver van de Westelijke Jordaanoever. In Gaza-stad[70] voelden we ons al in een andere wereld, maar hier is het net alsof je in Egypte bent. Egypte dat vlakbij ligt, alleen van ons gescheiden door nog een versperring en Raffah, de agglomeratie in het uiterste zuiden van Palestina, waar elke dag vele doden vallen, een drama dat de internationale pers allang niet eens meer naar buiten brengt.

Ik heb een afspraak met Marwan, een jongeman die in Lyon gestudeerd heeft en uitstekend Frans spreekt. Hij is nu een jaar terug en is werkloos, zoals de meeste inwoners van Gaza. Tien uur lang zal hij mijn onvermoeibare gids en tolk zijn, en aan het einde van de dag wordt hij boos als ik het over betalen heb. Gedurende mijn hele verblijf in Palestina ben ik die vriendelijk-heid tegengekomen, die edelmoedigheid van de kant van mensen die vaak maar nauwelijks genoeg te eten hebben. Marwan staat erop me eerst de markt te laten zien. De Gazastrook is vruchtbaar en dus zijn er op de markt prachtige groenten tegen afbraakprij-zen te koop: twee sjekel voor een kist van tien kilo tomaten, drie voor een kist komkommers, vijf voor een kist paprika's.

---

70. De belangrijkste stad van Gaza en het administratieve centrum.

'Vroeger leefden de meeste mensen van Raffah en Khan Yunis van de landbouw,' legt Marwan me uit, 'maar nu zijn ze failliet. Vaak verwoesten de Israëlische bulldozers hun akkers onder het voorwendsel dat ze te dicht bij een nederzetting liggen; soms laten ze hen de grond bewerken, hun geld uitgeven aan het verkrijgen van water, zaad en mest, en zodra er geoogst kan worden, verpletteren ze alles met hun bulldozers. Daarom zijn veel landbouwers ermee opgehouden. En zij die doorgaan kunnen toch bijna niets meer exporteren. Sinds drie jaar is de Westelijke Jordaanoever potdicht voor ons, en met alle versperringen is het zelfs al moeilijk om producten in Gaza-stad te krijgen. Dus zijn de prijzen gekelderd.

Maar zelfs dan zijn er weinig klanten. De mensen hebben geen geld meer. Ze kunnen niet meer naar hun werk toe, ze hebben al hun spaargeld opgemaakt, alles verkocht wat ze konden verkopen. Veel gezinnen leven nu helemaal van wat ze krijgen aan internationale hulp, om de twee maanden een zak van twintig of dertig kilo graan, wat suiker en thee... Voor het eerst sinds hun verdrijving in 1948 zijn de Palestijnen tot deze armoede, ja zeg maar gerust tot de bedelstaf gebracht. Als de kinderen er niet waren, denk ik dat de meesten uit trots nog liever zouden verhongeren.'

We zijn nu de markt voorbij en lopen in de richting van een groot wit gebouw, het centrum voor sportieve en culturele activiteiten van Khan Yunis. Daar zullen we iemand ontmoeten die verantwoordelijk is voor de jongeren van de Fatah.

Zeid is nauwelijks dertig jaar oud, met een gezicht vol littekens en een oprechte, ernstige blik. Hij komt uit een van oorsprong welgestelde familie en is in het vluchtelingenkamp van Khan Yunis geboren. Van vaderszijde bezaten ze een textielfabriek, van moederszijde waren het allemaal grootgrondbezitters.

'In de zomer van 1948 verloren mijn ouders alles in een paar uur tijd, net als honderdduizenden andere Palestijnen. Mijn vader heeft me verteld dat hij op school zat toen ze hoorden dat de Israëli's de mensen in de nabijgelegen dorpen afslachtten. Zijn familie en alle buren vluchtten naar Gaza, dat toen in handen van de Egyptenaren was. Zoals zoveel jongeren verweet ik mijn vader dat hij niet gebleven was om te vechten, maar toen las ik de verslagen van de Israëlische "nieuwe historici" en begreep ik dat de Palestijnen met hun slechte geweren geen enkele kans gehad hadden. Blijven zou zelfmoord geweest zijn, en we moesten overleven om de toekomst veilig te stellen.

In het begin woonden we in tenten die het Engelse leger had achtergelaten, in 1949 voorzag de UNWRA ons van betere tenten en nog weer later bouwden we zelf kleine huisjes. Mijn vader, die nog nooit met zijn handen gewerkt had, werd bouwvakker. Hij werkte keihard om ons groot te brengen en onze studie te betalen. Toen ik slaagde voor mijn kandidaats in de politieke wetenschappen, was hij tegelijkertijd heel trots en heel bedroefd: "Als we thuis waren, was je nu aan je doctoraal begonnen," zei hij, "maar dat kan ik niet betalen." Tot aan de dag van vandaag heeft hij het over zijn vroegere leven...

Toen de strijd georganiseerd begon te raken, zo tegen 1965, vertrok mijn vader naar Egypte van waaruit hij deelnam aan de oorlog van 1967. Daarna hebben de Egyptenaren hem opgepakt en vier jaar gevangengehouden, omdat hij deel uitmaakte van het Palestijnse bevrijdingsleger en zij geen moeilijkheden wilden met Israël.

Eigenlijk', constateert Zeid sarcastisch, 'zijn er drie elementen verantwoordelijk voor de ellende van het Palestijnse volk: Engeland, dat ons land aan de joden gaf, de Israëli's die ons hebben bezet en uitgemoord, en de Arabische landen met hun lafheid...'

'En u, hoe bent u in de politiek terechtgekomen?'

'Ik was tien jaar oud ten tijde van het bloedbad in Sabra en Shatila. De slachtoffers waren mensen uit de kampen zoals wij, ongewapend en arm. Ik stelde vragen aan mijn leraren en ook aan mijn vader, die toen als arbeider werkte in Israël. Het is zwaar om te werken voor degenen die je van je eigen grond verjaagd hebben... Maar hij moest zijn kinderen voeden, hij had geen keus, en ik leed eronder, voor hem.

Tijdens de eerste intifada, in 1987, begon ik met stenen

gooien. Als je erg jong bent, ken je geen angst, ik kwam tot op drie meter van die soldaten! Ik ben tweemaal gevangengenomen, de eerste keer op mijn zestiende. Het was onder Rabin, die opdracht had gegeven de ledematen van de demonstranten te breken. Dat hield in dat de soldaten ons niet ondervroegen, maar er meteen op los sloegen. Ze hebben de handen van duizenden gevangenen gebroken, met de woorden: "Dan gooi je tenminste geen stenen meer!"

Mij sloegen ze op mijn hoofd met een stok. Ik had dertien hechtingen.'

Hij doet zijn zwarte haar opzij en ik zie een litteken dat over de helft van zijn schedel loopt.

'Ze sloegen maar door, en daarna gooiden ze me in een tent. Het was midden in de winter, we zaten met tien man per tent, we hadden het erg koud, maar het gevoel een held te zijn troostte ons. We voelden onderling een enorme solidariteit. Toen ik vrijgelaten werd, huilde ik omdat ik bij mijn vrienden weg moest.

De tweede keer was erger. Ze arresteerden me omdat ik lid was van de Fatah. Zelfs als je geen wapens had, en in die tijd hadden we alleen maar stenen, was het feit dat je lid was van een partij, welke dan ook, al genoeg om voor minstens twee jaar achter de tralies te verdwijnen. Ze betrapten me toen ik leuzen op de muren kalkte. Dat was in 1990, ik was achttien.

Ze martelden me tweeëntwintig dagen. Eerst zat ik in een tent met andere gevangenen van wie ik al gauw doorhad dat het collaborateurs waren. Die probeerden me bang te maken door te zeggen dat ze al mijn ledematen zouden breken, dat ik vreselijke dingen zou moeten ondergaan... Toen moest ik naar de Shin Beth voor ondervraging; dat is altijd zo omstreeks drie uur in de nacht, op het moment dat je de minste weerstand hebt. Ze zeggen: "Je bent schuldig, maar als je ons helpt, kunnen we het op een akkoordje gooien." Aangezien ik weigerde, gooiden ze me tegen een vitrine, ik had overal snijwonden en daarna sloegen ze me op mijn gezicht met een knuppel, waarbij ze mijn neus en tanden braken.

Elke dag ondervroegen ze me en trapten me met hun laarzen, vooral in de gevoelige delen. Toen ik niet zwichtte, sloten ze me op in een piepklein hok, aardedonker, zonder raampjes, zonder lucht, en lieten me daar vijf dagen zitten. Ik stikte, ik kreeg niks te eten, soms wierpen ze me een bedorven ei toe. Toen ze me eruit lieten, namen ze me mee naar een kantoor waar een bebloede man lag en zeiden: "Dat gebeurt met jou ook als je niet meewerkt."

Soms hield een soldaat een revolver tegen mijn slaap met de woorden: "Hij is gevaarlijk, we moeten hem afmaken." Maar ik wist dat dit was om me bang te maken, ze doden nooit op die manier. Een andere keer moest ik op de knieën met de handen op de rug naar voren buigen en dan zetten ze hun voet op mijn nek om mijn hoofd tegen de grond te krijgen. Het is een pijnlijke en vernederende houding, maar het gaf me de mogelijkheid een paar tellen te slapen.

Omdat ze nog steeds geen resultaat hadden, begonnen ze met hun specialiteit: de marteling van de 'hangbrug' of 'boog', waar ze dol op zijn omdat het geen zichtbare sporen achterlaat. Ze zetten je naakt in de kou, met een stinkende zak over je hoofd die je verstikt en dan maken ze je vast op een stoeltje van vijftien centimeter hoog, met de benen naar achteren getrokken en de armen omhoog, heel strak vast in handboeien die de bloedsomloop blokkeren. Het lichaam vormt een tot het uiterste gespannen boog. De spanning van alle spieren en het gebrek aan zuurstof werken als gif en veroorzaken verschrikkelijke pijnen. Zo om de vijf uur word je even losgemaakt, zodat je er niet in blijft.

En dan beginnen ze weer. Als deze marteling lang doorgaat, blijf je voor altijd invalide. Een vriend die dit heeft ondergaan in Shatta bij Haifa heeft me verteld dat er op de muur bij de ingang een geverfde schildering is aangebracht voor de Palestijnen met de woorden: "Jullie die hier zo dapper als leeuwen naar binnen gaan, zullen zijn als konijnen als je er weer uit komt."'

Zeid doet kalm zijn relaas, alsof het een ander is overkomen. Maar ik weet dat het feit alleen al dit te vertellen hem zwaar valt. Palestijnen die gemarteld zijn willen daar maar uiterst zelden over spreken, uit gêne, of omdat ze weigeren zich voor te doen als helden terwijl zoveel anderen dezelfde ellende of nog erger hebben meegemaakt, en ook omdat ze willen vergeten. Maar de man tegenover mij weet dat een getuigenis afleggen bij de strijd hoort, en hij neemt het risico. Ik kan niet nalaten te vragen waar hij de moed vandaan haalde zich te blijven verzetten.

'Ik dacht aan mijn familie, vooral aan mijn broer die twee weken voordat ik de gevangenis inging, gedood was; mijn woede tegen zijn moordenaars gaf me kracht.'

'Wat had hij gedaan?'

'Niets! Kolonisten doodden hem in zijn slaap. Hij was acht-entwintig jaar. Hij werkte in Israël en aangezien je onmogelijk elke dag uren onderweg kunt zijn om naar huis te komen, sliep hij met andere arbeiders in een hangar. Dat was verboden, maar toentertijd in 1990 namen velen het risico, anders zouden ze niet kunnen werken en de kost verdienen voor hun gezin. Op een avond na het werk gingen zijn maten eten kopen. Ze vertelden dat ze hem bij hun terugkeer badend in het bloed hadden aangetroffen. Zionistische kolonisten hadden op hem geschoten. Het enige wat de Israëlische kranten er toen over zeiden was: "Deze moorden moeten stoppen, anders zijn er straks geen Palestijnse arbeiders meer en die hebben we nodig."'

'Na hoeveel tijd bent u vrijgelaten?'

'Ik was veroordeeld tot twee jaar gevangenisstraf en kwam in 1992 vrij. Ik ben een tijdje thuisgebleven om me te laten verzorgen en daarna ben ik met mijn studie begonnen aan de universiteit van Bir-Zeit, die ik helaas uit geldgebrek niet heb kunnen voortzetten. Later ben ik teruggekeerd naar de leiding van de Fatah-jeugd voor het gebied Khan Yunis. Op dit moment hebben we zesduizend jongeren.'

'Hebt u ooit uw broer proberen te wreken?'

'Natuurlijk niet!' Hij kijkt me geïrriteerd aan. 'Ik ga het Israëlische volk niet doden om mijn broer te wreken! Het draait niet om wraak, maar om de bevrijding van Palestina. Bovendien ben ik van mening dat het leven heel belangrijk is, en ik ben voor de volle honderd procent tegen zelfmoordaanslagen. Er zijn onder de Palestijnen veel mensen die wanhopig zijn, die zich aandienen bij politieke leiders van diverse organisaties en zich melden als vrijwilligers. Een kort geleden gehouden peiling wees uit dat in Gaza van elke driehonderd ondervraagden er twee-honderdvijfentachtig zeiden dat ze martelaren wilden worden. Maar bij de Fatah doen we wat we kunnen om ze ervan te weerhouden, wij zijn tegen dit soort acties.'

'Hoe kan er aan deze situatie een eind gemaakt worden?'

'De Israëli's hebben geen andere keus dan te onderhandelen. Ze kunnen niet alle Palestijnen doden, ze kunnen ze ook niet allemaal deporteren, want de ervaring van 1948 is wel genoeg geweest voor ons: wij gaan niet weg, ook al gebruiken ze geweld.'

Er wordt op de deur van het kantoor geklopt. In de deuropening staat een man van een jaar of veertig met de stevige, ruwe handen van een arbeider. Kalm legt hij uit dat een bulldozer zijn huis vernietigd heeft met al wat erin stond, dat hij op straat staat met zijn gezin en geen middelen van bestaan meer heeft. Kunnen ze hem helpen?

Meer nog dan wat hij vertelt – een helaas maar al te vaak voorkomende situatie – treft mij de kalmte waarmee hij zijn drama uiteenzet, alsof het een van de vele dagelijkse moeilijkheden was. Op geen enkel moment beklaagt hij zich.

Waar komt deze houding, die je zoveel ziet bij de Palestijnen, vandaan? Is het dat ze gewend zijn geraakt aan ongeluk? Komt het door de voortdurende ellende om hen heen die maakt dat ze beseffen dat ze een geval zijn te midden van zoveel andere, dat het altijd nog erger kan – een kind verliezen, bijvoorbeeld – dat huilen nergens toe dient en alleen maar energie vreet terwijl de leiders behoefte hebben aan precieze gegevens om te kunnen helpen?

Dat zou heel goed kunnen, maar het feit dat ze hun ellende niet uitdrukken is soms ook het teken van een tragische afwe-zigheid van gevoelens, zoals mensen die heel veel op hun hoofd geslagen zijn de pijn niet meer voelen. Het is een vlucht voor een wereld die ondraaglijk geworden is, een verholen depressie die steeds meer Palestijnen treft...

Kamp Khan Yunis

Op verzoek van Zeid kwam Wissam als mijn gids voor het kamp Khan Yunis, dat onderdak biedt aan zestigduizend vluchtelingen op een paar vierkante kilometer. Wissam is een spichtige jongeman die werkt voor de organisatie World Refugee Children.

De achtentwintigjarige is in het kamp geboren, waar hij woont met zijn negen broers, twee zussen en zijn ouders; zijn vader was lasser en werkte tot de tweede intifada in Israël.

Ik vraag hem wat zijn broers doen en of ze politiek actief zijn.

'Er is maar een van ons strijder geworden. Die is al vijf keer gearresteerd. Momenteel wordt hij gezocht door de Israëli's, ik heb hem al in geen drie maanden gezien. Hij is echt militant, bereid zijn leven te geven voor zijn land. Ik dien op een andere wijze, ik heb psychologie gestudeerd en houd me met kinderen bezig.'

Al pratend slenteren we door de straten van gestampte aarde waar huisjes langs staan van leem of grof cement. Veel zijn onaf en prikken met hun ijzeren punten naar de hemel. Sommige van die verlaten staketsels zijn twee of zelfs drie verdiepingen hoog, een duidelijk teken van de jaren van hoop die volgden op de akkoorden van Oslo. Uit diezelfde periode stammen de haven en de luchthaven van Gaza, die betaald zijn door de Europese Gemeenschap, maar van de Israëlische regering nooit hebben mogen functioneren. In 2001 zijn ze gebombardeerd en nu zijn ze onbruikbaar.

Maar de aandacht wordt vooral getrokken door de muren van kamp Khan Yunis, zoals van alle kampen in Gaza. Die muren vertellen de geschiedenis van Palestina, van zijn strijd en zijn martelaren, zijn politieke partijen, zijn helden, zijn godsdienstige overtuigingen en zijn ideologieën[71]. Naïeve schilderingen

---

71. Sinds het begin van de tweede intifada tussen september 2000 en maart 2003 zijn er circa 2700 doden gevallen, waaronder 2100 Palestijnen.

van de oorlog, met strijders, tanks, vliegtuigen en raketten, maar ook de vrede, gesymboliseerd door idyllische landschappen, sinaasappelboomgaarden, olijfbomen en palmen, lammetjes die grazen bij een heldere bron. Her en der portretten van fedayin met een kaffiah[72] op en een kalasjnikov in de hand, een vredesduif, de zwarte steen van de ka'ba op het huis van een hajj die de pelgrimstocht naar Mekka heeft gemaakt en leuzen als: 'Jullie kunnen onze huizen wel vernietigen, maar onze zielen niet!' of 'Met de Koran en het geweer verkrijgen wij onze vrijheid!'

En verder overal posters van martelaren, tegen een achtergrond met een vergulde koepel, de al-Aqsamoskee van Jeruzalem, met de namen en portretten van deze martelaren, mannen, vrouwen en kinderen, uitentreuren herhaald op de muren, en zo in de dood samengebracht in de heilige stad waarvan ze droomden.

Nadat we een halfuur door de smalle straatjes van het kamp gelopen hebben, gevolgd door hordes nieuwsgierige kinderen die willen weten of ik Amerikaanse of Israëlische ben, maar die geen moment agressief doen, bereiken we het uiterste westen, waar Wissams huis is.

Het is nog slechts een stapel stenen, naast andere ruïnes. Over een diepte van honderd meter zijn alle huizen verwoest. Er staan alleen nog een paar met kogels doorzeefde karkassen.

Ertegenover bevindt zich de Israëlische militaire zone met wel tien meter hoge muren eromheen en uitkijkposten erop.

'Waarom hebben de soldaten uw huis verwoest? Vanwege de activiteiten van uw broer?'

'Helemaal niet. Ze hebben ook een stuk of twintig huizen van naburige gezinnen verwoest. Ze besloten gewoon wat orde te scheppen, omdat strijders probeerden te verhinderen dat ze gebied zouden innemen dat toebehoort aan het kamp en op hen schoten vanachter deze huizen vandaan. Dat was op 12 april

---

72. Hoofdbedekking van de bedoeïenen, bestaand uit een vierkante lap die tot een driehoek wordt gevouwen en vastzit met een koord.

2001. Ze kwamen 's nachts, zonder waarschuwing vooraf. Ik herinner me dat ik wakker werd van het lawaai van de bulldozers. Eerst sloeg ik er geen acht op. Pas toen ze vlakbij waren, kregen we het door. We konden nog net het huis uit komen zonder iets mee te nemen. Ze schoten op de mensen die probeerden te vluchten, met mitrailleurs van groot kaliber. Het was een regelrecht bloedbad, vier doden, vierentwintig gewonden, oude mannen, kinderen, vrouwen... Een van mijn broers die tussenbeide probeerde te komen, kreeg een kogel in zijn hoofd, hij heeft het overleefd maar is zwaar gehandicapt. Het is al meer dan een jaar geleden, maar ik word nog steeds gillend wakker... Ik wens niemand toe te moeten zien wat ik die nacht gezien heb.'

'En waarom pakten de soldaten jullie je grond af? Om de nederzettingen van Gush Katif te beschermen?'

'Dat beweren ze', zegt Wissam schouderophalend. 'Maar eigenlijk ligt er achter die muren een lege zone van tientallen hectaren. De eigenlijke nederzettingen van Gush Katif waar de mensen wonen, liggen veel verder weg. De noodzaak van veiligheid is gewoon het excuus dat de Israëli's aanvoeren om steeds meer grond te bemachtigen en ons de toegang tot de zee te ontzeggen. Sinds mijn huis verwoest is, woon ik met de hele familie in één kamer, die me de helft van mijn salaris kost.'

We maken ons klaar om te vertrekken als mijn aandacht wordt getrokken door iets merkwaardigs. Op enige tientallen meters afstand, vlakbij de militaire zone, laden mannen in allerijl hun ladingen watermeloen van de ene vrachtauto in de andere.

'Dat zijn inwoners van al-Massawi', legt Wissam uit. 'Sinds de militaire zone is ingesteld zijn ze met hun zevenduizenden gevangenen in hun eigen dorp, ingeklemd tussen de zee en het blok nederzettingen dat hen geheel omsluit. Om de paar honderd meter af te leggen die hen scheidt van de ingang van het kamp en hun groenten te kunnen verkopen, hebben ze een speciale vergunning nodig. Maar ze mogen het kamp niet in, ze moeten hun koopwaar overladen op een andere vrachtauto, op een imaginaire scheidslijn, onder het toeziend oog van de uitkijkposten. Ze haasten zich omdat je nooit weet wat er gaat gebeuren, één zenuwachtige soldaat is al genoeg... De vorige week stuurde een boer zijn met groenten beladen ezel alleen. De Israëli's schoten op de ezel! Zolang het nog maar een ezel is... maar', hij fronst de wenkbrauwen, 'ze schieten ook op onze kinderen. Kom, ik zal u voorstellen aan de familie van Basil.'

We gaan terug naar het centrum van het kamp en stoppen bij een nederig lemen huisje. Een kleine, magere man ontvangt ons. Hij ziet er heel droevig uit en heeft een mohammedaans kalotje op. Hij heet Salim Mohammed al-Bas, de vader van Basil. Hij gaat ons voor naar een binnenplaats die leeg is op twee matten op de grond na, waarop we plaatsnemen. Zijn vrouw Niafa voegt zich bij ons. Zij lijkt sterker dan haar man en zij doet ons het relaas van hun zoon die op 19 maart 2001 is gedood. Hij was net twaalf.

'We woonden in een klein huisje aan zee, niet ver van het militaire kamp, en recht ervoor hadden we een plaatsje en een kippenren. Als Basil uit school kwam, ging hij altijd de kippen voeren en met ze spelen.'

Ze zucht diep en vervolgt dan: 'Die dag ontsnapte er een kip, hij wilde die vangen en een tank vuurde een kogel op hem af... Hij was totaal aan flarden.'

Niafa valt stil, ze staart in het niets, ze was erbij, ze heeft alles meegemaakt... Met verstikte stem mompelt ze: 'Vanuit hun uitkijkpost zagen ze heus wel dat het een kind was dat met kippen speelde! Hij gooide niet met stenen, helemaal niet, hij was een heel rustig kind.'

En ze overhandigt me een plaatje van een jongen met lichte ogen, tegen de gouden koepel van de al-Aqsamoskee.

'Natuurlijk is hij nooit naar de al-Aqsa geweest,' zal Wissam me later toevertrouwen, 'maar door die jonge slachtoffertjes zo af te beelden maken ze hen heilig, suggereren ze dat ze zijn gestorven voor het geloof, wat niet waar is. Maar het troost ouders als ze de dood van hun kind kunnen verbinden met een goede zaak, zoals de bevrijding van de Heilige Plaatsen.'

Van oorsprong waren de al-Bassen boeren uit een dorp in de buurt van Gaza. In 1948 werden ze vluchtelingen. Toen vader Salim opgroeide, werkte hij als landbouwer in Israël en de nederzettingen.

De man lijkt gebroken. Hij vertelt me dat hij nog twee zonen heeft, van vijftien en achttien, dat niemand activist is en dat Basil de meest begaafde van de familie was.

'Hij was erg goed in wiskunde en wilde studeren. Ik was aan het sparen voor zijn studie. Hij telde de jaren die hem nog scheidden van het eindexamen en zei dat hij later voor zijn ouders zou zorgen...'

Hij begint zachtjes te huilen, hij wendt het hoofd af, veegt met zijn hand over zijn ogen, excuseert zich dat hij zich laat meeslepen door zijn emoties.

Bij deze zo ingehouden smart voel ik mij een indringster in het leven en het hart van deze mensen. Ik kom, duw hen weer met de neus op hun drama, en ga dan weer weg... Ik schaam me en dring er bij mijn tolk op aan hun te zeggen hoe belangrijk hun getuigenis voor mij is, dat ik dit aan de Fransen zal vertellen opdat zij begrijpen wat er hier gebeurt en om te proberen wat beweging te brengen in de zaak.

Kunnen ze dat nog geloven? Zoveel journalisten en politici zijn al langs geweest en in vierenvijftig jaar is de toestand alleen maar verergerd... In elk geval zijn ze zo edelmoedig te doen alsof. De moeder klemt me in haar armen en dringt erop aan dat ik de foto van haar zoontje meeneem. De vader kijkt nog steeds strak naar de grond, met tranen in de ogen. Hij doet zijn uiterste best me beleefd goedendag te zeggen, laat me uit en slaagt erin er een klein glimlachje uit te persen.

Twintig uur om tien kilometer af te leggen

Het is pas drie uur in de middag, maar als ik voor het donker terug wil zijn in Gaza-stad, moet ik nu meteen weg, had Marwan me gewaarschuwd.

We kruipen in een verzameltaxi die uit Raffah komt, vlak bij de Egyptische grens. Mijn buurman, een man van ongeveer vijftig jaar oud, vertelt me dat hij een spijkerfabriek heeft, de enige in heel Palestina. Vroeger had hij acht arbeiders in dienst, maar sinds de ongeregeldheden zijn het er nog maar drie en binnenkort zal hij moeten sluiten. Zijn grondstoffen komen namelijk uit China naar Israël per vrachtboot en dat kost hem achthonderd dollar. Maar sinds kort laat de Israëlische regering hem ook nog eens achthonderd dollar betalen voor het korte traject van Israël naar Raffah.

'Ik ben failliet, ik moet mijn fabriek sluiten en mijn arbeiders ontslaan. Dat betekent weer drie gezinnen die niet te eten hebben…'

Hij is bitter, maar wil toch verschil maken tussen de Israëlische regering en het Israëlische volk.

'Ik heb een oude Israëlische vriend, we werkten vroeger samen. Voor de ongeregeldheden had ik hem zelfs geld geleend. Wij joden en Palestijnen houden van het leven, we zouden prima samen kunnen leven… als er maar geen politici waren!'

De chauffeur mengt zich in het gesprek: 'We hebben schoon genoeg van die intifada! Voor de gewone mensen is het een ramp, er is nergens meer werk. Zo straks had ik drie mannen in mijn wagen van Raffah naar Khan Yunis, vroegere bouwvakkers die altijd goed verdiend hebben. Nu hadden ze zelfs de drie sjekel voor de rit niet. Doodgegeneerd vroegen ze of ik genoegen nam met een sjekel. Natuurlijk zei ik ja, maar hun schaamte deed mij pijn.'

We arriveren en stappen uit. De versperring van Khan Yunis is sinds ongeveer vier uren dicht. Er staat een dichte rij auto's en vrachtwagens van zeker twee kilometer lengte. Het is drukkend heet. De meeste mensen zijn uitgestapt en, op zoek naar schaduw, op de grond gaan zitten of liggen op oude dekens. De sfeer is merkwaardig ontspannen. Er wordt thee gedronken en gepraat, men eet een ijsje, sommigen roken zelfs de waterpijp en hervinden de gewoonten van toen men nog alle tijd had, terwijl de moeders een eindje verderop hun kinderen zitten te wiegen.

Langs de stoffige weg staan kraampjes waar allerlei dranken en etenswaren worden verkocht. Ze hebben er zelfs kinderspeelgoed.

De chauffeur van een vrachtwagen met groenten en fruit vertelt me dat hij een week geleden achtenveertig uur heeft moeten wachten, twee nachten ter plekke heeft doorgebracht en dat zijn lading bedorven was toen hij eindelijk aan de andere kant was.

We zijn bij de voorste auto's aanbeland. Voor ons verrijzen de hoge muren van de versperring van Gush Katif weer, een enorme bunker met schietgaten die voor driekwart dichtgemaakt zijn met zandzakken en waar de lopen van mitrailleurs uit steken. Ik haal mijn fototoestel te voorschijn, maar word meteen tot de orde geroepen door mijn buren: 'Niet doen! Ze observeren alles van daaruit met hun verrekijkers, dadelijk schieten ze op u!'

Voor ons, wat hoger gelegen, strekt zich een brede weg uit die is aangelegd voor de Israëlische kolonisten. De weg is uitgestorven.

'Waar wachten we op?' vraag ik mijn buurman.

Ik zou het liefst onder de grond zijn gekropen als ik de blik zie die hij me toewerpt. Heb ik nu nog niet begrepen dat het leven hier bestaat uit wachten totdat de bezetter iets doet!

Ten slotte komt er een auto voorbij op de weg van de kolonisten en tien minuten later weer een. Aan weerszijden van de versperringen volgen duizend ogen hen, vernederd en wanhopig. Het volgende uur zullen nog drie auto's en een bijna lege bus de kolonistenweg gebruiken, terwijl er achter de versperringen een eindeloze rij voertuigen staat...

Het is tegen zessen, de zon gaat bijna onder, vermoeidheid vervangt de opgewektheid. Uit een vrachtauto met schapen klinkt luid geblaat, waarop gereageerd wordt door heftig kakelende kippen in hun kooien. De dieren hebben dorst en er is geen enkele mogelijkheid ze te drinken te geven.

'Ik heb hele ladingen kippen zien sterven van de dorst,' zegt een vrachtwagenchauffeur, 'daarom vervoeren we die zo min mogelijk. Hetzelfde geldt voor groenten en fruit, die zijn ook bederfelijk. De enige oplossing is zoveel mogelijk alles ter plekke te verkopen.'

Hij voegt de daad bij het woord, gaat achterop zijn wagen staan en gebaart naar de vrouwen, die meteen aan komen lopen: kisten tomaten en komkommers en watermeloenen worden voor een paar sjekel van de hand gedaan, tot grote vreugde van de huisvrouwen.

'Ik verdien hier niks aan, ik verkoop ze voor de kostprijs,' zegt de man, 'maar zo hebben hun kinderen tenminste eens wat anders te eten dan brood!'

Naast mij vertelt een kettingrokende man: 'Ik heb mijn ingenieursstudie in het buitenland gedaan. Na de akkoorden van Oslo ben ik teruggekomen, ik wilde mijn land helpen opbouwen. Maar ik weet niet hoelang mijn gezin en ik het hier nog uithouden...'

'Wij houden het wel uit,' zegt een vrouw, 'en onze kinderen nemen het daarna wel van ons over. Ik heb twee dochters, ze heten Horya, vrijheid, en Kifah, gewapende strijd. Ze kennen niet anders dan bezetting, maar ze hebben maar één gedachte: vechten om ooit vrij te leven!'

Er komt plotseling beweging in de menigte: 'De versperring! De versperring gaat open.' Iedereen rent naar zijn auto. Snel! Maar dan klinken er plotseling schoten, er worden bevelen geschreeuwd door de luidsprekers: 'Ruh! Ruh!' (Achteruit! Achteruit!) Angstig deinzen de mensen terug en verschuilen zich achter hun voertuigen.

'Het zijn meestal maar losse flodders,' stelt de ingenieur me gerust, 'maar je weet het natuurlijk nooit zeker. Soms vallen er gewonden en zelfs doden. Dan vertellen de soldaten dat ze bedreigd zijn door de menigte. Ze zijn praktisch onkwetsbaar, het leger veroordeelt hen nooit, behalve als er een duidelijk geval wordt gemeld door buitenlandse getuigen. Dan doen de autoriteiten net alsof ze een onderzoek openen, want ze willen de fictie van een rechtvaardige macht in stand houden.'

'Maar waarom schoten ze nu dan? De mensen liepen toch

gewoon naar hun auto's, het was compleet zinloos.'

'Dat was het inderdaad. Het is altijd zinloos', hervat hij somber. 'De last van de willekeur, dag in dag uit en van minuut tot minuut, dat knaagt misschien nog wel meer aan de mens dan echte tragedies. Want van een dode maken de familieleden een held die streed voor de onafhankelijkheid, maar een afgeknabbeld, vernederd leven is een leven voor niets, een wegwerpleven.'

Toen het alarm voorbij was, kwamen de mensen weer tot zichzelf en een groepje jonge mannen op de eerste rij begon, net onder de neus van de soldaten, te dansen, te zingen en in de handen te klappen. De reactie blijft niet uit. Uit de wachttoren davert een stem. De Palestijnen verstijven, en beginnen dan als uit één mond die stem die van boven komt uit te jouwen.

'Wat zegt hij?' vraag ik aan mijn buren.

'Hij beledigt Arafat, zegt dat hij een zwijn is, een verrader, dat hij ons uitbuit, dat het zijn schuld is dat wij er zo slecht aan toe zijn, dat we ons van hem moeten ontdoen.'

'De mensen zijn het er niet erg mee eens!'

'Nee, maar toch is Abu Ammar niet bijzonder geliefd, vooral niet hier in Gaza. Hij heeft te veel corruptie toegestaan. Maar niemand accepteert dat buitenlanders ons vertellen wie onze leider moet zijn. Door de Israëlische en Amerikaanse druk hebben we ons allemaal rond Arafat geschaard, die ondanks alles voor ons het symbool blijft van onze onafhankelijkheidsstrijd. Momenteel is hij de enige die de Palestijnen kan verenigen, en daarom juist wil Sharon hem weg hebben.'

Het is nu donker en het wordt fris. Het lachen en provoceren maakt plaats voor vermoeidheid en irritatie. Gelukkig zijn er draagbare telefoons. De mensen bellen het thuisfront om gerust te stellen: nee, niets ernstigs, tien uur bij de versperring, bijna routine. De lijnen zijn zo overbelast dat de centrale ervan geblokkeerd raakt.

'Tenzij dit weer een streek van de Israëli's is', mompelt de ingenieur die Khaled heet en prachtig Frans spreekt.

Hij biedt me een plaats in zijn auto aan, maar zijn spot van straks is weg, hij lijkt uitgeput.

'We moeten steeds langer wachten. Ik ben bang dat de Israëli's de versperringen eerstdaags helemaal sluiten, zodat we niet meer bewegen kunnen. Om een internationale reactie te vermijden hanteren ze de strategie van de kleine stapjes: eerst maak je het bijna onmogelijk een vergunning te krijgen voor de Westelijke Jordaanoever, ook al hadden ze ons een doorgaande weg beloofd van het ene deel van de Palestijnse gebieden naar het andere, dan sluit je Gaza helemaal af (sinds tweeënhalf jaar kan niemand er meer uit), daarna maak je binnenversperringen zoals u die hier ziet, en je eindigt misschien met een totale afsluiting...'

In het diepe duister lichten alleen de gloeiende puntjes van onze sigaretten en de petroleumlampen van een paar kramen op.

Eindelijk, om halftien, klinkt daar weer de luidspreker: 'Het gaat hier vanavond niet meer open! Gaat u allen terug!' Zoveel uren wachten en dan dit? En dat is ook een goeie, terug waarheen? Ik heb Marwan niet te pakken kunnen krijgen, en ik ben gewaarschuwd dat er geen hotel is in Khan Yunis; misschien een familiepensionnetje, dat bomvol zal zijn...

Als Khaled mijn dilemma ziet, biedt hij aan me mee te nemen naar zijn broer die hier twee kilometer vandaan woont. Ik neem de uitnodiging dankbaar aan. Dankbaar? Eigenlijk ben ik al zo gewend aan de gulle gastvrijheid van het Oosten en dan speciaal van de Palestijnen, dat ik er geen moment aan getwijfeld heb dat hij dit zou doen.

Maar ik was niet voorbereid op de hartelijke ontvangst door zijn schoonzuster, die me absoluut haar bed wilde afstaan voor de nacht.

De volgende ochtend om zes uur ging ik weer naar de versperring. Ik loop weer langs de rij auto's en kruis mannen en vrouwen met kreukelige gezichten en gezwollen ogen.

Het wachten zal nog vier uur duren. Dit keer krijg ik een plaatsje in een ambulance want je mag de versperring niet te voet door. In de auto zit een zwangere jonge vrouw hevig te transpireren, de weeën zijn begonnen, een verpleegster houdt haar hand vast en probeert haar te kalmeren. Ik weet dat de soldaten gewoonlijk onvermurwbaar zijn, maar moeten we niet toch proberen hen over te halen?

De broeder schudt afkeurend zijn hoofd.

'Dat heb ik wel honderd keer geprobeerd, dat irriteert hen alleen maar en misschien moeten we dan wel extra lang wachten. Een Israëlisch gezegde luidt: "Een goede Palestijn is een dode Palestijn", dus waarom zouden ze ambulances doorlaten?'

Achter ons brult een stem met een sterk Amerikaans accent: 'Het is een schande! Ik ga wel eens even met ze praten!'

Ik draai me om en zie met verbazing een grote blonde man met een cowboyhoed op, omringd door Palestijnse pubers die genieten van dit ongewone schouwspel.

John komt uit Raffah, waar hij voor een humanitaire organisatie op verkenning was. Hij zegt me dat hij op één dag twee kinderen gezien heeft die zichzelf gedood hebben. Hij loopt over van verontwaardiging, de Amerikaanse pers vertelt niets, nooit had hij gedacht dat… hij zal een rapport opstellen. Hij is nu voor het eerst in Palestina. Helemaal vers, zonder enige aarzeling.

En daar gaat hij naar de versperring, met opgeheven armen, zwaaiend met zijn Amerikaanse paspoort. De luidspreker brult: 'Ruh! Ruh!' Onverstoorbaar loopt hij door. Iedereen houdt zijn adem in. Uiteindelijk komen er twee soldaten uit de bunker, met gerichte mitrailleur. John loopt nog steeds op ze toe. Zullen ze schieten? Hij is zo overduidelijk een Amerikaan, kunnen ze schieten op een ingezetene van hun onvoorwaardelijke bondgenoot, ook al bevindt die gek zich 'aan de verkeerde kant'?

Zo dom zijn ze niet. Op eerbiedige afstand en met de loop van de mitrailleur nog steeds tussen hen in ontspint zich een dialoog.

Een paar minuten later komt de blonde reus hoofdschuddend bij ons terug. Hij wordt meteen omzwermd door enthousiaste jongeren: een Amerikaan die het voor hen opneemt! De ogen schitteren van emotie, ze dragen hem bijna in triomf mee. Al heeft het niets opgeleverd, hij heeft tenminste geprobeerd hen te helpen, en in de toestand van verlatenheid waarin de Palestijnen zich bevinden, geeft hun dat al een warm gevoel.

De soldaten hadden geweigerd de ambulance door te laten, maar ze hadden beloofd dat de versperring over een halfuur zou opengaan. Hij gaat twee uur later open, om elf uur.

Iedereen stort zich naar voren. De bestuurders zijn afgepeigerd van dit eindeloze wachten en wensen geen seconde meer te verliezen: iedereen toetert keihard, geeft gas, probeert in te voegen, remt op het laatste moment af met verschrikkelijk knarsende remmen, het is een wonder dat er geen ongelukken gebeuren.

In deze enorme opstopping zitten drie jonge soldaten te lachen bij hun wachthuisje. In hun koele overwinnaarsblik lees je de minachting voor deze bevolking van Untermenschen, die je vastzet wanneer je wilt en die elkaar vertrappen en wegduwen zodra je ze doorlaat.

Van alles wat ik de afgelopen twintig uur heb doorgemaakt is die blik wel het meest walgelijk: de gemakkelijke minachting van de sterke voor de zwakke.

Tareq, ex-lid van de Fedayin

Bij mijn terugkeer uit Khan Yunis heb ik een afspraak in een rustig café in Gaza-stad met een oud-lid van de Fedayin, wiens naam nu nog voorkomt op de lijst van de geheime diensten van Israël, de Verenigde Staten en zelfs diverse Arabische landen.

Hij is een slanke vijftiger met fijne gelaatstrekken, en we zullen hem Tareq noemen, een van zijn vele schuilnamen. Hij ziet er meer uit als een intellectueel dan als een strijder. Met zijn grijze ogen neemt hij me op met een taxerende blik, terwijl ik hem uitleg wat de bedoeling is van mijn boek, en langzamerhand ontspant zijn gesloten gezicht zich.

'Weet u zeker dat mijn leven u interesseert?' vraagt hij verbaasd. 'Weet u, daar heb ik nog nooit met anderen over gesproken, behalve met mijn vrouw.'

En als ik aanstalten maak hem uit te leggen waarom, onderbreekt hij me: 'U bent mij aangeraden en ik vertrouw u. Verandert u alleen de namen, want', zegt hij met de spottende glimlach van een puber, 'er zijn nog steeds heel wat mensen die me graag om zeep zouden helpen.'

'Mijn familie komt oorspronkelijk uit Jaffa, de moderne stad, het Parijs van Palestina. Het was een zeer rijke stad. De haven, de belangrijkste in het oosten van de Middellandse Zee, was de doorgangshaven tussen Europa en het Midden-Oosten en exporteerde ook citrusvruchten die in de hele wereld beroemd waren. Ten tijde van de Eerste Wereldoorlog telde Jaffa ongeveer honderdtwintigduizend inwoners en had het een bloeiend cultureel leven met bioscopen, theaters en kranten. Zo was het voordat de joden uit Europa arriveerden en er Tel Aviv pal naast bouwden, dat Jaffa begon te beconcurreren.

In die tijd waren er boerderijen en boerenerven tot in de

steden. Mijn vader bezat een paar koeien die hij fokte voor de verkoop en hij was geleidelijk in goeden doen geraakt.

Mijn moeder was zestien toen ze met mijn vader van tweeën-veertig trouwde. Ze was zijn derde vrouw – hij was tweemaal gescheiden – en zij schonk hem twaalf kinderen, bovenop de zes die hij er al had.

Voor 1948 was er veel geharrewar rond Tel Aviv met de joden die uit Europa aankwamen. Ze kochten steeds meer grond, gewoonlijk van afwezige grootgrondbezitters, ze verdreven de boeren en bouwden er kibboetsen. Ze gedroegen zich niet als vluchtelingen, die wij graag verwelkomd hadden, maar als kolonisten die ons ons land wilden afpakken.

Al in 1930 vonden er serieuze conflicten plaats tussen Pales-tijnen en groepen extremistische joden. En daarom ging zowat iedereen een wapen kopen. Maar we waren niet georganiseerd en hadden geen partij. Om ons te verdedigen kochten we alle-maal een eigen wapen en vormden we kleine groepjes. Mijn vader had een Brenn-mitrailleur gekocht voor mijn broer, die zich bij een groep militanten had aangesloten. We hadden geen kanonnen en geen antitankwapens, alleen geweren en een paar mitrailleurs.

In 1948 werd Jaffa hevig gebombardeerd, er brak overal brand uit. De mensen vluchtten met medeneming van een minimum aan spullen, voor één à twee weken, dachten ze, tot het weer wat kalmer zou worden. Mijn vader vertelde me dat ze alles hadden afgesloten en al wat kostbaar was verstopt hadden. Wij woon-den toen in een groot huis van twee verdiepingen met een tuintje. Op de begane grond waren winkels, een bakker, een kapper, een kruidenier. Alles was gebarricadeerd. Na een be-paalde tijd beseften we dat we niet terug konden. Mijn familie besloot naar Gaza te gaan. Maar hoe moest het met de koeien? Mijn vader huurde vrachtwagens om ze te transporteren. Om-dat we ze niet allemaal konden meenemen, moest hij de zwakste dieren ritueel slachten en het vlees verkopen. Hij nam er maar een stuk of zes mee.

In Gaza vormden die koeien, die ons enige middel van bestaan waren, een probleem: we konden niet naar een vluchte-lingenkamp. Dus huurde mijn vader voor twee jaar een huisje op een sinaasappelplantage; daarna zouden we wel weer naar huis kunnen. Later, toen hij inzag dat de ballingschap veel langer zou gaan duren, kocht hij een sinaasappelboomgaard waarin hij een huis en een stal liet bouwen en begon hij zijn leven weer van de grond af op te bouwen.

Ik ben geboren in 1950 en was het elfde kind in het gezin. Ik herinner me dat ik jaloers was op degenen die in het vluchte-lingenkamp woonden. Het was daar één grote familie, de men-sen waren alles kwijt, maar er heerste solidariteit, echte broeder-schap. Ze begrepen elkaar, hadden dezelfde ervaringen, eenzelfde verleden: het was een hechte gemeenschap met eigen gebruiken en een eigen identiteit. Terwijl wij ons te midden van de bevolking van Gaza vreemdelingen voelden. Wij waren "de vluchtelingen" in die vrij rijke en zeer conservatieve maatschapp-ij. Omdat we bij hen woonden, moesten we ons gedragen zoals zij, ook al hadden we daarvoor de middelen niet.

De bewoners van Gaza waren daarentegen weer behoorlijk ruw als je ze vergeleek met de mensen uit Jaffa, en ze minachtten ons omdat we geen stoere kerels waren zoals zij. En dan was er nog het taalprobleem, het dialect van Gaza is grover. Ik herinner me dat ik als kind op verschillende manieren moest praten, thuis of op straat. Ik wist niet waar ik bij hoorde. Als ik naar het kamp ging om mijn neefjes te zien of mijn oudere broers en zussen die daar woonden met hun kinderen, beschouwden die me als een inwoner van Gaza; dat deed pijn, want ik voelde me buiten-gesloten. En als ik dan weer in onze eigen wijk kwam, zeiden de mensen: "Daar heb je die uit Jaffa!"'

Tareqs gezicht staat donker, hij zwijgt, verzonken in gedach-ten.

Na een lange stilte vraag ik: 'Hoe was uw verhouding met uw ouders?'

Daar is zijn kinderlijke glimlach weer.

'Ik was hun lievelingetje en ik was dol op mijn moeder. Ze was zacht en kalm. Maar ik maakte mijn vader bittere verwijten dat hij was weggegaan uit Jaffa. Zelfs nu accepteer ik nog niet dat ze gevlucht zijn. Ik vroeg hun: "Waarom zijn jullie daar niet doodgegaan? Dat was beter geweest dan het leven dat we nu leiden!" Ik snap nu dat die vragen van mij hun veel pijn deden. Mijn vader droomde ervan naar Jaffa terug te keren, tot zijn dood sprak hij daarover. Hij weigerde zelfs nog naar de moskee te gaan, ook al was hij belijdend moslim. Hij nam het de Heer kwalijk, hij zei: "Alleen in Jaffa ga ik naar de moskee." Nooit ontwikkelde hij vriendschapsbanden met de mensen uit Gaza, hij zonderde zich steeds meer van iedereen af.'

'Had hij foto's van Jaffa?'

'Nee. Voor 1948 waren fototoestellen een luxe die alleen de aanzienlijken zich konden veroorloven, maar ik had alle beelden in mijn hoofd. Want mijn vader en moeder, haar zussen en hun buren hadden het voortdurend over Jaffa. Het leek wel of ze niet in Gaza woonden. Ze hadden het over mensen, plekken en gebeurtenissen, en ik sloeg alles in mijn herinnering op. Toen ik er drie jaar geleden naartoe ging, herkende ik elke plaats, het plein met de klok, de moskee, bioscoop Alhambra... De Israëli's hebben er helaas een toeristische trekpleister van gemaakt, een museumstad. Alles lijkt wel van plastic, de stad is zijn ziel kwijt.'

'Was uw vader politiek actief?'

'Hij had veel belangstelling voor de politiek maar was er totaal niet actief in. Hij las alle kranten, zijn held was Nasser, de grote nationalist die beloofd had Palestina te bevrijden. Ik was veel meer geïnteresseerd in de wetenschap, vooral ruimtereizen, en in de letterkunde. Van mijn zakgeld kocht ik alle boeken over Arsène Lupin, en ook Balzac, Emile Zola, Victor Hugo, in het Arabisch dan natuurlijk! Mijn interesse voor de politiek begon toen ik ongeveer dertien jaar oud was. Onze leraren waren voor het merendeel Arabische nationalisten. Een van hen ontving ons thuis en sprak dan over Palestina. Na 1967 werd hij gevangengezet.

Die oorlog van 1967 is het keerpunt in mijn leven geweest. We waren ervan overtuigd dat Nasser Palestina zou bevrijden.

We waren onze koffers al aan het pakken: "Het is zover, we gaan terug!" zeiden we tegen de buren. Mijn ouders maakten plannen, wat we moesten doen met de koeien en dergelijke.

Toen we hoorden van de nederlaag, kreeg mijn vader een hartaanval. Ik was zeventien, Gaza werd beschoten door Mirage-vliegtuigen en kanonnen. Wij hadden geen auto. Ik zette mijn vader op de boerenkar en reed hem naar het ziekenhuis onder de bombardementen. Het was donker, ik was de enige op straat, iedereen verschool zich in huis, ik had het geluk dat ik geen Israëlische soldaat tegenkwam. We bereikten het ziekenhuis en wonder boven wonder kwam mijn vader er goed doorheen.

We hadden allemaal een shock van de nederlaag. Soldaten van het Bevrijdingsleger voor Palestina, een leger dat in 1965 was opgericht door de PLO maar dat alleen maar geweren had tegen het grote Israëlische arsenaal, hadden zich verscholen in de sinaasappelplantage waar wij woonden. Ik bracht hun eten en we hadden het over het verzet. Al gauw vormde een stel van deze soldaten, jongens van negentien of twintig jaar, een groepje om zich actief te gaan verzetten. Ik wilde meedoen, maar ze zeiden dat ik nog te jong was. Maar ik mocht wel helpen, ik wees hun de weg.

Zij organiseerden de strijd tegen Sharon toen die in 1969 naar Gaza kwam om er het verzet te breken. Hij was generaal en paste toen al dezelfde tactiek van ongebreideld geweld toe als hij nu doet. Hij liet tanks en bulldozers het kamp binnengaan en de huizen verwoesten, duizenden mensen arresteren, van kinderen tot bejaarden, hij gaf het bevel tot gerichte aanvallen op militanten, waarbij dan tegelijk hun hele gezin omkwam... In mijn kleine vriendenkring werden er twee gedood en vijf gevangengezet.

Ik had net eindexamen gedaan. Toen het verzet gebroken was, verliet ik Gaza om in Caïro naar de handelshogeschool te gaan – dat was de keus van mijn vader, maar om naar Caïro te kunnen, het lichtend voorbeeld voor de Arabische wereld, had ik elke studie wel willen aanpakken!

Een paar maanden later, in de herfst van 1970, vonden de

gebeurtenissen van Zwarte September plaats: het leger van Hussein verpletterde het Palestijnse verzet dat vanuit Jordanië opereerde. Ik kreeg de kriebels. Ik ben naar het kantoor van de PLO gegaan om me in te schrijven als verzetsstrijder. Ze weigerden: ik was student, ik moest doorstuderen, er waren mensen nodig voor de opbouw van ons toekomstige land. Ik drong zo aan dat ze ten slotte overstag gingen. Honderdtachtig Palestijnen werden in dienst genomen, van wie tachtig studenten. We werden naar Libië gebracht, en daar hebben we een opleiding tot commando gevolgd die zes maanden in beslag nam. Het was heel zwaar. Maar nog voor het einde van onze opleiding stortte het Palestijnse verzet in Jordanië in. Toen brachten ze ons over naar Syrië, op de grens met Jordanië. Daar ben ik mijn militaire loopbaan begonnen. Wij voerden snelle commando-operaties uit tegen de Israëlische strijdkrachten vanuit Syrië.'

Over deze periode van drie jaar in zijn leven wil of beter gezegd mag Tareq om veiligheidsredenen geen bijzonderheden geven. Maar als ik hem vraag of hij heeft deelgenomen aan vliegtuigkapingen, schudt hij krachtig van nee: 'Nooit! Ik ben tegen dat soort acties, altijd geweest ook. Ik heb me altijd verzet tegen vliegtuigkapingen of zelfmoordaanslagen, alle aanslagen op burgers. Als militair zie ik oorlog niet op die manier.'

Hij buigt zich naar mij over en kijkt me in de ogen: 'Soms, als het moet, dood je. Dat moet gebeuren in een militaire context, en dan kunnen er helaas ook wel eens burgerslachtoffers vallen. In een oorlog schieten de soldaten en dan is het logisch dat er mensen omkomen. Maar burgers zijn burgers. Ik ben ertegen dat een strijder zichzelf opblaast te midden van burgers; te midden van soldaten, oké.'

Tareq zegt precies wat Itai ook al tegen me zei, de Israëlische militair met gewetensbezwaren die ik in Jeruzalem ontmoet had. Beiden zijn integere militairen; als ze elkaar zouden ontmoeten, werden ze vast vrienden.

'Zelfs als de Israëli's wel burgers doden, en ze doden er veel,' vervolgt Tareq, 'dan nog ben ik er absoluut op tegen om ongewapende burgers te doden.'

Hij nestelt zich dieper in zijn leunstoel en zegt: 'De strijders van de PLO die in 1970 door de Jordaniërs werden uitgemoord, vluchtten naar Syrië en Libanon. Maar in mei 1973 verslechterden de banden tussen de PLO en het Libanese leger.

We kregen ook problemen met de Syriërs die ons verjoegen en ons vervolgens weer terugriepen, toen ze ons nodig hadden voor de Yom Kippur-oorlog in 1973. Weet u, een buitenlands leger in een land, ook al is het bevriend, geeft altijd moeilijkheden. Bovendien bracht onze strijd tegen Israël represailles met zich mee die vaak de Libanese bevolking troffen, en vandaar de wens van velen om ons te zien vertrekken, ondanks de steun van een meerderheid.

Ik heb meegedaan aan de Yom Kippur-oorlog in een speciale eenheid die opereerde vanaf de Golanhoogte. Daar ben ik gewond geraakt aan mijn hand en mijn arm, een bof, want dat heeft me een bepaalde tijd uit de actie gehouden en me zo de gelegenheid geboden afstand te nemen. Na de nederlaag gingen sommigen van ons wat meer nadenken en ons meer voor politiek interesseren. We hadden er genoeg van gewoon maar soldaten te zijn die zomaar ergens werden ingezet, vervolgens verbannen of weggestuurd door onze Arabische medestanders zodra we lastig voor ze werden, en dan weer teruggeroepen als ze mensen nodig hadden om te strijden tegen Israël! In 1967 hadden we een nederlaag geleden en in 1973 weer. Degenen die ouder waren dan ik hadden ook nog de nederlaag van 1948 meegemaakt, en die van 1956, ten tijde van de bezetting van Suez door de Fransen, Engelsen en Israëli's, waarbij de Israëli's en passant Gaza bezetten en vele mensen vermoordden. En het Palestijnse verzet was ook al geen erg indrukwekkende ervaring: we zijn Jordanië uitgezet en we hadden veel problemen in Libanon.

Ik nam afscheid van het leven als commando en werd een oppassend burger. Ik vond werk in Beiroet, als leidinggevende in een trainingscentrum voor studenten en paramilitairen.'

'Wat werd er van die paramilitairen verwacht?'

'Ze moesten de Palestijnse kampen beschermen die geregeld

gebombardeerd werden door de Israëli's. Ze moesten ook bescherming bieden aan belangrijke Palestijnen in Beiroet tegen de speciale eenheden die erop uit waren hen om te brengen. De leiding van de Fatah stuurde ons vrijwilligers met wie zij eerst zelf uitgebreid gesproken hadden, voor een militaire basistraining.'

Zijn gezicht klaart opeens op.

'Daar heb ik Naima ontmoet, mijn vrouw! Op een dag kwamen er drie jonge meisjes uit de Libanese gegoede burgerij die nauwelijks Arabisch spraken', vertelt hij lachend. 'Naima was een van de drie. Ze wilde bij de Fatah, ze was twintig. Ik was net vierentwintig jaar oud, maar met een verleden. Ik was zes jaar strijder geweest en ik had een monnikenbestaan geleid. Toen ik gewond was, had ik twee maanden in het ziekenhuis doorgebracht. En daar was ik nu opeens, na jaren van bijna totale afzondering, voor het eerst in de wereld, en dan nog wel in Beiroet dat toen een zinderende stad was, de meest wereldse van het hele Midden-Oosten.

Ik herinner me dat ik toen ik die drie mooie meisjes binnen zag komen die naar ons toegestuurd waren door een invloedrijk politicus, naar ze keek en dacht: wat moet dit nu? We hadden Palestijnse meisjes uit de kampen, die streden, en we hadden ook een paar meisjes uit de Palestijnse middenklasse, met name uit Koeweit, maar die spraken tenminste Arabisch! Deze drie spraken alleen Frans met elkaar en brabbelden een beetje Arabisch. Ik nam ze niet au sérieux. Ik deed zelfs een beetje uit de hoogte: "Waarom interesseert dit jullie, jullie hebben geen problemen, waarom willen jullie strijden?" vroeg ik hun. Hun antwoord overtuigde me niet. Ik stelde ze onder de hoede van een van mijn instructeurs om hun te leren een geweer te hanteren. Ik observeerde ze af en toe. Ik vond het irritant, zulke fijne lieden die een beetje oorlogje kwamen spelen, Libanese christenen, wat moesten die hier? Ze deden me denken aan hippies die op zoek zijn naar nieuwe, exotische ervaringen!

Op een dag moesten ze schieten voor me, om te laten zien wat ze konden. Ik herinner me dat Naima het verkeerde oog dichtdeed, en dat ik zei: "Doe allebei je ogen dicht en schiet!" Ze was woedend... Pas later, toen ik haar in actie zag in moeilijke omstandigheden, zei ik tegen mezelf: "Toch zo gek nog niet, die kleine Libanese!"

Terwijl we dit trainingscentrum runden, hadden mijn vrienden en ik het vaak over de toekomst. We vonden de Arabische regimes allemaal verrot en de PLO inefficiënt, maar onze grootste vijand waren de Amerikanen, de onvoorwaardelijke steun en toeverlaat van Israël. Door de herhaalde mislukkingen waren we geradicaliseerd... een beetje te veel, misschien.'

Hij heeft een wat wrange glimlach als hij denkt aan zijn razernij en naïviteit van toen.

In Beiroet zaten toentertijd partijen en groeperingen uit de hele wereld: Ieren, Koerden, Armeniërs, Indiërs, Rode Leger, Rode Brigades, zwarten, gelen, indianen, van alles! Wij stichtten een clandestiene organisatie en begonnen aanslagen te beramen tegen de belangen van de Verenigde Staten in Libanon, Syrië en Jordanië, en natuurlijk ook tegen de Israëli's. Maar nooit tegen burgers! Dat ging zo anderhalf jaar door, van begin 1974 tot juli 1975.

In juli 1975 zijn we gearresteerd door de Libanese en Syrische polities, die nauw samenwerkten, en we werden beschuldigd van een complot tegen de nationale veiligheid van Libanon, Syrië en Jordanië, wat normaal gesproken de strop betekende of toch op zijn minst levenslang. De Syrische veiligheidsdienst nam alle Palestijnen mee naar Syrië, waar ze werden opgehangen. Ik had het geluk gevangengezet te worden in Libanon, zonder proces, want de burgeroorlog was net uitgebroken.

Het was een moderne, schone gevangenis in de bergen, in een gebied dat beheerst werd door falangisten. Ik begon andere politieke gevangenen te bewerken om te proberen te vluchten. We kwamen aan revolvers via bewakers die lid waren van bevriende politieke partijen. Twee keer mislukte het. De derde keer, op oudejaarsnacht, ontdekten ze onze plannen, we werden afgeranseld, in het cachot gegooid, en ze besloten ons uit elkaar te halen. Ik werd naar een oude Ottomaanse gevangenis gestuurd, vlakbij Sabra en Shatila, midden in het gebied van de PLO. Drie zware maanden, het was er vochtig, vies en vergeven van de ratten. Ook daar probeerde ik weer te vluchten. Vierde mislukking. Drie dagen lang werd ik geslagen en gemarteld met een elektrische stok, daarna een week lang opgesloten in een donkere kast, de oven genaamd, waarin het afwisselend extreem heet was waardoor je dacht te stikken, en dan weer ijskoud.'

Tareq geeft verder geen details. Je praat niet over je lijden en je ontberingen: hij is zo bescheiden en waardig dat hij zich niet beklaagt.

'Een paar weken later vond de staatsgreep van 1976 in Libanon plaats. Er kwamen hele mensenmassa's die de poorten van de gevangenissen vernielden en iedereen kon weg. Ik was er niet gerust op, ik ben de poort niet door gegaan maar ik sprong over de muur, stak de prikkeldraadversperring over en hield me schuil. En dat was maar goed ook, want de Syrische inlichtingendiensten stonden de politieke gevangenen op te wachten bij de uitgang. Ik moest een tijd lang onderduiken omdat ik niet alleen gezocht werd door de Israëli's en de Amerikanen, maar ook door de Arabische ontmoedigingstroepen die Beiroet waren binnengetrokken. Naima was ook de gevangenis uit gekomen. We hebben ons veertig dagen schuilgehouden. Toen trokken de ontmoedigingstroepen zich geleidelijk terug en kwam het gebied onder toezicht van de PLO en de linkse nationalistische bewegingen van Libanon.

In die periode begon mijn verhouding met Naima. Daarvoor hadden we maanden in hetzelfde appartement gewoond als vrienden. Langzamerhand begreep ik dat ik verliefd op haar was. De kleine Libanese waar ik me in het begin zo vrolijk om gemaakt had, had me verleid met haar moed, haar charme en haar levendigheid.'

Hij lacht: 'En dat doet ze nu al achtentwintig jaar!

In 1976 was Beiroet de plek waar alle politieke bewegingen zaten en ook inlichtingendiensten uit de hele wereld. Onze groep militanten was ontbonden, de meesten waren dood, ik moest de knoop doorhakken.

We besloten naar Europa te gaan. We gingen met valse papieren op een Cypriotische boot. Honderd keer dachten we dat we ontdekt waren. Ten slotte zijn we twee jaar in Europa gebleven, we gaven Arabische les en vertaalden. Maar zo'n leven in ballingschap was niets voor ons. We verlangden naar Libanon. In 1978 gingen we terug, via India en Jordanië. Een dwaze tocht, maar het kon niet anders. We hadden veel nagedacht en begrepen dat het anders moest dan via gewapende strijd.

Ik heb de wapens pas weer opgepakt in 1982, ten tijde van de Israëlische invasie in Libanon. Maar dat was om ons te verdedigen. Ik stelde een groepje strijders samen en omsingeld als we waren in Beiroet, vochten we twee maanden lang voor elke meter.

Gedurende dat beleg kreeg Naima ons eerste kind. Ik herinner me dat ik een paar uur weg kon om naar het ziekenhuis te gaan. Het was een zoon! Ik kan u mijn ontroering niet beschrijven. Ik omhelsde ze allebei en zei tegen mezelf dat het misschien voor het laatst was; toen ging ik weer terug om te vechten.

Een paar weken later moesten de PLO en alle Palestijnse strijders weg uit Beiroet, verbannen naar verschillende Arabische landen. De gezinnen zouden zich later bij ons voegen. Maar Naima wilde absoluut mee met mij, samen met de baby die nog maar twee maanden was. We kwamen terecht in Tunesië, met de staf van Arafat. Daar werd ik journalist voor Palestijnse persorganen. Mijn verleden van strijder was ver weg, ik vond mijn nieuwe bezigheden heel boeiend. Ik ben nu van mening dat het belangrijkste voor ons volk een goede opleiding is, vooral een goede politieke opvoeding.'

'Hoe was uw leven in Tunesië?'

'Ik hield van het land, maar we waren er vreemden… We zijn er twaalf jaar gebleven. In 1994, na de akkoorden van Oslo, zijn we teruggegaan naar Palestina, samen met vele andere Palestijnen. Het was een zware beslissing voor mij. Denk u zich dat eens in: leven onder Israëlische bezetting! Tot dan toe was mijn verhouding met de Israëli's altijd geweest: óf zij doden mij, óf ik dood hen. Maar al onze vrienden wilden terug, ze waren trots en blij dat ze naar huis konden. Ze dachten dat de Israëlische bezetting niet lang meer zou duren en dat het land uiteindelijk van ons zou zijn. Ten slotte gaf ik toe, voor mijn vrouw en mijn kinderen (ik had inmiddels ook een dochter en nog een zoon).

Ik ben eerst met vrienden naar Gaza teruggegaan via de grens bij Raffah. We keerden officieel terug naar huis, ingevolge de akkoorden van Oslo. Toch moesten we vier dagen en vier nachten wachten aan de grens, onder barre omstandigheden. De Israëlische soldaten schreeuwden tegen ons alsof we honden waren. Nooit had ik zo'n vernedering verwacht. Het was verschrikkelijk dit te moeten ondergaan zonder te mogen reageren, ik ben duizend doden gestorven in die vier dagen. Ik hield vol voor Naima en de kinderen, die zich bij me zouden voegen.

Ten slotte lieten de Israëli's me om één uur 's nachts door. Ik was helemaal verloren daar, ik was uit Gaza weggegaan op mijn negentiende, dat was vijfentwintig jaar eerder.

Ik hervond mijn familie alsof het vreemden waren. Mijn neven, die klein waren toen ik wegging, hadden nu zelf kinderen. Ik moest kinderen kussen waarvan ik geen idee had wie ze waren. Ik vond alles zo onnatuurlijk. Ze wilden me in triomf naar het huis van mijn moeder dragen. Onderweg leek alles me zo klein; de straat, de bomen, de mensen, de ruimte, alles was gekrompen. Ik had herinneringen aan sinaasappelplantages en boomgaarden, aan ezels met hun karren, herinneringen aan schoonheid en rust. Maar alles was foeilelijk geworden, overal beton en auto's en stof… ik was ervan in de war.

Mijn moeder stond me op te wachten in de deuropening. Ze deed haar mond niet open, ze keek me aan en nam me in haar armen. Toen gingen we naast elkaar zitten, en ze keek me maar steeds aan, ze raakte me aan alsof ik een buitenaards wezen was. En ik herkende alleen maar degenen die ouder waren dan ik, veel ouder geworden en omringd door tientallen kinderen. Ik kan niet zeggen dat ik teleurgesteld was, ik voelde alleen een grote leegte, alsof ik in een put gevallen was. Alles was anders, zelfs de lucht leek verstikkend.

Ik was voor hen ook een vreemde geworden. Om de leegte te vullen spraken de ouderen tegen me alsof ik nooit weg was geweest. Ze maakten dezelfde grapjes, ze wilden de draad oppakken waar hij was blijven liggen. Ik voelde me mijlenver weg.

Een maand later kwam Naima. Het was vreselijk. Terwijl zij antwoord gaf op het spervuur van vragen, stonden onze kinderen op de binnenplaats waar andere Palestijnse jongelui grappen aan het maken waren. Er kwamen militairen in burger aan, die hen sloegen en schopten en uitscholden. Mijn kinderen tussen de acht en de twaalf kregen er echt een trauma van. Voordat we weggingen had ik tegen ze gezegd: "Straks zijn we in Palestina, je zult eens zien hoe prachtig het daar is, de zee, de natuur... En binnenkort hebben we onze eigen staat, een normaal leven, je zult zien hoe gelukkig we daar worden!" En ze werden ontvangen met geweld...

Maar dat vergaten we al gauw. We waren thuis! De grote steden waren bevrijd. Voor de rest ging het langzaam, maar we hadden hoop. Ik vond werk bij een culturele instelling. Verbaast u dat? Cultuur is echt niet alleen maar Stendhal of Picasso, het bestrijkt een breed terrein, waar je van alles kunt doen, met name mensen politiek bewust maken.'

'U hebt dus definitief afgezien van de gewapende strijd?'

'Ja, tenzij ik natuurlijk ooit mijn gezin moet verdedigen. Teruggaan naar Palestina was voor mij een politieke beslissing. Ik ben er nu van overtuigd dat de enige manier om tot vrede te komen is: via onderhandelingen. We moeten afzien van geweld, maar niet omdat alles nu mislukt. Onze generatie zal misschien geen onafhankelijk Palestina meemaken, maar onze kinderen wel. Palestina...'

Zijn gezicht betrekt: 'Nog maar een paar maanden geleden stond ik elke dag heel vroeg op en ging dan lopen. Sinds mijn terugkeer liep ik maar steeds door de velden, om de lucht met volle teugen in te ademen en het licht van mijn land in te drinken. Ik kon er geen genoeg van krijgen, ik had er zo vaak van gedroomd. Dit was mijn manier om al die jaren ballingschap in te halen en mijn land terug te vinden. Elke boom, elke struik, elk korenveld vervulde me met geluk en trots. Dit was ons land, mooier dan alle andere landen op de wereld. Vaak ging ik in het gras liggen en snoof de geur van de aarde op; u zult wel denken dat ik gek ben, maar ik drukte soms zelfs mijn lippen op de aarde om er één mee te worden... en te huilen van geluk. Maar nu...'

Hij is gaan staan en kijkt somber: 'Sinds twee jaar mag ik de stad niet meer uit en de helft van de tijd zelfs de flat niet. Ik stik. Op een dag zullen we de kanonnen trotseren, zoals ze dat in Nablus en elders gedaan hebben, gewoon omdat ze het niet meer konden verdragen altijd opgesloten te zitten. Op een dag breken we uit en laten ons doden, gewoon omdat we willen kunnen ademen!'

Een jongetje dat een beetje anders is[73]

In Gaza, ten noorden van het vluchtelingenkamp Jabaliya, ligt het dorp Beit Lahiya vlak aan zee, omringd door zandduinen vol afval, want in deze piepkleine enclave met prikkeldraad eromheen, waar meer dan een miljoen Palestijnen zijn ondergebracht, mag het afval er net zo min uit als de mensen. Maar ook al ligt er zoveel afval, toch zijn deze duinen een grote bof voor een jongetje van dertien. Je kunt er vanaf roetsjen, stevig vastgesnoerd op een door je vader gemaakt skateboard, en als je valt is het niet erg, het zand breekt je val. Het probleem is dat je niet met je plank naar boven kunt, laat staan het duin opklauteren voor een nieuwe glijpartij, je moet wachten tot je moeder je weer op de plank zet of je in haar armen neemt om je naar huis terug te brengen en je op de grond te zetten, want je bent een jongetje zonder benen.

Najwa al-Sultan is opvallend beschaafd met haar fijne bouw, bleke gelaatskleur en zwarte haren die braaf bedekt zijn met een witkatoenen sluier. Op haar achtentwintigste is ze moeder van vier kinderen. Mohammed is de oudste, een mooi jochie met kuiltjes in zijn wangen, bruine krullen en een kinderlijke glimlach die gelogenstraft wordt door zijn grote bedachtzame ogen. Ze was vijftien toen hij geboren werd. 'Bij ons trouwen ze vroeg, vooral in deze onzekere tijden. Ouders zijn bezorgd om hun dochters.'

Najwa en haar man Fadel ontvangen me. Hun huis is een bouwsel van grof cement dat niet af is wegens gebrek aan materialen, zoals de helft van de huizen in Gaza. Ze geeft me geurige welkomstkoffie met een snufje kardemom erin en gaat

---

73. De Israëlische cineast Ram Loewy heeft een heel mooie film over hem gemaakt.

dan tegenover me zitten met de handen gevouwen in de schoot als een modelleerlinge die op vragen wacht.

Ik vind het niet prettig om in het bijzijn van Mohammed te praten, maar die lijkt niets te horen, verdiept als hij is in de elektrische pop die ik voor hem heb meegebracht en die hij alle richtingen op kan sturen met de afstandsbediening. Voelt Mohammed zich er vrijer door? Of juist onvrijer? In de enige speelgoedwinkel die Gaza rijk is, heb ik er lang over staan dubben, maar nu is mijn angst weg: hij ziet eruit alsof hij dolblij is en kijkt glimlachend naar het komen en gaan van de pop. Een mooie, ernstige glimlach. Lachen als een kind kan hij, geloof ik, allang niet meer...

Haast onhoorbaar klinken Najwa's woorden: 'Op een dag toen Mohammed vier jaar oud was, werd hij wakker met een voet die helemaal blauw was. Hij had pijn en hij huilde. Ik nam hem mee naar alle doktoren en ziekenhuizen in Gaza, maar niemand begreep wat hij had. Ze raadden me aan een specialist te bezoeken in Jeruzalem. Met de verwijsbrief van de arts vroeg ik een vergunning aan bij de Israëlische autoriteiten, maar zij weigerden er een af te geven. Dat was in 1994, na de akkoorden van Oslo, een rustige tijd toen iedereen dacht dat het weldra vrede zou zijn. Maar de Israëlische versperringen waren er nog steeds, en je kon Gaza niet uit zonder speciale vergunning. Aangezien Mohammed steeds meer pijn kreeg, besloot ik naar de versperring te gaan en de soldaten te smeken ons door te laten. Het kind kronkelde van de pijn, hij brulde en ik huilde en smeekte om medelijden. Tevergeefs. Ze duwden me weg met de loop van hun geweren en als ik toch dichterbij probeerde te komen, legden ze aan.

Op de vierde dag kreeg onze huisarts ten slotte gedaan dat Mohammed naar Jeruzalem mocht, met mijn moeder. Hij schreeuwde niet meer, hij had geen pijn meer, hij voelde zijn benen niet meer. Maar eenmaal in Jeruzalem was het te laat: het bloed was gestold in zijn aderen, de specialist kon de bloedsomloop niet meer op gang krijgen, en hij moest beide benen van mijn zoontje amputeren!'

Ze barst in snikken uit: 'Hij zei dat als we één dag eerder waren geweest hij hem nog had kunnen redden...'

Ze huilt terwijl haar man naast haar haar hand vastpakt. Mohammed die op het kleed van jute zit te spelen, kijkt op en werpt een droeve blik op zijn moeder. Alsof hij wou dat hij haar kon troosten!

'Maar waarom mocht u er toen niet door?'

Najwa heeft haar tranen gedroogd en kijkt me recht in de ogen: 'Omdat ik ten tijde van de eerste intifada op mijn zeventiende in de gevangenis heb gezeten.'

'Wat had u gedaan?'

'Ik was soldaten aangevallen.'

Ik kijk haar stomverbaasd aan. Dit tengere vrouwtje?

'Aan het begin van de intifada in 1987 was ik dertien', vertelt ze. 'Mijn ouders waren niet politiek actief, maar een broer van mijn moeder zat in het verzet. We zagen hem weinig, want hij moest zich steeds schuilhouden. Op een dag dat hij naar huis ging om zijn vrouw en kinderen te zien, werd hij gedood voor zijn huis door een vanuit een helikopter afgeschoten raket. Toen gingen ook twee andere ooms van me in het verzet. Vanwege hen kwamen de soldaten vaak bij ons. Ik herinner me gebonk op de voordeur in de vroege ochtend, het binnenvallen van die gelaarsde en met handmitrailleurs bewapende mannen in de kamer waar wij sliepen, onze angst, onze schaamte... Ik denk dat mijn ouders hebben gezorgd dat ik zo jong trouwde om me te beschermen.'

Ze wendt zich naar haar man naast haar. Hij is nauwelijks ouder dan zij, en met zijn mooie glimlach straalt hij kalmte en rust uit.

'Mijn familie is totaal niet politiek', verklaart hij. 'Ik heb zelf nog nooit een wapen gedragen. Mijn gevecht bestaat eruit dat ik me elke dag weer met woorden en volharding verzet, en doorleef en hoop houd, ondanks alles. Zelfbeheersing, het overwinnen van de eigen zwakheden, dat heet in de islam de grote Jihad, in tegenstelling tot de kleine Jihad, die oorlog is.'

Najwa schonk al heel snel het leven aan Mohammed.

'Hij was een schat van een baby, hij lachte altijd. Ondanks onze armoede voelde ik me de koning te rijk. Maar wat er om je heen gebeurde, kon je niet ontgaan. Mijn beide ooms waren gevangengenomen, we wisten dat ze gemarteld werden.

De dag dat alles anders werd, was toen pal voor ons huis een oude man die langsreed op zijn ezel door Israëlische soldaten in elkaar geslagen werd. Hij smeekte ze om te stoppen, zijn gezicht bloedde hevig. Toen ze hem ten slotte achterlieten, rende ik naar hem toe en nam hem mee naar binnen om hem te verzorgen. Hij zei maar steeds: "Nee, laat me maar, anders doden ze jou nog!" Toen wist ik dat ik niet meer werkeloos kon toezien. Plotseling was ik niet meer een bang meisje, verontwaardiging kreeg de overhand. Ik moest iets doen, anders zou ik mezelf niet meer recht in de ogen kunnen kijken, ik zou afschuw krijgen van mijn eigen lafheid.

Naast ons huis in Abu Khadra was een militair centrum. Ik zorgde ervoor dat ik een molotovcocktail kreeg, die door een stel jongeren gemaakt was. Ik verborg hem onder mijn sjaal en liep naar het centrum, en toen ik er dicht genoeg bij was, gooide ik hem.'

We hangen aan haar lippen, ikzelf en haar man die het verhaal natuurlijk al kent en bovenal Mohammed die zijn ogen strak op zijn moeder gericht houdt. De verlegen vrouw van daarstraks is opeens een onverschrokken verzetsvrouw.

'Ik probeerde weg te komen, maar ik werd al snel gepakt en naar de gevangenis gebracht. Daar kreeg ik een pak rammel, ze trapten me in de buik en op het hoofd. Vervolgens sloten ze me uren op in een donkere kast waar ze me alleen uithaalden om me te ondervragen. Maar al gauw zagen ze in dat ik bij geen enkele groep hoorde, dat ik op eigen houtje gehandeld had uit verzet tegen alles wat ik gezien had. Toen ondervroegen ze me ook niet meer en stuurden me naar de gevangenis van Ashkelon. Ik lag in die koude stinkende cel zonder enige verzorging en ik dacht dat ik doodging. De soldaten maakten zich vrolijk om me: "Arme sufferd", zeiden ze. "Jij lijdt terwijl je president lekker op huwelijksreis is!" Het was ten tijde van het huwelijk van Arafat met Soha.

Gelukkig kondigde het Rode Kruis op een dag aan dat het de gevangenis kwam inspecteren. Vlug lapten ze me een beetje op en zetten me in een comfortabele kamer, waarbij ze dreigden dat ik, als ik me zou beklagen, terug zou moeten naar het donkere cachot. "Maar als jij je mond houdt, zullen we je goed behandelen en mag je in deze mooie kamer blijven." Ik was bang en dus loog ik tegen het Rode Kruis. Dat heb ik daarna diep betreurd, want ik werd meteen weer in dat afschuwelijke cachot gestopt.'

Verontwaardigd neemt ze mij als getuige: 'Waarom komen de inspecteurs van het Rode Kruis nooit eens onaangekondigd langs? Het is toch niet zo moeilijk te raden dat alles mooier gemaakt wordt voor hun komst en dat de gevangenen zwijgen omdat ze bedreigd zijn!'

Voor de zitting verbleef Najwa wekenlang in een getraliede cel.

'Het was net een kooi, iedereen kon me zien. Ik was de enige vrouw en de voorbijgangers bekeken me alsof ik een merkwaardig beest was, ik stierf van vernedering.'

Tijdens het proces had de rechter haar slechts tien jaar gegeven. Haar advocate had in het pleidooi gezegd dat ze een kind van twee had dat zijn moeder nodig had en zo was ze erin geslaagd de straf naar beneden te krijgen.

'Mijn molotovcocktail had niemand verwond, anders had ik veel meer gekregen. In de gevangenis kreeg ik mijn politieke opvoeding. Er waren daar groepjes van diverse organisaties en de leider van elke groepering onderhield de contacten met de gevangenisautoriteiten. Als er een probleem was, als de soldaten niet tevreden waren, namen ze die leider mee naar een cachot en martelden hem met elektriciteit. Wat de overige vrouwelijke gevangenen betreft: ze maakten ons vast aan de muur en sloegen ons.'

'In welke groepering zat u? Fatah? Hamas?'

'Nee, ik behoorde tot de Islamitische Jihad omdat ik de leidster Safia heel graag mocht. Ze had een oprechte blik, ze was heel gelovig en heel intelligent. Ze heeft me veel geleerd.

Een keer zijn we elf dagen in hongerstaking geweest om bezoekrecht te krijgen voor onze kinderen en vooral om te protesteren tegen de slechte behandeling door de bewakers van een geestelijk achtergebleven meisje. Elke dag kwamen ze haar halen, folterden haar, maakten zich vrolijk om haar en elke ochtend keerde ze terug vol kneuzingen en blauwe plekken. Uit solidariteit staakte de hele gevangenis met ons mee. Aan het eind van de staking gaven ze ons rauwe wortels te eten. En we spuwden allemaal bloed.'

Ik werp een blik op Mohammed. Wat kijkt hij vreemd naar zijn moeder! Het is niet meer de bewondering van daarstraks, maar de ernstige blik van een kind dat weet wat lijden is.

Najwa werd na anderhalf jaar uit de gevangenis ontslagen, in 1994, met de groep gevangenen die na de akkoorden van Oslo werd vrijgelaten. Ze was negentien.

'Ik heb toen elke vorm van militarisme gestaakt, ik geloofde in de vrede. Ik zei tegen mijn kinderen: "We moeten vrienden worden met de Israëli's. Van nu af aan zullen we allemaal samen in vrede leven." Ik verzekerde hun dat ze een mooi leven zouden krijgen, een interessant beroep.'

Ze wijst op de kleine broertjes van Mohammed, drie lachende jochies die aan het knikkeren zijn: 'De een wil ingenieur worden, de ander dokter en de derde militair. Ik zei toen tegen ze dat ze zouden helpen hun land, Palestina, op te bouwen, dat er niets meer te vrezen was, dat we allemaal in goede verstandhouding met elkaar zouden leven.'

Ze buigt het hoofd: 'Ik neem het mezelf kwalijk dat ik ze valse hoop gegeven heb. Ik was te naïef. Nooit zullen de Israëli's ons ons vaderland teruggeven, tenzij ze er met geweld toe gedwongen worden!'

'Denkt u werkelijk dat het doden van burgers een oplossing is?'

Haar gezicht betrekt, ze ziet er even hulpeloos uit: 'Als ik op televisie een Israëlische moeder zie die huilt om de dood van haar kind, heb ik de neiging ook te gaan huilen...' mompelt ze.

Het is acht uur. Het is donker, ik maak aanstalten om weg te gaan, maar mijn gastheer en gastvrouw roepen: 'U moet blijven eten!'

Ik voer allerlei excuses aan, want ik wil hen niet op kosten jagen, maar Najwa weigert naar me te luisteren: 'Gaat u maar even een luchtje scheppen op het terras, ik ben zo klaar.'

Ik vermoed dat ze alles al had klaargemaakt. Haar gastvrijheid afslaan zou een belediging zijn, zelfs als ze de volgende dag niets te eten hebben. In het Oosten geldt: hoe armer hoe gastvrijer, dat is de enige luxe die men nog heeft.

We gaan de trap op naar het terras. Fadel excuseert zich voor de staat van de trappen en het hele huis. In plaats van deuren en ramen zijn er gewoon openingen waar soms lappen stof voor hangen, een ondeugdelijke bescherming tegen de weersomstandigheden.

'Ik ben dit huis jaren geleden begonnen te bouwen, maar ik had nooit genoeg geld om het af te maken. Nu minder dan ooit: er is geen werk meer...'

Buiten is alles rustig, we genieten van de eerste koelte. Dichtbij zien we grote groepen lichtjes.

'Dat zijn de nederzettingen van Eli Sinaï en Nissanit', zegt Fadel. 'De kolonisten zijn tot de tanden gewapend. Op een dag komen ze ons beslist aanvallen en bezetten.'

Iets verderop ligt fel verlicht de doorgangspost Erez, op de grens tussen de Gazastrook en Israël, waar niemand meer door mag sinds twee jaar, behalve diplomaten en buitenlandse journalisten. Het contrast is enorm, tussen de paar lichtjes van de Palestijnse dorpen en de overdaad aan licht aan Israëlische kant, wat aan een gigantisch toneel doet denken.

Nauwelijks heb ik dit bedacht of het wordt aardedonker.

'Ach ja, de elektriciteit valt aldoor uit', zegt Fadel filosofisch. 'De Israëli's hebben Gaza maar een heel klein voltage toegekend. Terwijl hun nederzettingen de hele nacht in het volle licht baden en overal airco hebben, hebben wij zelfs geen stroom om de fans te laten draaien: in de zomer stikken we van de hitte en 's winters bevriezen we omdat we geen verwarming kunnen aandoen.'

Van beneden vraagt Najwa ons haar te verontschuldigen: het eten zal later klaar zijn want ze moet nu bij het licht van een kaars werken.

We hebben de tijd. Het is een mooie avond. Ik kijk naar de sterren en ondanks de spanning, de problemen en het voortdurende geronk van F-16's boven onze hoofden word ik gegrepen door de schoonheid van het moment. Boven mij staat een planeet fel te stralen.

'Venus?'

'Nee,' verbetert Fadel, 'een Israëlische verkenningssatelliet. Ze observeren ons, ze zien de kleinste details, ze houden ons voortdurend in de gaten.'

Het geronk van de vliegtuigen komt dichterbij, ze cirkelen boven ons hoofd. De mensen wijzen ze elkaar aan vanaf de terrassen.

'Je weet nooit of ze een bom zullen laten vallen', zegt Fadel. 'Hé, kijk daar eens.'

Bij de versperring Erez bewegen lichten, het is een rij tanks die Gaza binnentrekt.

'Ze gaan een dorp binnenvallen, zo gaat dat elke dag; zelfs als er niets aan de hand is doen ze dat om de mensen de schrik op het lijf te jagen. Maar daarmee wakkeren ze de haat alleen maar aan. Een paar dagen terug wilden twee jongeren uit kamp Jabaliya, hiernaast, een nederzetting binnengaan. Ze werden gesnapt en gedood. Hun moeder is naar hun lichamen gaan vragen. In plaats van ze haar te geven lieten de soldaten de honden los op de lijken en de lichamen werden verscheurd voor de ogen van de moeder, die brulde...'

Hij schudt het hoofd: 'Dat ze hen doden is één ding, maar dit... denkt u dat we dit ooit vergeten?'

Eindelijk is het eten klaar. Najwa heeft een waar feestmaal klaargemaakt: kefta, houmous, gevulde aubergines, sayadieh (vis met rijst en uien) en de heerlijkste zoetigheden, ka'ak, krafelt en baklava, alles met vers rietsuikersap.

'Ik wilde u de echte Palestijnse keuken laten proeven, zodat u weet dat wij heel oude tradities hebben, dat we geen miezerige nomaden waren, zoals de Israëli's zeggen om ons het recht op ons land te ontzeggen.'

'Er zijn toch ook wel Israëli's die de Palestijnen proberen te helpen, zoals Ram bijvoorbeeld, die een film heeft gemaakt over uw moeilijkheden?'

Ze geeft toe dat dat zo is, ja, er zijn goede Israëli's maar de meesten willen geen vrede. Als ze die wel wilden, hadden ze niet voor Sharon gestemd, want in Sharons verkiezingsprogramma stond dat hij de akkoorden van Oslo en een onafhankelijk Palestina verwierp. Vroeger stemden ze voor Rabin, die een tegengesteld programma had. Hun politiek verandert voortdurend!

Ik wend me tot Mohammed, die naast me zit.

'En jij, Mohammed, wat vind jij van de Israëli's?'

'Het zijn verraders', zegt hij met zijn heldere stem: hij heeft de baard nog niet in de keel. 'Ze hadden ons een land beloofd, maar ze hebben gelogen. Ze doden kinderen met vliegtuigen en geweren. We zijn altijd bang, je kan niet slapen als je die vliegtuigen hoort… en… ik ben mijn benen kwijt door hen.'

Hij buigt het hoofd alsof hij het niet kies van zichzelf vindt zijn eigen verminking en lijden te noemen.

Ik dring aan: 'Maar de filmer, is die je vriend?'

'Nee! Zelfs als de Israëli's iets goeds doen voor me, verafschuw ik ze nog, ik wil niet met hen praten. Als ze vrede willen, waarom moeten ze dan onze grond bezetten?'

'Maar als het ooit vrede wordt, denk je dat je dan Israëlische vrienden zult kunnen hebben?'

'Nee!' zegt hij weer fel, zonder een spoor van aarzeling. 'Ten eerste denk ik niet dat het ooit vrede wordt en ten tweede wil ik niet samenleven met Israëli's. Nooit! Nooit! Ik wil in Palestina wonen met Palestijnen.'

Hoe zal Mohammed zijn als hij groot is? Zijn vader vertelde me dat hij hem een goede opleiding wil geven, hem wil laten doorleren, in de informatica bijvoorbeeld. Dit alles natuurlijk op voorwaarde dat er geld voor is… Maar afgezien van een vak, wat voor mens zal er groeien uit deze knappe jongen zonder benen?

Het werd laat bij het licht van de kaarsen. Na het eten wilden de broertjes van Mohammed het lied van de Palestijnen, 'Biladi' (Mijn land), voor ons zingen.

Als we uit elkaar gaan – zullen we elkaar ooit terugzien? – pakt Najwa mijn hand en kijkt me doordringend aan: 'Weet u,' mompelt ze, 'zelfs als het hier rustig is, schrijnt het altijd in het hart van de mensen.'

Twee maanden later, op 6 augustus 2002, zijn een stuk of dertig Israëlische tanks 's morgens vroeg het dorp Beit Lahiya binnengevallen. Ze schoten met zware mitrailleurs. We weten alleen dat een Palestijnse politieman gedood is en dat twee andere mensen zijn gearresteerd. In de eerste maanden van 2003 vonden er nog meer dodelijke invallen plaats.

Wat is er geworden van de kleine Mohammed en zijn ouders?

Het leven als Israëlisch Arabier

Israëlische Arabieren zijn Palestijnen die gebleven zijn waar ze waren ten tijde van de proclamatie van de staat Israël, in mei 1948. Er zijn er momenteel ongeveer een miljoen, oftewel twintig procent van de bevolking.

Als Israëlische burgers hebben ze in principe dezelfde rechten als de rest, maar in werkelijkheid hebben ze dagelijks te lijden van discriminatie, onder het mom van legaliteit. Zo krijgt men alleen een studiebeurs, een lening voor een woning of een krediet als men zijn dienstplicht vervuld heeft. Zelfs het recht op arbeid hangt daarvan af; in de meeste advertenties staat dan ook: 'na de militaire dienst'.

De Israëlische regering stelt haar Arabische burgers (met uitzondering van de kleine druzische gemeenschap[74]) hiervan vrij, en zodoende hebben zij geen recht op enige ondersteuning. Dit in tegenstelling tot de orthodoxe joden die weigeren hun dienstplicht te vervullen maar wél dezelfde voordelen genieten als de anderen.

Een recente studie van de hand van twee sociologen, Ramsis Gharra en Rafaella Cohen, toont aan dat de salarissen van joden vijfendertig procent hoger zijn dan die van niet-joden en dat zevenendertig procent van de Arabische bevolking onder de armoedegrens leeft, tegen dertien procent van de joodse bevolking.

Andere statistieken wijzen uit dat ten gevolge van de grondonteigeningen twintig procent van de Israëlische Arabieren nog maar twee procent van de grond bezit.

---

74. Druzen: een minderheid van niet-orthodoxe moslims woont in Syrië, Libanon en Israël.

De moord op een vredesactivist

Asel is gedood in het groene T-shirt van de organisatie Grains of Peace[75]. Een soldaat schoot hem van dichtbij een kogel in de rug.

Hij was zeventien jaar oud, een Israëlische Arabier die vloeiend Hebreeuws, Arabisch en Engels sprak, en die al sinds zijn veertiende streed voor toenadering en begrip tussen joden en Arabieren. Hij had veel vrienden in beide gemeenschappen, en ook in Zwitserland en de Verenigde Staten, waar hij had deelgenomen aan jongerenkampen voor vrede; hij was zelfs al een paar keer afgevaardigd door zijn organisatie, onder andere naar Kofi Annan.

De mensen die ouder waren dan hij hadden veel vertrouwen in hem: zijn tolerantie, zijn ernst, zijn gevoel voor humor en zijn gave iedereen voor zich in te nemen maakten dat hij leek voorbestemd tot toekomstig leider in de moeilijke dialoog tussen Israëli's en Palestijnen.

Ik had zo veel over hem gehoord dat ik er meer van wilde weten en dus toog ik naar Araba, een dorpje dicht bij Nazareth, om zijn familie te ontmoeten.

Tegen het eind van deze zomermiddag rijd ik in een auto over de bochtige wegen van het groene Galilea. Het licht is er doorzichtig en alles ademt vredigheid, de zacht glooiende hellingen, de zilveren schakeringen van de olijfbomen en de gracieuze cipressen. Op de grond zit een oude man met een wit-zwarte kaffiah op het hoofd te kijken hoe de zon ondergaat op zijn land. De voren ervan zijn kaarsrecht, als langs een liniaal getrokken. Langs de hele weg valt me op hoe zorgvuldig deze landerijen bewerkt zijn.

---

75. Een internationale vredesbeweging.

'Wij Palestijnen hebben weinig grond en daarom leggen we er ons hele hart in', legt mijn chauffeur uit. 'De aarde is ons bloed, ons kind. Maar hoelang nog? Jaar in jaar uit pakken ze ons van alles af, zogenaamd voor het heil van de staat...'

Het is bijna donker als we aankomen bij een leuk huis met een tuin eromheen. Een kleine man van een jaar of vijftig en een jong meisje wachten me op onder de veranda. Dit zijn Hassan Asleh en Aysha, de vader en de oudste zus van Asel. Later zal de moeder, een vrouw met een ingevallen gezicht, ons komen begroeten, maar ze zal zich al snel terugtrekken met het excuus dat ze nog werk te doen heeft.

'Onze zoon is twee jaar geleden gedood, maar ze kan er nog steeds niet over praten', legt haar man me uit.

Asel werd gedood op 2 oktober 2000, tijdens een vredesdemonstratie van Israëlische Arabieren.[76] Deze demonstratie volgde op het bezoek van Sharon aan het Plein der Moskeeën en de daaropvolgende hevige schietpartij waarbij zeven Palestijnse demonstranten werden gedood en meer dan tweehonderd gewond.

Hassan Asleh doet het verhaal, bijgestaan door zijn dochter als hij zijn woorden niet kan vinden in het Engels: 'De demonstratie vond plaats bij de noordelijke ingang van het dorp. Buren waren komen vertellen dat er een bijeenkomst was, maar dat alles rustig was. Toen realiseerde ik me dat Asel niet thuis was. Ik had een voorgevoel, nam een taxi en ging poolshoogte nemen. Er waren veel jongeren die leuzen riepen tegen Sharon. Politiemannen in uniform wierpen traangasgranaten en schoten met rubberkogels, de jongeren gingen door met demonstreren. Ten slotte zag ik Asel, makkelijk te herkennen omdat hij zo lang was en een groen T-shirt droeg. Hij stond onder een olijfboom en keek naar de demonstratie. Plotseling zag ik een jeep aankomen,

---

76. Er vielen dertien doden en zevenhonderd gewonden. Voor het eerst sinds de 'dag van de aarde' in juni 1976, toen soldaten tijdens demonstraties tegen grondonteigening zes mensen doodden, werd er door het leger geschoten op ongewapende Israëlische Arabieren.

drie mannen in kaki sprongen eruit en begonnen te rennen, met hun geweren op de demonstranten gericht. Ze vuurden terwijl andere politiemensen schoten vanaf de bermen van de weg, en dat terwijl de mensen tegenover hen volstrekt ongewapend waren! Wij waren perplex: in Israël schiet de politie nooit op demonstranten.

Op dat moment besefte ik dat Asel met zijn rug naar de bewapende mannen stond die in zijn richting liepen. Ik riep hem toe: "Kom hier!" Hij hoorde me, stond op, maar de politie kwam er al aan. Toen zag ik hem naar de bomen toe rennen, de politie haalde hem in, omsingelde hem en een van hen sloeg hem met de kolf van zijn geweer. Hij viel, ik zag hem niet meer, maar ik hoorde hem schreeuwen: "Papa! Papa!" Toen hoorde ik een schot achter de bomen en ik zag de drie politiemensen uit het bosje komen. Ik herinner me dat ik dacht dat het raar was dat ze weggingen zonder Asel. Toen begreep ik pas dat ze hem gedood hadden. Ik viel flauw... Toen ik bijkwam werd me verteld dat mijn zoon naar het naburige ziekenhuis Sakhnin gebracht was. Daar is hij bijna meteen overleden.'

De man praat niet verder, hij staart naar de tafel, met gespannen kaak. Zijn dochter houdt zijn hand vast. We blijven zwijgen. Vanaf de muur kijkt een jonge jongen met ronde wangen en een lachend gezicht ons aan met zijn tintelende donkere ogen.

'Voor hem kon alles altijd opgelost worden met praten', zegt Aysha. 'Hij had een website gemaakt voor Grains of Peace. Hij bracht uren door achter zijn computer en chatte met mensen van allerlei overtuigingen, en omdat hij hun argumenten aanvaardde en hun op zijn beurt ook geduldig de Palestijnse kant van de zaak uitlegde, ontstond er een echte dialoog, en geleidelijk aan kwam er begrip. Na zijn dood ontvingen we honderden boodschappen, vooral van jonge joden overal ter wereld die zijn dood diep betreurden.'

'Is er een onderzoek geweest naar de omstandigheden van zijn dood?'

De vader haalt de schouders op.

'We hebben een klacht ingediend, net als de families van de andere twaalf dodelijke slachtoffers en de gewonden. Na een maand van demonstraties en vragen door mensenrechtenorganisaties zegden ze ons een officiële onderzoekscommissie toe met door de president van de Hoge Raad uitgekozen leden die niet afhankelijk van de regering zijn. Deze commissie heeft tientallen getuigenissen gehoord van mensen die ter plekke waren. Ze vermeldden de weigering van de politie om met de Arabische leiders te overleggen, die de zaak hadden kunnen kalmeren, en het gebruik van onevenredig zwaar geweld. Maar net als altijd wanneer het gaat om ons, Israëlische Arabieren, werden de politiemannen gedekt door hun superieuren en werd er geen enkele schuldige aangewezen.'

'Zijn die dertien doden volgens u gevallen door persoonlijke blunders of door een bevel van hogerhand?'

'Dat vraag ik me nog steeds af: waarom schoot de politie op ongewapende mensen die hen totaal niet bedreigden? Het lijkt absoluut een provocatie. Ik denk zelfs dat het misschien wel een test was voor een latere actie: de Israëlische autoriteiten hebben namelijk steeds openlijker de bedoeling de Arabische bevolking te verjagen. Zelfs socialistische leiders als Barak beschouwen ons tegenwoordig als een groot strategisch probleem. Zo stelde Barak voor het gebied van Um al-Fahem met de omliggende dorpen, waar voornamelijk Israëlische Arabieren wonen, te ruilen tegen nederzettingen op de Westelijke Jordaanoever. Ze doen maar. Ze praten over ons alsof we strobalen zijn die je van de ene plek naar de andere kunt slepen!

Weet u, oktober 2000 is het keerpunt geweest. Tot dan toe dachten we dat we geleidelijk geaccepteerd zouden worden als volwaardige burgers. Ondanks alle discriminatie waar we het slachtoffer van waren, hielden we ons daaraan vast. Dit bloedbad heeft ons uit de droom geholpen, we beseffen nu dat we, zodra er een probleem is, als vijand behandeld zullen worden. Het feit dat de soldaten op ons geschoten hebben zoals ze schieten op de bewoners van Gaza en de Westelijke Jordaanoever, en dat de meerderheid van de joodse burgers daar achter stond, is een verschrikkelijke klap geweest voor een ieder die geloofde in verzoening en integratie. Het is het bewijs dat zij ons niet beschouwen als medeburgers, maar als Palestijnen van buiten, als vijanden.'

'Op straat', valt Aysha in, 'moeten we heel voorzichtig zijn. Als we Arabisch praten, lopen we het risico te worden aangevallen of op zijn minst uitgescholden.'

'Zo is het eigenlijk altijd geweest', herinnert haar vader zich. 'In onze jeugd waren we altijd bang zelfs maar onze naam te zeggen. Ik weet nog dat ik naar Haifa ging toen ik tien was, om werk te zoeken; iemand vroeg me hoe ik heette. Ik zei Moshe, want ik was bang dat ze me anders zouden slaan. Ze geloofden me, want ik sprak goed Hebreeuws, dat leerden we op school.'

'Moest u al werken op uw tiende?'

'Ja, als landarbeider in een kibboets en tegelijk ging ik door met leren. Maar ik heb alleen maar middelbare school', zegt hij met spijt in zijn stem.

'Mijn vader is een geweldige man!' roept Aysha uit met vertederend enthousiasme. 'Hij werkt al vanaf dat hij kind is en nu heeft hij een eigen bouwonderneming. Maar hij helpt vooral iedereen om hem heen, inclusief joodse kennissen.'

'En nu de joden uw kind hebben vermoord, hoe vindt u ze nu?'

'Ik verafschuw de politie en de Israëlische autoriteiten, naar de Israëlische natie zal ik nooit verafschuwen. Ik heb er goede vrienden. Toch moet ik toegeven dat ik me op het moment zeer gefrustreerd voel dat de progressieven maar blijven zwijgen. Waar zijn ze, nu er gemoord wordt in Gaza en op de Westelijke Jordaanoever? Ik ben bang voor de toekomst. Racisme maakt tegenwoordig deel uit van de opvoeding van joodse kinderen, niemand doet iets om dat te stoppen…'

'U had het over een mogelijke uitruil. Maar de Palestijnen uit Israël en Palestina zeggen allemaal dat ze de verschrikkelijke ervaringen uit 1948 nog lang niet vergeten zijn en dat ze zich zullen verzetten!'

'Waarmee?' De man kijkt me wanhopig aan. 'Hoe moeten we ons verzetten? Hoe kunnen we ons verzetten zonder wapens? De soldaten kunnen dit dorp binnenvallen, alle gezinnen samenbrengen op het plein, ze in vrachtwagens laden en zo deporteren. En wat doet de democratische wereld? Niets! Net zomin als ze een vinger uitsteekt om Israël te beletten al die burgers in de bezette gebieden te vermoorden...

Sharon wil profiteren van de oorlog in Irak. Als er gewapende bewegingen zijn in de omringende Arabische landen kan hij ons uitwijzen, hij zal dan zeggen dat wij de veiligheid van Israël in gevaar brengen en niemand zal daartegen in opstand komen. De aandacht van de wereld gaat naar andere zaken. Natuurlijk zullen de mensen hier zich proberen te verzetten. Wij horen hier, we willen geen vluchtelingen worden! Maar elk verzet zal verschrikkelijke slachtingen met zich meebrengen...'

Ik zoek tevergeefs naar woorden om hem weer wat moed te geven; die vrees van hem, die heb ik meer gehoord, vaak zelfs, en niet alleen uit de mond van Palestijnen maar ook van Israëli's. We drinken in stilte onze thee. Ik kijk om me heen en zie allerlei details van dit behaaglijke interieur, dat met liefde is ingericht. En net als Hassan vraag ik me af: hoelang nog?

Het is tien uur in de avond. De familie loopt met me mee tot aan de taxi. Ze drongen wel aan dat ik moest blijven eten, maar ik heb hun uitnodiging afgeslagen, ik moet morgen in alle vroegte op pad.

'Dan maar tot volgend jaar!' zegt Hassan Asleh en kijkt me recht in de ogen.

Er straalt weer een intense energie van hem af.

'Volgend jaar, afgesproken!' antwoord ik en ik glimlach terug.

Insjallah...

Ik ben teruggekeerd naar Nazareth, de belangrijkste Arabische gemeente van Israël, verdeeld tussen de oude stad, in de vallei vol heilige plaatsen die herinneren aan de aankondiging en de geboorte van Jezus, en de nieuwe joodse stad Nazareth-Ilith, op de hellingen.

Ik moest om de hele oude stad heen voordat ik een logeeradres vond. Sinds de onlusten van oktober 2000, waarbij het Israëlische leger dertien Palestijnse demonstranten doodde, zijn er geen toeristen meer, de winkels zijn leeg en de meeste hotels zijn gesloten.

De taxi zet me ten slotte af bij een gloednieuw hotel. Als ik vraag om een rustige kamer met uitzicht op de heilige plaatsen, antwoordt de baas met een droevige glimlach: 'U kunt het krijgen zoals u het hebben wilt. Er zijn driehonderdvijftig kamers en u bent de enige gast.'

Hij legt me uit dat ze in januari 2000 zijn opengegaan.

'Tot oktober was het hier altijd vol. Maar sinds de gebeurtenissen komt er geen mens meer. Toch is alles sindsdien weer kalm, maar de Israëlische journalisten blijven maar schrijven. Langzamerhand vertrekken de Arabieren die dat kunnen naar het buitenland. Dat willen de Israëli's, dat we weggaan, goedschiks of kwaadschiks.'

Jenin

De gekwelde stad

Vroeg in de ochtend verlaat ik Nazareth om naar Jenin[77] te gaan, ondanks de waarschuwingen van de baas van het hotel, die het doodjammer vindt zijn enige gast te zien vertrekken. Jenin ligt maar drie uur rijden hiervandaan en volgens de berichten is er nu geen uitgaansverbod.

Maar wanneer we bij de versperring aankomen, op enige kilometers van de stad, worden we aangehouden door heel zenuwachtige soldaten: 'Er mag niemand door!'

'Waarom niet? De stad is niet afgegrendeld! Ik moet erdoor, ik ben journaliste.'

Ik ben me ervan bewust dat het niet het meest overtuigende argument is. Journalisten worden gehaat, ze zien en vertellen wat men maar liever verborgen houdt en vooral misschien liefst ook zelf vergeet. Zaken die de meeste van deze jonge soldaten vermoedelijk diep in hun hart ook zelf afkeuren. En dus worden journalisten zoveel mogelijk ontmoedigd en al helemaal als ze tot de buitenlandse pers behoren, waarvan gevonden wordt dat hij antisemitisch is en kritiek heeft zonder te begrijpen dat de Palestijnen eigenlijk allemáál terroristen zijn.

Ik haal mijn accreditatie te voorschijn, die keurig door het Israëlische ministerie van Informatie is afgegeven. De soldaten aarzelen: ze hebben de opdracht de doortocht te blokkeren, maar er is niets gezegd over leden van de pers.

Ik dring aan. Ten slotte geven ze het op en laten ons door, op voorwaarde dat de chauffeur zijn identiteitskaart afgeeft, die hij

---

77. In april 2002 vormde de aanval op het vluchtelingenkamp Jenin voorpaginanieuws voor alle kranten. Twaalf dagen lang probeerde het kamp stand te houden tegen de bezettende Israëlische legermacht. De houding van het Israëlische leger werd fel aangeklaagd door de internationale gemeenschap, waarbij bepaalde leiders niet schroomden te spreken van oorlogsmisdaden.

bij terugkeer terug kan krijgen. Nu is het de chauffeur die aarzelt, en na enige discussie accepteert hij me erdoorheen te brengen, maar beslist niet helemaal tot aan Jenin.

In het eerste dorp vinden we de eigenaar van de lokale minibus: hij is aan het werk in zijn tuin, want met de huidige blokkade zijn er praktisch geen klanten. Als wij eraan komen, legt hij zijn houw weg.

'We gaan! Op de een of andere manier kom je er altijd wel door!'

We hebben nog geen drie kilometer afgelegd of we worden aangehouden door een groepje mannen en vrouwen.

'U kunt niet verder, de Israëli's hebben alle wegen afgezet.'

We horen dat er die ochtend vlakbij Jenin een aanslag is gepleegd op een militaire bus en dat er zestien doden zijn. De daders zouden afkomstig zijn uit het nabijgelegen dorp al-Yamoun. Het hele gebied is afgegrendeld.

'De enige oplossing is door de velden te gaan', zegt iemand. 'Met de minibus kan dat wel.'

Binnen enkele minuten zitten we midden in de landerijen. Alles is kalm, vreemd kalm, zwaar... Alsof zelfs de natuur zijn adem inhoudt. Zover het oog reikt is er geen mens te bekennen, geen hond zelfs. In de bus maken de passagiers grappen, maar je voelt hoe gespannen ze zijn: er kan zomaar geschoten worden.

De nauwe weg waar we overheen rijden zit vol hobbels en kuilen, de chauffeur slalomt luid vloekend. Plotseling stopt hij: de weg wordt afgesneden door een heuse kloof. We moeten te voet verder.

Na een uur komen we, onder het stof en zeer bezweet, in het zicht van Jenin, de gekwelde stad, die twaalf dagen lang weerstand heeft weten te bieden aan het Israëlische leger. Jenin is een symbool van verzet voor het Palestijnse volk en voor de gehele Arabische wereld. Bij de ingang staat – o, macabere ironie – een monument met een vredesduif, het embleem van een andere tijd, de trieste herinnering aan verloren illusies.

Ik wil allereerst naar het ziekenhuis toe. Als de man die zich de hele tocht heeft ontfermd over mijn tas ziet dat ik aarzel, stelt hij voor me te begeleiden. Hij stelt zich voor: hij is de voorzitter van de Vereniging van Boeren uit Jenin en omstreken.

'Zowel hier als in Gaza zijn de landerijen van duizenden boerengezinnen verwoest', zegt hij. 'Bij de minste of geringste verdenking komen de soldaten met hun tanks en bulldozers en verwoesten de grond, vernietigen onze huizen en waterputten, maken het vee af, niet alleen van de verdachte persoon maar van zijn hele familie en vaak van het hele dorp, en ze gaan over tot veel arrestaties. Sinds het begin van de intifada hanteert Israël van die collectieve straffen, hoewel die verboden zijn door het internationale recht.

Bovendien controleren ze onze grenzen en verbieden ze ons goederen te exporteren, zogenaamd voor de veiligheid. Dit gebied is geruïneerd. De Palestijnse Autoriteit moet spreken met de Israëli's, een oplossing vinden. Dat is van vitaal belang.'

Hij probeert zich vast te klampen aan de gedachte dat de Autoriteit een oplossing kan brengen, want de situatie is zo ernstig dat hij het zich niet kan veroorloven de moed te verliezen, maar je voelt dat hij er niet zo erg meer in gelooft.

Wanneer we bij het ziekenhuis arriveren, wordt me gezegd dat de directeur bezig is met de noodvoorzieningen omdat er weer een Israëlische aanval verwacht wordt. Als ik over een uur terugkom, is er een kans dat ik hem te spreken kan krijgen.

Pal bij de uitgang staat een hoog wit gebouw, de universiteit van al-Quds, de Arabische naam voor Jeruzalem. Ik ga de kantine binnen die bomvol studenten is die daar zitten te praten en te lachen, een levendige, lawaaiige groep jongelui die er zo zorgeloos uitziet als studenten overal ter wereld. Maar er is een verschil: de jongens en meisjes zitten apart. Ik ga naar een tafel waar drie jonge meisjes met hijab me met een glimlach verwelkomen.

'Praten over de situatie? Prima!'

We verlaten de weergalmende kantine en gaan zitten op een muurtje op de binnenplaats, in de schaduw van een olijfboom. Suha, Zahira en Iman zijn tussen de achttien en negentien jaar oud. De eerste twee wonen in Kabatiya, een dorp vlakbij, en studeren accountancy, de derde woont in het vluchtelingenkamp van Jenin en wil pedagoge worden.

We zijn nog maar net in gesprek als zich een zestal jongens bij ons voegt die benieuwd zijn naar wat de meisjes gaan zeggen. In deze gekwelde stad hebben de jongelui het er vaak over dat ze zich willen opofferen met zelfmoordaanslagen. Zijn dat maar woorden uit woede en verdriet, of is het meer?

Suha heeft een heldere meisjesstem die in schril contrast staat met de felheid van haar woorden: 'Na alles wat we hier de afgelopen tijd hebben doorgemaakt, ben ik bereid naar Israël te gaan voor een martelaarsdaad!'

De drie hadden me streng berispt toen ik het over zelfmoordaanslag had gehad, want de gedachte is niet om zelfmoord te plegen maar om je leven te geven voor de Palestijnse zaak.

'Mijn nichtje is gedood bij de recente gebeurtenissen', vertelt Suha. 'Ze was eten gaan halen, want haar kinderen huilden thuis van de honger. Toen dacht ze dat ze via een achterweggetje wel…' De tranen beletten haar het spreken, haar vriendin Zahira aait haar over de schouder en ze gaat verder met een klein bibberstemmetje: 'Ze hebben op haar geschoten, we weten niet of ze meteen dood was of dat ze nog lang heeft geleden. Pas dagen later mocht het lichaam opgehaald worden…'

Iman, een blondje met een engelengezicht, zegt dat zij ook bereid is en dat ze niet bang is voor de dood: 'Vandaag leef ik, maar morgen komen de Israëli's me misschien doden, dan word ik liever een kamikaze, want dan dient mijn leven tenminste nog ergens toe, dan is het nuttig voor mijn volk. Je hoeft daarvoor niet godsdienstig te zijn of te geloven in het hiernamaals. Godsdienst kan ook liefde voor je grond, voor je land zijn. Natuurlijk is er de angst om te sterven, maar door mijn dood zelf te kiezen ontkom ik aan mijn status van slachtoffer, slaaf van de Israëlische meester, het is ook het ontsnappen aan de willekeur en de arrogantie van hen die naar eigen goeddunken over onze levens beschikken.'

Ik dring aan: 'Elke keer als er een kamikaze-aanslag is,' ik ben dankbaar voor dit woord, omdat ik dan niet hoef te kiezen tussen zelfmoord en martelaarschap en geen overgevoeligheden kan kwetsen, 'reageren de Israëli's met het doden van heel veel Palestijnen. De cijfers wijzen uit dat er voor één Israëlisch slachtoffer vier Palestijnse slachtoffers vallen. Denken jullie echt dat kamikaze-aanslagen een goed middel vormen om hen terug te dringen?'

Achter ons zegt een student opstandig: 'Ons land is bezet, moeten wij dan soms passief blijven?'

Zijn felheid is even groot als zijn wanhoop, je zou wel van steen moeten zijn om zijn pijn niet te voelen. Ik schud het hoofd om te tonen dat ik met hem meevoel maar ik herhaal toch: 'Is het niet realistischer om te proberen tot onderhandelingen te komen?'

'Wat voor onderhandelingen dan wel?' antwoordt Zahira, een lang meisje met een ernstig gezicht. 'De Israëli's willen niet onderhandelen want dan zouden ze verplicht zijn ons onze gebieden terug te geven. Ze spelen met de gedachte aan onderhandelingen, maar zodra de internationale druk hen dwingt rond de tafel te gaan zitten, zorgen ze wel dat alles in het honderd loopt. Bewijzen? Er zijn er tientallen! Afgelopen winter bijvoorbeeld. Sharon vroeg om een maand rust alvorens de onderhandelingen te hervatten. Op 16 december 2001 kondigde Arafat de wapenstilstand af, hij had de extremisten zover weten te krijgen dat ze die zouden respecteren. Maar op 14 januari vermoordden de Israëli's Raed al-Karmi, de leider van de al-Aqsabrigades van Tulkarem, die erin geslaagd was de rust te bewaren in zijn gebied. En toen begon alles natuurlijk weer van voren af aan! Een paar maanden later, op 22 juli, toen de geheime door de Britten geïnitieerde onderhandelingen bijna gelukt waren, aangezien sjeik Ahmad Yassin, de geestelijk leider van Hamas, geaccepteerd had te stoppen met aanslagen, werd er midden in de nacht een bom gegooid op een flatgebouw in Gaza, waarbij een Hamasleider, Salah Shehadeh, werd gedood, samen met veel burgers, onder wie negen kinderen. Hoe wilt u dat we dan nog geloven in de goede trouw van de Israëlische regering?'

Een jongen zegt verontwaardigd: 'Als er een dode valt in Israël staan de kranten er vol van, maar over ons wordt bijna niets gezegd. Onlangs is in Jenin mijn neef van twintig gedood. Hij had geen geweer, hij gooide zelfs geen stenen.'

Als ze hun naasten beschrijven die het slachtoffer geworden zijn van de Israëli's, durven deze jongeren niet eens meer te zeggen dat het activisten waren of dat ze zelfs maar stenen gooiden. Ze willen alle Palestijnen voorstellen als lammeren die naar het slachthuis worden gevoerd, want de propaganda is zo sterk dat ze niet meer weten waar ze aan toe zijn. Als ze zeggen 'X heeft stenen gegooid', vrezen ze dat de wereld zal denken dat dit voldoende reden is om X af te maken.

Dan herinner ik me wat een Israëlische vriend, Michel Warchawski[78], me ooit zei: 'De perversie van het Israëlische beleid maakt dat de hele voorgeschiedenis van invasie en bezetting, met alle wreedheden en vernederingen van dien, vergeten wordt. Ze gebruiken het gooien van stenen als excuus om te zeggen: "Wij worden aangevallen, we moeten ons wel verdedigen", en verzwijgen dat de aanval slechts een zwak antwoord is op veel grotere agressie. Wat ze doen is zo hondsbrutaal dat als je alles beziet vanaf het begin, je het niet kunt geloven, het verschil in macht en daden is zo enorm dat je niet snapt hoe het mogelijk is dat de wereld dit schreeuwende onrecht niet ziet. Palestijnen zijn waardeloos in het communiceren via de media, terwijl de Israëli's meesters zijn in de kunst van de propaganda en het bespelen van de media.

Kijk maar hoe het mislukken van Camp David is doorgekomen: de hele schuld werd bij Arafat gelegd, die toenadering geweigerd zou hebben, terwijl Barak hem "alles aanbood"! Totdat de speciale adviseur van Bill Clinton voor het Midden-Oosten, Robert Malley, en drie leden van de Israëlische

---

78. Strijdt voor vrede tussen Israël en Palestina sinds 1968; hij is hoofd van het Centrum voor Alternatieve Informatie van Jeruzalem.

delegatie – Oded Eran, Amnon Lipkin-Shahak en Ami Ayalon – deze officiële versie betwistten. Maar het kwaad was al geschied. Iedereen onthoudt de versie van Barak.'

Een man van een jaar of dertig met een mager gezicht en een ringbaardje, die wat achteraf zit, heeft naar ons gesprek geluisterd. Hij is leraar Engels, en een echte feday, zeggen de studenten die hem pressen om te praten. Als ik hem beloof dat ik zijn naam niet zal noemen, begint hij te lachen: 'Dat doet mij niets meer!'

Ahmed Fayed is geboren in het kamp van Jenin, in een familie die in 1948 het dorp Affula is ontvlucht.

'Ik heb in april tijdens de laatste invasie twee broers verloren. Een was een Palestijns politieman, die volgens de afspraken in de akkoorden van Oslo samenwerkte met de Israëlische politie om de vrede te bewaren. Het leger viel met zijn Merkava-tanks en zijn bulldozers het kamp binnen nadat het eerst het hoofdkwartier van politie had gebombardeerd: wat kon mijn broer toen anders doen dan de wapenen opnemen om te proberen de zijnen te beschermen? Ze hebben hem voor mijn ogen gedood. Mijn andere broer was motorisch gehandicapt. Op de achtste dag van de intifada wierpen de Israëli's om halfzes 's ochtends brandbommen naar binnen, die ons huis in lichterlaaie zetten. We gingen snel naar buiten en zagen een bulldozer op ons huis afkomen. Mijn moeder riep: "Stop! Er is een gehandicapte! Laat ons hem eruit halen!" De bulldozer reed door. Toen kwam een buurman die Hebreeuws sprak tussenbeide en smeekte de officier ons de kans te geven mijn broer uit het huis te halen. Deze accepteerde dat. Zodra mijn moeder en mijn zusje het huis in waren, trok de bulldozer weer op en verpletterde de muren. Wij brulden. De vrouwen konden er nog net op tijd uit komen, maar zonder mijn broer die onder het puin bedolven is...

Hij heeft nog twee dagen geleefd', vervolgt hij met gesmoorde stem. 'We hoorden hem schreeuwen en om hulp roepen. Met houwelen en met onze blote handen probeerden we hem uit het puin te krijgen. Ten slotte hield het geschreeuw op... We hebben zijn lichaam nog steeds niet gevonden, ook al hebben we gegraven en gegraven...'

Het blijft even stil, dan zegt hij heel zachtjes: 'Bij die invasie heb ik ook twee neven en mijn drie beste vrienden verloren. Op het moment wachten we op het stoffelijk overschot van mijn neef, een man van zestig, die heel zachtaardig was en zich totaal niet met politiek bezighield. Toen de soldaten het kamp binnendrongen, was hij thuis met zijn kinderen. Ze pakten hem op en begonnen hem te martelen, gewoon omdat hij mijn neef was. Vervolgens namen ze hem mee naar de gevangenis waar ze beslist zijn doorgegaan met martelen. Drie dagen geleden kregen we bericht van een Israëlisch ziekenhuis dat hij dood was. Ik heb nog een klein broertje, die gearresteerd is en gevangenzit in kamp Ofer, bij Ramallah. Ze ondervragen hem al twee maanden lang. Ik heb hem twee weken geleden gezien, sindsdien hebben we niets meer gehoord.'

Hij richt zich op en kijkt me diep in de ogen: 'Maar we gaan door met de strijd tot we vrij zijn, we hebben geen andere keus. In deze oorlog is het de ene wil tegen de andere. Zolang wij het niet opgeven, kunnen zij niet winnen. Zelfs als zij de meest geavanceerde wapens gebruiken en wij katapulten en geweren, zullen wij op het eind toch winnen, want wij hebben het recht aan onze kant. Het is een gevecht tussen twee principes: een humanitair principe met de strijd voor vrijheid en basale mensenrechten als inzet, en het zionisme dat meent dat het joodse volk het uitverkoren volk is en zich dus superieur waant aan alle anderen. Zelfs hun Palestijnse medeburgers, die zij "Israëlische Arabieren" noemen, zijn tweederangsburgers. Discriminatie naar godsdienst, is dat hun opvatting van democratie?'

'Maar zouden onderhandelingen niet kunnen voorkomen dat er zoveel bloed vergoten wordt?'

'Met de akkoorden van Oslo hadden we aanvaard dat er twee staten zouden komen, een Israëlische en een Palestijnse, die vredig naast elkaar zouden bestaan. Sinds de laatste gebeurtenissen is het wel duidelijk dat we naïef waren en dat de Israëli's absoluut geen Palestijnse staat willen.'

'Maar denkt u niet dat kamikaze-aanslagen contraproductief zijn omdat ze alle Israëli's, zelfs de meest gematigden, tegen u in het harnas jagen?'

Als door een slang gebeten richt Ahmed zich op: 'De gematigden! Ja, laten we het daar eens over hebben! Waar was de Israëlische vredesbeweging? Waar was die gedurende de invasie? Ik gelóófde in die mensen, ik had zelfs contact met ze. Ze hebben ons verraden. Met hun zwijgen hebben ze Sharon in de kaart gespeeld.

U moet één ding goed begrijpen, je wordt geen kamikaze uit wanhoop, omdat je te veel lijdt. Het is geen geïsoleerde daad, het is een oorlogsdaad, een politieke daad om rechtvaardigheid en waardigheid op te eisen. De daad van een kamikaze is minder bloedig dan de politiek van Amerika, dat bommen stuurt en duizenden doden en gewonden maakt of honderdduizenden mensen voor het leven verminkt, zoals de slachtoffers van Hiroshima. Wij zijn bereid te stoppen met onze kamikaze-acties zodra we andere strijdmiddelen hebben. Zoals een Hamasleider het onlangs uitdrukte: "Geef ons F-16's en we houden meteen op met menselijke bommen."'

Twee jongens hebben zich bij ons groepje gevoegd.

'Het leger kan elk moment binnenvallen, u kunt maar beter weggaan', zeggen ze.

Ahmed staat op, een toonbeeld van rust, alsof het naderbij komen van gevaar en het risico vandaag nog te sterven strikt onbelangrijk zijn.

'Nou, ik ga er eens vandoor. Ik moet terug naar het kamp. Iedereen is daar gebleven ondanks de verwoestingen. Ze hebben besloten te vechten, ze willen hun doden wreken.'

Na zijn vertrek wend ik me tot Iman: 'Je gaat nu toch zeker niet terug naar het kamp! Dat is veel te gevaarlijk. Waarom blijf je niet bij je vriendinnen logeren?'

Ze lijkt mijn suggestie vervelend te vinden: 'Nee, ik wil naar huis. Ik ben liever bij mijn familie, wat er ook gebeurt. Ik ben solidair.'

Rondom ons glimlachen de jongens: 'Onzin! De traditie eist gewoon dat een meisje 's nachts in haar eigen huis is!'

Deze jonge hanen schijnen het normaal te vinden dat een meisje haar leven op het spel zet voor de conventies. Ik werp tegen: 'Maar dan was ze toch bij een vriendin!'

Aan de uitdrukking op hun gezicht te zien heeft een vriendin broers en is het feit alleen al dat je onder hetzelfde dak slaapt voldoende om je je goede naam te doen verliezen. Zelfs in tijden van oorlog, gevaar en verschrikking moet de vrouw haar leven blijven opofferen voor deze bekrompen opvatting over deugdzaamheid...

Aangezien ik het kamp nog niet gezien heb, besluit ik met Iman mee te gaan, ondanks de protesten van mijn tolk die zo gauw mogelijk weg wil uit Jenin, terug naar zijn dorp een paar kilometer buiten de gevarenzone.

Het centrum van het kamp is slechts een berg puin. Geen geraamtes van aan flarden geschoten of met granaten doorzeefde huizen, geen wankele stukken muur. Die heb ik in Beiroet gezien tijdens de Israëlische invasie in 1982, en in Grozny, de Tsjetsjeense hoofdstad die maandenlang door de Russen was gebombardeerd. Nee, wat we hier zien is iets anders: alsof een waanzinnige reus al wat het wonen en leven van zijn vijand vormde, systematisch meter voor meter heeft verkruimeld om alle sporen ervan uit te wissen en te zorgen dat er niets meer te herkennen of te herinneren valt. Er is enkel puin, waarin alleen de ratten nog maar kunnen leven. Meer nog dan de wens om te vernietigen zie je hier de wil te ontkennen dat een bevolking zelfs maar heeft bestaan.

Twee maanden na de gevechten maken het gele zand en de geuren die je maar niet moet identificeren, de lucht nog steeds ondraaglijk. Een Israëlische krant heeft het verslag gepubliceerd van de een of andere bruut die het centrum van het kamp tweeënzeventig uur lang met genoegen had bewerkt en zich erop liet voorstaan dat hij met zijn bulldozer was ingereden op huizen waarvan hij wist dat ze bewoond waren. Hij had, zei hij, de woningen zo goed gesloopt en verpulverd dat hij de Palestijnen een cadeautje had gegeven in de vorm van een mooi voetbalveld.

Apache-helikopters cirkelen boven onze hoofden.

In het kamp heerst algehele paniek. Huisvrouwen rennen met alle zeilen bij naar de hoofdstraat waar winkels zijn en keren terug met borden vol eieren, gevolgd door kinderen die kakelende kippen bij de poten vasthouden. Het winkeltje van de bakker wordt belaagd door troepen mensen die zich verdringen om hele stapels broodkoeken in te slaan. Iedereen haast zich om de boodschappen te doen. Ze weten uit ervaring dat de helikopters elk moment op hen kunnen gaan schieten, maar ze nemen het risico. Het laatste uitgaansverbod duurde veertig dagen, de bevolking heeft erg veel honger geleden en velen die de spertijd durfden te trotseren, zijn afgemaakt. Zoals een bakker die op een dag naar buiten was gegaan om brood te bakken, omdat hij het gehuil van de honger van de kinderen niet meer kon verdragen. Soldaten openden het vuur, hij bleef bloedend op straat liggen, niemand kon hem te hulp komen. Hij bloedde dood.

Bij de ingang van het kamp maken jonge mannen met kalasjnikovs zich op om hun naasten te verdedigen, als tragische helden. Wat kunnen ze uitrichten met hun belachelijke bewapening, tegen een spervuur van helikopters en tanks? Ik kom naderbij, zonder veel hoop op een gesprek; in de algehele opwinding is dit echt niet het moment. Maar tot mijn verrassing willen ze best praten. Ze willen graag een getuigenis afleggen, zeggen wat ze op hun lever hebben, ze zijn zich ervan bewust dat het misschien de laatste keer zal zijn.

'Laten we beschutting zoeken achter de muur, hier is het te gevaarlijk, de helikopters schieten zodra ze een geweer zien blinken.'

Ze zijn met zijn drieën, twee studenten sociale wetenschappen en een boer. Ze zijn ongeveer vijfentwintig jaar oud. Voor de buitenlandse journaliste beginnen ze met opscheppen: 'Laten ze maar komen! We zijn er klaar voor. We hebben geheime plannen om Jenin te verdedigen. De straat zit vol mijnen om hun de toegang te beletten. De straat, niet de huizen, zoals bepaalde media ons willen doen geloven. Hoe zouden we onze eigen mensen kunnen doden?' zeggen ze verontwaardigd.

'Met hoeveel strijders zijn jullie?'

'Veel, verspreid over het hele kamp.'

In feite beschikken de meesten alleen maar over stenen. Velen van hun makkers zijn gedood of gewond tijdens het veertig dagen durende beleg en honderden zijn er gevangengenomen. Zij die over zijn, zijn desperado's die bereid zijn hun leven te geven.

'Denkt u echt dat u de Israëli's zult kunnen tegenhouden?'

Hij die de leider lijkt te zijn heeft een door de zon gebruind gezicht en de gang van een uitgemergelde wolf. Hij maakt deel uit van de Tanzim, de strijdende jeugd van de Fatah-beweging. Gedurende de eerste intifada was hij gearresteerd en hij heeft zes jaar doorgebracht in Israëlische gevangenissen.

Op mijn vraag antwoordt hij met een cynisch glimlachje. Waarom zou hij zich ook groot houden?

'Ik weet dat ik ga sterven. Vandaag, morgen of over een maand, dat maakt niet uit. Wat wel uitmaakt is hoe ik sterf: strijdend als een man, of als een lafaard die zich verschuilt in zijn huis.'

Ze maken zich geen van drieën iets wijs, ze weten dat ze niets kunnen beginnen tegen de Israëlische overmacht, en ze geloven niet meer in de tussenkomst van de internationale gemeenschap. Maar liever dan gearresteerd en gemarteld te worden, willen ze sterven met de wapens in de hand, waarmee ze de vijand toch verlies zullen hebben bezorgd, hoe klein ook.

In de hemel boven Jenin-stad cirkelen de F-16's in steeds kleinere kringen rond. Al wie een auto bezit heeft zijn familie daarin gestouwd, samen met etenswaren en de spullen die nodig zijn om een paar dagen of weken te overleven, en met de matrassen op het dak van de auto. Onder luid getoeter en in beklemmend lange files haast iedereen zich de stad uit.

Maar ik wil absoluut naar het ziekenhuis om met de medisch directeur te spreken. Mopperend volgt Salah, mijn vertaler, me. Als oosterling wil hij vooral niet laten zien hoe bang hij is; maar hij moet wel razend zijn over het beeld dat men hun opplakt… waarom zouden alle Palestijnen helden zijn?

Dokter Abu Khalil ontvangt me in zijn ruime kamer op de hoogste etage van het ziekenhuis. Hij is een knappe vijftiger met een gezicht waar de goedheid en eenvoud vanaf stralen. Hij spreekt prachtig Frans, want hij heeft zijn opleiding tot kinderchirurg in Algiers gehad. In 1993 is hij naar Jenin teruggekeerd. Tijdens het hele onderhoud horen we het geronk van helikopters boven de stad.

'Tot de afgelopen twee jaar aan toe waren er geen grote problemen in Jenin. Het was een belangrijk agrarisch en handelscentrum waar de Arabieren uit Israël hun inkopen deden, want normaal gesproken, als er geen versperringen zijn, zitten we dichtbij Haifa en Nazareth.

Maar net als elders geloofden de mensen ook hier niet meer in onderhandelingen. De zaken liepen vorig jaar echt spaak, met de talrijke Israëlische invallen en dan daarna dat verschrikkelijke beleg. Men spreekt van vierenvijftig doden, maar gezien de hevigheid van de gevechten en de aantallen raketten en tanks, denk ik dat het er heel wat meer zijn geweest. Er liggen er beslist nog veel onder het puin. Ik zeg dit omdat we in het lijkenhuis nog een aantal op verschillende plekken gevonden lichamen hebben die door niemand zijn opgeëist, wat betekent dat de hele familie wel dood zal zijn. Er zijn ook aanwijzingen en getuigenverklaringen dat de Israëli's lijken hebben meegenomen. Maar het ergste is niet het aantal doden, maar de manier waarop de gewonden hun doodsstrijd hebben moeten voeren. Dat zijn misdaden tegen de menselijkheid die veroordeeld zouden moeten worden door een internationaal strafhof.

Twaalf dagen lang mocht niemand het kamp in. De Rode Halve Maan en het internationale Rode Kruis smeekten het Israëlische leger dat wij naar buiten zouden mogen om de gewonden te helpen. We hadden zelfs niet het recht de deur van het ziekenhuis uit te gaan. Vanuit mijn raam zag ik uit op het centrum, waar de gevangenen verzameld waren. Ze moesten zich van de soldaten uitkleden en werden afgeranseld. Daar bevonden zich ook de gewonden, die ook geslagen werden.

Ik kan u niet uitleggen hoe erg het is voor een arts als hij gewonden voor zijn ogen ziet lijden en niets kan doen. Het ziekenhuis was leeg, en een paar meter verderop waren gewonden aan het doodbloeden!

Pas na vijf dagen kregen we toestemming om met het Rode Kruis naar de ingang van het kamp te gaan. Zodra we drie zwaargewonden hadden opgetild, namen de soldaten onze ambulances "in beslag" en reden die bijna stervende mannen naar de gevangenis. Wij werden manu militari teruggebracht naar het ziekenhuis.

Een andere keer schoten ze zelfs door het raam heen terwijl wij aan het vergaderen waren met de vertegenwoordiger van het Rode Kruis en enige artsen.'

Hij staat op en toont me de kogelgaten in de muur.

'Maar ze dreigden niet alleen. Ze hebben dokter Khalil Suleyman gedood, de directeur van de Rode Halve Maan, een prachtkerel. Hij was met uitdrukkelijke toestemming van de Israëli's en onder begeleiding van het Rode Kruis naar buiten gegaan om gewonden op te halen in het kamp. Hij bevond zich in een ambulance met een meisje dat hij mee terugnam. De Israëli's gooiden een brandbom op de ambulance en hij is levend verbrand. Hij brulde om hulp, maar de soldaten schoten op iedereen die zich in de buurt waagde. Daarna zeiden ze, als gewoonlijk, dat het een vergissing was...'

De telefoon gaat, dokter Abu Khalil spreekt lang, ik voel dat hij iemand gerust probeert te stellen.

'Het waren mijn kinderen, ze zijn radeloos,' zegt hij terwijl hij weer ophangt, 'ze zijn tien en dertien jaar oud, ze horen de helikopters en ze zijn bang. Het is heel moeilijk voor ze...'

'Het spijt me, ik neem uw tijd in beslag, ik ga maar gauw weg, u hebt vast nog heel veel te doen.'

'Nee, alles is klaar, gas, water, instrumenten. Er zijn momenteel dertig artsen in het ziekenhuis. De laatste keer hadden de Israëli's zelfs onze zuurstoffles vernietigd, maar dit keer hebben we een veiligheidssysteem. Dit alles uiteraard uitgaande van de veronderstelling dat we naar buiten mogen…'

Het geronk van de helikopters komt dichterbij. De telefoon rinkelt weer. De kinderen vragen om hun vader. Het is tijd voor mij om weg te gaan.

Dokter Abu Khalil staat op om me uit te laten. Hij ziet er zeer droevig uit.

'We hadden zulke grote verwachtingen van hulp door de Europeanen, maar die durven niets te doen tegen Israël omdat dat land erin geslaagd is kritiek op zijn beleid te doen doorgaan voor antisemitisme. Hoe kunnen uw intellectuelen die chantage accepteren? Hoe kunnen jullie passief blijven als je ziet welke misdaden het leger van Sharon bedrijft? Waar is de humanistische traditie van Europa gebleven?'

Tijdens het gesprek is Salah, mijn tolk, erin geslaagd een auto te vinden om ons de stad uit te brengen. Ik probeerde hem ervan te overtuigen dat we best konden blijven, als we een paar voorzorgsmaatregelen namen. Maar hij vroeg narrig of ik het risico wou nemen daar wekenlang te moeten blijven, hij in elk geval niet. We waren een van de laatsten die Jenin verlieten. Een halfuur later trok een colonne tanks de stad binnen.

Een imam die parfums maakt in een christelijk dorp

Over kleine weggetjes komen we ten slotte aan in Zababdeh, een lieflijk dorp met okergele huizen, gebouwd op een oude Byzantijnse plek. Het dorp ligt maar vijftien kilometer van Jenin, maar het lijkt wel of je je op een andere planeet bevindt. Hier is de bevolking in meerderheid christen, hoewel een deel van de christenen sinds de bezetting van 1967 is weggetrokken naar het buitenland, en nu vervangen is door moslimvluchtelingen. Maar iedereen leeft goed samen. Er is een katholieke kerk, een protestantse kerk, een orthodoxe kerk en een melkietenkerk, elk met zijn eigen school, en er is een moskee.

We staan op de binnenplaats van de school van het Latijnse Patriarchaat, waar mijn gids op school is geweest. Vlak bij de kapel ontmoeten we een in het zwart gekleed nonnetje met een fijne, wit stoffen band om haar gezicht. Ze ziet er geen been in om met ons te praten maar haar naam wil ze niet zeggen.

Ze is een Palestijnse uit het noorden van Israël en woont al ongeveer twintig jaar in de bezette gebieden.

'Soms haat ik Sharon en Bush,' bekent ze, 'maar dat verwijt ik mezelf en ik bid dat de hemel hen moge bijstaan. Wij hebben alleen nog ons gebed, de toestand is verschrikkelijk. Ik ben ervan overtuigd dat Israël al het land wil houden en dat die onderhandelingen slechts een middel zijn om alles uit te stellen. Ik bid dat de Israëlische leiders met hun hart gaan begrijpen dat er nooit vrede komt als ze zo doorgaan, want geweld roept nu eenmaal geweld op.'

Onze wandeling door het dorp brengt ons bij de ruïne van een heel oude, mooie Byzantijnse kerk die duidelijk dienst heeft gedaan als stal. 'Ik droom ervan dat het ooit vrede wordt en dat we dan voldoende geld hebben om die te restaureren', mompelt mijn gids.

Ten slotte komen we bij een kleine moskee waar we ontvangen worden door een nog jonge imam die ons thee aanbiedt. Het vertrek waarin hij ons ontvangt, staat vol tafels met oude flesjes in allerlei vormen en kleuren, waaronder ik de beroemde namen van grote Franse parfums ontdek: Chanel 5, Diorissimo, Cabochard, Shalimar, alle mogelijke merken...

De imam lacht als hij mijn verbazing ziet.

'Jawel, ik maak parfums. Het is mijn hobby en mijn manier om geld te verdienen. Ik stel de geuren opnieuw samen. Ik laat essences uit Frankrijk komen', ik zie op de grond rijen aluminium buikflessen met etiketten die afkomstig zijn uit Argeville, 'en maak melanges. Ik heb scheikunde gehad op de middelbare school en zo stel ik ze scheikundig opnieuw samen, zelfs als ik geen essences heb. Om een bestaand parfum na te maken moet ik er een monster van hebben, en ontdekken uit welke verschillende geuren het precies bestaat. Maar het leukste vind ik om parfums te maken op verzoek van een klant, meer of minder kruidig, bloemig, fruitig... Als de klant een mengsel wil van jasmijn en herfsthyacint met een houtige geur, dan maak ik dat voor hem. Het is mijn lust en mijn leven. Ik heb veel klanten onder de plaatselijke bevolking. In het Oosten houden mannen zowel als vrouwen van parfum, dat is een duizendjarige traditie.'

Ik ben perplex. Nooit had ik gedacht dat ik nog eens een parfum makende imam zou ontmoeten, en dan nog wel in het hart van Palestina, midden in de oorlog! Hij is opgestaan om me een paar van zijn creaties te laten ruiken. Ik zie dat zijn gezicht van pijn vertrekt en realiseer me dat hij moeilijk loopt.

'Mijn ruggengraat is beschadigd in een Israëlische gevangenis', zegt hij. 'Het was in 1993, tijdens de eerste intifada. Ik was toen imam in het dorp Sirir, vijf kilometer van hier. Mijn neef was twee jaar daarvoor gedood bij een wegversperring. Hij wilde zijn identiteitskaart te voorschijn halen, maar ze dachten dat hij een revolver trok en ze doodden hem...

Op een nacht kwamen de soldaten bij mij, ze sloegen mijn vrouw en kinderen, schoten me in de buik en staken het huis in brand. Vervolgens namen ze me mee naar de gevangenis, gedurende een jaar hebben ze me zo geslagen en gemarteld dat mijn rug niets meer waard is. Ik heb een band, maar ook dan heb ik moeite met lopen en zelfs zitten. En dat allemaal omdat ik me in mijn preken uitsprak tegen de bezetting.'

'Gelooft u desondanks dat onderhandelingen nuttig zijn?'

Hij geeft hetzelfde gedesillusioneerde antwoord als het zustertje van het Latijns Patriarchaat en alle Palestijnen die ik ontmoet heb: 'Vroeger geloofde ik erin, nu niet meer.'

Van Jenin naar Ramallah

Zoals wel te verwachten was, werd het een uitgaansverbod voor onbepaalde duur in Jenin, met afzetting van alle wegen. Er was dus geen sprake van dat we er weer in zouden kunnen!

Na de nacht te hebben doorgebracht bij de familie van Salah, mijn tolk, besluit ik daarom terug te gaan naar Ramallah. Als de taxi althans accepteert me er via omwegen heen te rijden en zo de grote wegversperringen te omzeilen. Het geluk is met me: Abu Salah, die al maanden Zababdeh niet meer uit is geweest, denkt er net over dat hij graag naar de begrafenis van een familielid toe wil in de buurt van Ramallah. Dus gaan we samen. Hij neemt het op zich een taxi te vinden: de chauffeur ervan kan hem niets weigeren, want het is zijn eigen achterneefje!

In feite vind ik altijd wel Palestijnen die me willen vergezellen als ik van de ene stad naar de andere moet. Het is voor beide partijen gunstig: zij helpen mij aan betrouwbaar vervoer en ik als buitenlandse vorm een garantie voor hen, dat denken ze althans. Soldaten mishandelen de mensen nu eenmaal niet zo makkelijk als er een getuige van buiten bij is, en dan nog wel een journalist.

Het ochtendlicht is transparant, de weg slingert zich door heuvels met ranke cipressen, alles is vredig en harmonieus. Onder in het dal kronkelt een beekje, een wadi, met oleanders erlangs.

Onderweg kruisen wij kinderen in blauwe uniformen die vrolijk naar school gaan met hun schooltas op de rug, bruine en blonde kinderen, meisjes met lang krulhaar of een hijab, de witte hoofddoek van de ingetogenheid, lachend en pratend, hand in hand. Hier hebben de volksvrouwen wel tien kinderen, soms nog meer, kinderen zijn de toekomst van Palestina.

Wij laten Nablus rechts liggen en maken een lange omweg in

de richting van de Jordaanvallei. Plotseling zien we in de verte een versperring. In de taxi is iedereen merkbaar ongerust. We zijn met ons zessen: een christelijke Palestijnse die sinds ons vertrek onafgebroken haar rozenkrans heeft zitten bidden, Abu Salah en zijn jongste zoon en een advocaat met jasje-dasje die naar Ramallah wil. Iedereen houdt zijn adem in.

De jonge soldaat die ons controleert, is zonverbrand, hij glimlacht en maakt grapjes met de passagiers. Je voelt dat hij zich schaamt en dat hij zijn best doet ons op ons gemak te stellen. Na twee minuten mogen we al door.

In de auto is de opluchting zo groot dat iedereen luid begint te lachen en te praten. 'Dat is een Arabier uit Israël', verzekeren ze me. Eigenlijk is het vast een Druus, want andere Israëlische Arabieren mogen niet in militaire dienst, maar volgens mij kan het ook best een jood zijn die tegen de bezetting is en die zich een beetje schaamt voor de rol die hij geacht wordt te spelen. Mijn suggestie wordt afgewimpeld: de afgelopen twee jaar zijn de Palestijnen ervan overtuigd geraakt dat er van de joden niets goeds valt te verwachten.

De vrouw heeft haar proviand uitgepakt en biedt ons allemaal wat aan, nog even en we gaan een fles ontkurken om de gebeurtenis te vieren.

De kronkelige maar geasfalteerde weg klimt omhoog door de lieflijke heuvels van Palestina. Hierboven kan niets verbouwd worden, het is een en al kreupelhout en doornstruiken, nog niet eens bijzonder lekker voor de geiten. Hoog boven de vallei ligt daar een nederzetting met prikkeldraad eromheen, die ons in de gaten lijkt te houden. In de taxi is Abu Salah moppen gaan vertellen waar iedereen om schatert. Palestijnen houden van lachen, ze maken grappen over de meest tragische gebeurtenissen. 'Dat is onze uitlaatklep,' zeggen ze, 'als we niet lachen worden we gek.'

'De Israëli's hebben duizenden dunums ingepikt van de boeren in de omtrek', zegt Abu Salah. 'Ze zeggen: "We willen vrede", maar in werkelijkheid willen ze alles: ons land, onze heuvels en ook nog eens vrede!'

We komen bij de tweede versperring. In de velden schuin hieronder, tussen de diepblauwe distels, hebben bedoeïenen-families hun tenten opgezet en laten er hun kudden grazen. Het contrast is aangrijpend, tussen de rust hier en, een paar meter verderop, al die tot de tanden gewapende soldaten, beschut door muren van gipsblokken, die alle auto's in het vizier houden.

'Hoe moeten we geloven dat er een onafhankelijk land kan komen, zolang er overal militaire kampen zijn', gromt Abu Salah, 'en zolang de pantserwagens en tanks die rond de steden staan zomaar binnen kunnen trekken als ze dat zint?'

Na de versperring slaan we rechtsaf naar de weg Jeruzalem-Tel Aviv, door een dor landschap van rotsen met doornstruiken ertussen, heel anders dan het groene Galilea.

Als we de transistorradio aanzetten om te horen welke wegen er geblokkeerd zijn en welke steden afgesloten, krijgen we de bevestiging dat in Ramallah weer een uitgaansverbod van kracht is. Dat is steeds weer bedoeld als een lesje voor Arafat: ze houden hem verantwoordelijk voor elke kamikaze-aanslag, zelfs wanneer die wordt opgeëist door de fundamentalisten en ondanks het feit dat de PLO-leider de aanslagen binnen Israël regelmatig veroordeelt.

We verlaten de hoofdweg en nemen een bergweggetje dat 'veiliger' is, we gaan over een heuveltop, en rijden weer het dal in. Het is juni. Om ons heen wuiven velden rijp koren dat de boeren met de zeis afsnijden, er loopt een ezeltje met een oude Palestijn erop in pofbroek, en langs de kant van de weg staat een uitgebrande auto.

Bij de versperring van Ramallah waarschuwt een soldaat me: 'Gaat u er niet in, zo dadelijk gaan ze de stad binnenvallen. En dan kan er een week lang niemand meer uit, ook journalisten en diplomaten niet.'

'Over hoeveel uur trekken jullie binnen?'

'Ik weet het niet precies, maar wel gauw.'

Ik wil absoluut afscheid nemen van mijn vrienden die hier al maanden opgesloten zitten. Tot nu toe heb ik steeds de gok gewaagd en gewonnen. Onder de afkeurende blik van de soldaat die zijn zwijgplicht had verbroken om me te helpen, ga ik door de versperring heen naar Ramallah.

De verwoesting van de Muqata'a

Ik loop het bureau binnen van mijn vriendin Leïla op het ministerie van Cultuur. Daar tref ik aan: Liana, Etedel, Samira. We omhelzen elkaar alsof ik van het andere einde van de wereld kom, terwijl ik maar een paar honderd kilometer binnen Palestina heb afgelegd. Maar voor hen die al twee jaar niet meer naar buiten kunnen, breng ik een frisse wind.

Ik vertel hun dat ik alleen maar even goedendag kom zeggen en mijn post kom ophalen want dat volgens de soldaten het leger de stad elk moment weer kan bezetten. Consternatie. Dan moeten ze weer aldoor binnenblijven.

'Dan heb ik eindelijk tijd om mijn kasten op te ruimen', schalt Leïla uitdagend rond.

Maar zolang het nog kan wil ze met me mee naar de Muqata'a die de nacht tevoren is gebombardeerd.

Het is tien uur in de ochtend van 19 juni 2002.[79] Mensen die net als wij gekomen zijn om te zien hoe erg de ramp is, dwalen hulpeloos door de puinhopen van wat eens de Palestijnse Autoriteit was. Het hoofdkwartier van Arafat, met daarin de eerste regering van het toekomstige Palestina, is nog slechts een grote hoop puin waaruit dik wit stof opstijgt met her en der de verkoolde resten van dienstauto's. Eén toren staat nog overeind, die waar zich de burelen bevinden van de oude leider. De mensen verdringen zich voor de deur om een glimp van hem op te vangen, iets tegen hem te zeggen, hem hun sympathie en medeleven te betuigen.

'Ze hadden hem wel kunnen doden,' zegt iemand, 'er zijn

---

79. De tweede verwoesting van het hoofdkwartier van Arafat. De eerste vond plaats in april 2002.

kogels door de muur van zijn slaapkamer gegaan.'

'Uiteindelijk zal ze dat wel lukken', zegt een ander, 'en dan zeggen ze daarna: "O sorry, een vergissing", zoals ze dat altijd doen als wij kunnen bewijzen dat ze op weerloze burgers hebben geschoten. Ze dachten dat ze zware wapens zouden vinden en de wereld zouden kunnen tonen dat overbewapende Palestijnen een gevaar vormen voor Israël. Ze konden helemaal niets tonen, er waren alleen wat verdedigingswapens, kalasjnikovs en M-16-mitrailleurs en één enkele RPG-antitankgranaat.'

Na het beleg dat bijna een maand duurde, van 28 maart tot 23 april, was de zwaar beschadigde Muqata'a hersteld. Nu moet alles weer opnieuw gebeuren.

'Ik voel me zo moedeloos,' zucht Leïla, 'vreselijk triest. Weer doet Israël wat het kan om alles te vernietigen wat wij probeerden op te bouwen, al wat de eerste schreden op weg naar onze nieuwe staat betekende.'

Voor het eerst zie ik haar op het punt in huilen uit te barsten, zij die altijd zo sterk is, zo vol optimisme bij de grootste moeilijkheden.

'Ik ben óp,' bekent ze, 'we zijn allemaal uitgeput, het is de psychologische klap. Ik geloof dat Sharon ons echt manipuleert, want na zo'n dag zeggen zelfs degenen die het felst tegen zelfmoordaanslagen zijn: "Het is ons enige wapen."

Dat is precies wat Sharon wil, daarheen drijft hij ons al vanaf de aanvang af, toen hij het Plein der Moskeeën betrad; hij laat de spanning steeds verder oplopen, tot op de dag van vandaag. Toen de kinderen naar de versperringen gingen, stenen gooiden en gedood werden, zei de wereld: "Wat een schande, jullie sturen je kinderen de dood in!" In plaats van tegen de Israëli's te zeggen: "Dat zijn kinderen; niet schieten!" Ze hebben alle verantwoordelijkheid op ons afgeschoven. En toen de ouderen, als reactie op de moorden op hun kinderen, op de barricaden klommen en begonnen te schieten, luidde dat de escalatie van het geweld in.

Nu zijn velen bereid tot zelfmoordaanslagen. Daar profiteren bepaalde partijen en splintergroeperingen van, het is gemakkelijker dan na te denken over een echte strategie.

Op het ministerie van Cultuur, als op alle ministeries, hebben we jarenlang geprobeerd een land op te bouwen, maar nu is alles ingestort. We hadden er beter aan gedaan wapens naar binnen te smokkelen en een echt verzet op te bouwen. We zijn naïef geweest, we geloofden in de beloften van de Israëli's, we geloofden dat ze ons onze grond zouden teruggeven. Ik vraag me nu af of de politici dat ooit van plan zijn geweest. Misschien Rabin, maar geen van zijn opvolgers. Wij leefden in een droomwereld, we zijn er finaal ingetuind.'

Leïla stopt, met dichtgesnoerde keel.

Een van haar vrienden heeft zich bij ons gevoegd: 'Niet alleen verdraag ik dit allemaal niet meer, maar ik kan zo langzamerhand ook mijzelf niet meer verdragen', zegt hij met een onthutste uitdrukking op zijn gezicht.

'Die jongen,' zegt Leïla nadat hij weg is, 'die pleegt een dezer dagen misschien wel een zelfmoordaanslag. Hij heeft op de universiteit gestudeerd, hij heeft zijn bul, maar gezien de situatie heeft hij geen enkele kans op werk. Op dit moment is hij chauffeur. Alle verwachtingen die hij had voor zichzelf, zijn familie en zijn land zijn vervlogen.'

's Middags zal het leger Ramallah weer innemen en er weer een uitgaansverbod instellen. Als ik nog net op tijd door de versperring glip in de richting van Jeruzalem, geeft de soldaat die me gewaarschuwd had me een teken. Ik glimlach om hem te bedanken, maar onmiddellijk verstart mijn glimlach onder de beschuldigende blik van enige Palestijnse vrouwen die aan de andere kant van de versperring al uren in de brandende zon staan te wachten om naar huis te mogen. Voor hen ben ik een van die journalisten die gemene zaak maken met de bezetter om zich makkelijker te kunnen bewegen en die lak hebben aan hun ellende. Hoe kan ik ze dat kwalijk nemen? In hun plaats zou ik er, denk ik, net zo over denken.

Sinds dat tweede bombardement in juni is de Muqata'a nog een derde keer belegerd en gebombardeerd, in september 2002. Men kon er niet dicht in de buurt komen, want Israëlische tanks versperden de toegang. Maar van ver kon je nog een gebouw overeind zien staan, met prikkeldraad eromheen, en daar zaten Arafat en tweehonderdvijftig mannen wekenlang vast. En op die ruïne van het hoofdkwartier van de Palestijnse Autoriteit hadden soldaten de Israëlische vlag gehesen.

Gezamenlijke strijd

Er zijn Israëli's die zich distantiëren van het beleid van hun regering en een klein aantal van hen strijdt met bewonderenswaardige overgave en moed voor de rechten van de Palestijnen.

Ik heb er een paar ontmoet.

'Een realistisch optimist'

Moshe Misrahi[80] is bepaald niet moeders mooiste met zijn kleine postuur en vierkante gezicht, maar hij is de charme in persoon. Zijn grote, donkere ogen stralen zowel intelligentie als goedheid uit en als hij naar je glimlacht voel je je de koning te rijk. Ondanks zijn lucide kijk op de wereld blijft hij de vertegenwoordiger van een uitstervend ras, een echte humanist, of, zoals hij zelf zegt, 'een realistisch optimist'.

'Ik ben geboren in Alexandrië in 1931 in een Spaans-joodse familie. Mijn moeder was geboren in Jeruzalem, zoals de hele familie van haar kant al in die stad woont sinds de vijftiende of zestiende eeuw. Het waren joden die regelrecht hierheen waren gegaan vanuit Spanje, onder Isabel de Katholieke. Mijn grootvader van moederskant is op Korfoe geboren en mijn vader op Rhodos, ten tijde van de Italiaanse invloed, terwijl mijn grootvader van vaderskant in het Turkse keizerrijk geboren is en mijn grootmoeder van vaderskant van Italiaanse afkomst was. Een echte ratatouille! Ik heb mijn vader nauwelijks gekend, ik was negen toen hij op zijn dertigste stierf. Ik weet alleen dat hij een echte levensgenieter was en dat hij zwaar gokte.'

'Om geld?'

'Ja. Vooral op de rennen. Het was zijn hartstocht. Van mijn ooms ook. Ze liepen alle bookmakers af. Ik herinner me dat ze me meenamen naar de paardenrennen en dat hun zakken vol zaten met geld van het wedden.

Mijn moeder was dus op haar achtentwintigste weduwe, met vier kinderen, ik was de oudste en was negen jaar oud. Mijn grootvader die timmerman was, nam ons onder zijn hoede. We

---

80. Israëlisch cineast met Franse achtergrond. Zeer bekend door films als *La vie devant soi, Rosa je t'aime, Chère inconnue*, etc.

zijn de hele oorlog in Alexandrië geweest, in de zeer speciale sfeer van die garnizoensstad, waar tussen 1940 en 1943 soldaten uit de hele wereld verbleven. Britten, detachementen van de vrije Franse strijdkrachten, Zuid-Afrikanen, Nieuw-Zeelanders, Australiërs...'

'Hoorde u toen al over maatregelen tegen de Europese joden?'

'Ja, maar voor ons joden van Alexandrië was dat wat abstract. We wisten dat er joden werden opgepakt en naar kampen gestuurd. Maar in Alexandrië, een kruispunt van zoveel verschillende gemeenschappen, wisten we niets van antisemitisme. Er konden conflicten zijn, joodse kinderen ruzieden soms met Arabische of Griekse of Italiaanse kinderen, maar elke bevolkingsgroep had respect voor de andere, iedereen was geaccepteerd. We vochten wel, maar we werden niet vervolgd.

Ik had toen Griekse en Armeense vriendjes. Er was ook een Italiaanse familie die in hetzelfde trappenhuis woonde. Ik herinner me een krankzinnig voorval zoals dat alleen maar kon plaatsvinden in Alexandrië aan het eind van de jaren dertig. Ik was heel goed bevriend met de kinderen van die Italiaanse familie die allemaal lid waren van de fascistische jeugdbeweging, met zwarte hemden, baretten, kwasten en linten...

Op een dag, in 1938 of 1939, deed een Italiaanse onderzeeër de haven aan. Het was nog geen oorlog. Alle Italianen waren heel trots en wilden het schip bezoeken. Ik wou er ook heen. Ze gaven me een zwart hemd om aan te trekken en namen me mee! Dat tekent de sfeer! Tot de dag in 1940 dat de hele familie werd opgehaald en weggevoerd naar een interneringskamp, omdat Italië als bondgenoot van Duitsland plotseling een vijandige mogendheid was geworden.

Ik ben tot mijn veertiende op de Franse school geweest. Ik las veel en ging heel vaak naar de film. Op een dag besloot mijn opa zich om familieredenen in Palestina te vestigen. We hadden daar veel familie, ze woonden verspreid door het land, in Jeruzalem en ook in Tel Aviv. Mijn grootouders waren hen in 1945 gaan opzoeken en kwamen zo verrukt terug dat ze besloten dat we daar allemaal moesten gaan wonen.

En zo kwamen we dan in 1946 aan in Palestina. Ik was opgegroeid in Alexandrië in een kosmopolitische sfeer en ik wist zeker dat ik naar Parijs wou als ik zeventien was en mijn eindexamen op zak had, om daar verder te studeren. Ik wist nog niet precies wat ik zou gaan doen, maar ik voelde dat toegang tot cultuur de sleutel tot vrijheid was. Ik had er dus totaal geen zin om naar dat Palestina te gaan dat ik niet kende en dat ik persoonlijk helemaal niet zag zitten!'

'Was uw familie gelovig? Was dat een van de redenen om naar Israël te vertrekken?'

'Diep gelovig, ja, maar niet op orthodoxe wijze, meer zoals joden van Spaanse origine. Mijn familie sprak Ladino, een wat archaïsch Spaans met vele eeuwenoude leenwoorden uit het Italiaans, Grieks, Turks, alle talen van landen waarin de joden geassimileerd waren. De godsdienstige kant van dat judaïsme was heel liberaal en open, het was een vrolijk soort godsdienst. Zozeer dat toen ik op mijn dertiende besloot dat God niet bestond, er voor mij geen enkele reden was in opstand te komen tegen een dwingende traditie. Het zondebesef was er niet erg ontwikkeld, het was een godsdienst van het hart. Voor mij betekent jood zijn niet dat je de wetten van de thora letterlijk moet volgen!'

'Dat is interessant. Wat is dat jood zijn dan?'

'Voornamelijk een cultuur van herinneringen. Het is toch wel ongelooflijk interessant: waar de joden ook naartoe zijn gegaan, naar Polen, Oostenrijk, Noorwegen, Spanje, Irak of Noord-Afrika, altijd hebben ze via de godsdienst een cultuur bewaard waarin alle aspecten van het leven zitten. De joodse godsdienst – en de islam lijkt er in dat opzicht sterk op – is niet alleen een dogma maar ook een code, een wetboek. Allereerst een burgerlijk wetboek: een huwelijk geschiedt op bepaalde voorwaarden, een scheiding eveneens. Als u grond koopt, schrijft de godsdienst voor hoe het contract eruit moet zien; als u uw buurman schade berokkent, zegt de godsdienst hoe u moet compenseren, enzovoort.'

'Wordt die code nog steeds in acht genomen?'

'Ja, nog steeds, net als vroeger. Wat in Israël een paradox met zich meebrengt: de hele wetgeving is geënt op de regels die gelden in democratische landen, behalve op het gebied van het privaatrecht. Het burgerlijk huwelijk en de burgerlijke scheiding bestaan er bijvoorbeeld niet. Als je niet via de rabbijn gaat, ben je niet getrouwd, wat inhoudt dat het onmogelijk is voor een Israëlische jood om met iemand van een ander geloof te trouwen. Het paar moet dan buiten Israël huwen. Zo'n huwelijk is geldig in de hele wereld behalve in Israël, met alle ellende van dien voor de kinderen. Men zegt dat de geest van de Britse wet het Israëlische juridische systeem sterk beïnvloed heeft, maar de Bijbel óók.

Een van de grootste problemen van Israël is dat de staat in de onafhankelijkheidsverklaring beschreven staat als democratisch en joods. Het concept joodse staat betekent dat het niet alleen de staat van de Israëlische burgers is, maar ook die van alle joden van de wereld. De wet op de terugkeer bepaalt dat zij zich er mogen vestigen en direct geaccepteerd zullen worden als staatsburgers, wat nergens anders ter wereld zo is. Maar er is een tegenstelling tussen de wens een democratische staat te zijn, en dat ís Israël, en dit begrip joodse staat, dat inhoudt dat het land grotendeels van de joden is, ook al worden officieel dezelfde rechten toegekend aan minderheden. In werkelijkheid worden deze meestal niet gerespecteerd, maar de wet is er wel, een Israëlisch-Arabische burger kan zich erop beroepen.

De Israëlische Arabieren, burgers van Israël, hebben gelijk dit probleem aan te snijden, er komt een dag dat Israël zal moeten besluiten of het een joodse staat is, of, als alle andere democratische staten, een staat die bestaat uit al zijn burgers.'

'Als er geen holocaust was geweest, denkt u dat er dan ook een joodse staat was gekomen?'

'Zeker. De fundamenten van de staat Israël bestonden al in Palestina in de jaren dertig. Vijf- à zeshonderdduizend joden woonden er in Palestina, boeren en arbeiders, ze spraken Hebreeuws, een al tweeduizend jaar dode taal. De nationale entiteit in Palestina bestond allang voor de holocaust. Het joods-Palestijnse conflict, de Palestijnse opstanden van 1929 en 1936 tegen de joodse kolonisatie en de Haganah, die later zou uitgroeien tot het Israëlische leger, dat was er allemaal al lang voor de holocaust. Die heeft het proces alleen maar versneld, niet gecreëerd.'

'En ondanks al die conflicten vond men dat Palestina een land zonder volk was?'

'Dat was een leugen! Toen ik als adolescent in dit land kwam, zei ik tegen mezelf: "Mijn God, hoe is dit mogelijk! Hoe kunnen ze Palestina Eretz Israel, Land van Israël, noemen, als er zoveel Arabieren wonen?" Ik zag de vijgcactussen, de lemen huizen, de boeren op hun ezels... Om hun ideologie te kunnen rechtvaardigen waren de joden wel verplicht een selectieve bril op te zetten: als ze zo'n landschap zagen, zagen ze een bijbels landschap uit oude tijden, woest en ledig, dat zij kwamen bevrijden en vernieuwen met hun arbeid en hun zweet. Ze zagen de realiteit niet.

Ik werd al heel snel bevangen door wat nu een linkse ideologie wordt genoemd. Toen ik nog geen veertien was, las ik al het *Communistisch Manifest* en werken over het vraagstuk van de gelijkheid tussen landen. Ik voelde dat ik hoorde bij alle volken die ik liefhad. Omdat ik hun leven gedeeld had in Alexandrië, omdat ik overal vrienden had, zag ik er de noodzaak niet van in te denken dat mijn familie beter was dan andere. Toch wou ik vanaf mijn veertiende of vijftiende absoluut deel uitmaken van dit land, dat streed en in opkomst was. Na een paar maanden sprak ik al Hebreeuws en politiek gezien werden mijn gedachten concreter.

Eerst dacht ik dat de oplossing een binationale staat zou zijn, maar al gauw zag ik in dat dit standpunt, dat alleen gedeeld werd door een handjevol joodse en Palestijnse utopisten, eigenlijk een extremistische opvatting is. De joden wilden een binationale staat, op voorwaarde dat de meerderheid joods zou zijn, en de Palestijnen op voorwaarde dat er een Palestijns-Arabische meerderheid zou zijn.

Ik ben er heilig van overtuigd dat deling de enige oplossing is. De kwade geest moet nooit de kans krijgen uit de fles te komen.

De rol die de politiek op zich moet nemen is zorgen dat er scheidslijnen zijn. Hier ben jij thuis, daar ben ik thuis. Er moet een grens zijn. Een Amerikaans spreekwoord zegt: "Een goed hek maakt goede buren." Dat is waar.'

'Toen u hier aankwam vanuit Alexandrië, wat voor betrekkingen onderhield u toen met de Arabieren hier?'

'Heel idealistische! Met een vriend van mijn leeftijd die uit Syrië kwam, probeerde ik de Arabische arbeiders die aan de wegen werkten politiek te organiseren, we spraken wat Arabisch en konden dus samen praten, we hadden zelfs een cel gevormd, omdat er toentertijd een Arabisch communisme bestond.'

'Werden jullie als joden goed ontvangen?'

'Ja, vooral als je Arabisch sprak. Maar rond 1947, na de beslissing in de Verenigde Naties om Palestina op te delen, begonnen de vijandelijkheden en toen werd het steeds moeilijker. De laatste keer dat ik in Tulkarem was, eind 1947, om er vrienden te ontmoeten en met ze te praten, zag ik al gauw dat we weg moesten want dat het gevaarlijk werd om door de stad te lopen. Dat was vlak na de door de Arabieren afgewezen beslissing om Palestina op te delen. Daarna brak de oorlog uit.

In 1947 hebben de Arabische leiders een mijns inziens historische vergissing gemaakt: ze snapten niet dat wat wel de joodse entiteit in Palestina werd genoemd een staat was die al in opbouw was en dat je de bewoners ervan niet zomaar in zee kon dumpen.'

'Maar de Palestijnen waren er al minstens vijftien eeuwen. Ze konden wel accepteren dat er joden bij kwamen en dat die grond kochten, maar toch zeker niet dat die hun alles ontnamen!'

'Ik moet eerlijk zeggen dat ik het als ik Palestijn was ook onrechtvaardig zou vinden als er mensen bij me kwamen die een kamer van me wilden huren en er dan, als ik had toegestemd, nog een wilden die ik hun dan óók zou verhuren, en dat ze dan daarna het hele huis zouden huren en bezetten en mij eruit gooien.'

'En hoe denkt u nu over de situatie?'

'Het is een patstelling, maar het is onmogelijk dat de realiteit van de staat Israël ooit nog ongedaan wordt gemaakt.'

'Maar dat hoeft van de Palestijnen toch ook helemaal niet! Arafat accepteert al meer dan tien jaar het bestaan van Israël!'

'Hij heeft het wel geaccepteerd, maar hij heeft niet kunnen verhinderen dat zijn extremisten, Hamas en Jihad, luid en duidelijk "heel Palestina" blijven opeisen. Het front voor de afwijzing van de akkoorden van Oslo bestond echt. De oppositie kwam niet alleen uit politieke hoek, maar was ook militair. Rabin heeft op twee fronten moeten strijden toen hij probeerde zijn volk ervan te overtuigen dat we door moesten met Oslo ondanks alle terroristische acties.'

'Was het niet relatief rustig toen de Palestijnen nog geloofden dat de akkoorden die naar de onafhankelijkheid moesten leiden, gerespecteerd zouden worden?'

'Dat heeft nauwelijks een jaar geduurd! De eerste aanslagen tegen de kolonisten leidden tot het bloedbad in Hebron door Goldstein.[81] Uit misschien wel terechte wraaklust hebben de Palestijnen toen bloedige aanslagen gepleegd in Tel Aviv en Jeruzalem. Dat was tijdens de regeringsperiode van Rabin. Deze probeerde uit alle macht de lijn met Oslo open te houden, maar hij werd door extreemrechts vermoord. Deze groepering had de politieke kracht zich te mobiliseren en de haat tegen hem aan te wakkeren omdat er aanslagen gepleegd waren. Netanyahu kon toen makkelijk zeggen: "Zie je wel, je geeft ze geweren en ze antwoorden met bommen..." Als die aanslagen door waren gegaan, was Rabin vermoedelijk niet herkozen. En vervolgens werd het niet Shimon Peres, vanwege diezelfde aanslagen. Netanyahu kwam aan de macht en hij heeft gedaan wat hij kon om de akkoorden van Oslo te verbreken.'

'Denkt u niet dat als de Israëlische regering haar belofte gehouden had, het vredesproces ondanks enige geweldsdaden aan weerszijden door had kunnen gaan?'

---

81. Op 25 februari 1994 doodt een joodse kolonist, Baruch Goldstein, negenentwintig Arabieren tijdens hun gebed in de moskee van het graf van de aartsvaders.

'Ik voel me een beetje schizofreen tegenover u, want eigenlijk ben ik het helemaal met u eens. Voor mij is het vooral de schuld van de Israëli's en vanaf het begin was Oslo een donderslag die de publieke opinie door elkaar schudde en ons met hoop vervulde. In de praktijk duren dit soort dingen nooit lang, je moet opschieten. De grote vergissing is geweest dat we onszelf vijf jaar gaven om de problemen op te lossen, terwijl we ons eigenlijk direct uit alle bezette gebieden hadden moeten terugtrekken, zoveel mogelijk gevangenen hadden moeten vrijlaten en direct hadden moeten gaan praten over de status van Jeruzalem en de ontmanteling van de nederzettingen. Dan hadden de Palestijnen de voordelen van Oslo zelf kunnen zien. En dan hadden er ook niet zoveel voorzorgen ten aanzien van de kolonisten genomen hoeven te worden. Zoveel zijn het er niet. Twintig procent van hen is niet weg te branden, maar de anderen gaan zo weg als ze de nodige compensatie in Israël zelf krijgen.

Maar het zou niet eerlijk zijn alle verantwoordelijkheid op Israël af te schuiven. Hoewel Arafat de hoogste leider van de Palestijnse Autoriteit is, heeft hij toch niet kunnen zeggen, als Ben Gurion indertijd: "Ik ben een staat die in opbouw is. Er is maar één gezag, één enkele militaire macht. Ik sta dissidenten niet toe elk een eigen politiek te voeren." Aan Palestijnse kant is er niet één gesprekspartner of één sterke macht. Arafat heeft geen zeggenschap over Hamas en Jihad en daarom kunnen we hem niet vertrouwen. Ben Gurion heeft toen met geweld zijn extremisten geëlimineerd, zoals de Irgun onder leiding van Begin of de groep Stern met Shamir, omdat die de oplossing van de Verenigde Naties verwierpen en Groot-Israël en zelfs Jordanië wilden. Naar mijn mening speelt Arafat dubbel spel. De pech van onze twee volken is dat we in deze kritieke tijden geen krachtige leiders hebben die de gordiaanse knoop kunnen doorhakken zonder aldoor achterom te kijken om te zien of ze gevolgd worden en zonder zich aldoor druk te maken over hun plaats in de Geschiedenis. Misschien had Rabin het gekund als hij nog leefde, maar dan nog... Ik ben er niet zeker van. Maar in elk geval had geen van zijn opvolgers die statuur.'

'Hoe denkt u dat de situatie zich nu zal ontwikkelen?'

'In de jaren zestig streed maar een handjevol mensen voor het zelfbeschikkingsrecht van de Palestijnen of voor het recht op terugkeer van de vluchtelingen. Demonstraties werden maar zelden toegestaan, het was altijd een confrontatie met de politie. Het verschil met nu is dat de politie vandaag de dag de demonstranten beschermt in plaats van ze te onderdrukken en dat de meerderheid van de mensen denkt dat er ooit een Palestina zal bestaan, naast Israël. Er moeten absoluut twee staten komen waarin een ieder zich vrij kan uitdrukken en zijn frustraties kwijt kan. Ik weet niet wat het zal worden, ik weet alleen dat een volk liever met een eigen, nationale knuppel op zijn kop geslagen wordt dan met een buitenlandse!'

'Gelooft u dus dat vrede mogelijk is?'

'Natuurlijk! Er bestaat een oplossing! Toen Begin vrede sloot met Sadat, of Rabin met Jordanië, was die vrede gebaseerd op het principe: alle bezette gebieden in ruil voor algehele vrede. Er is geen reden waarom dit principe niet ook zou gelden voor Israëli's en Palestijnen. Het is de enige goede reden. Er moet onderhandeld worden over de uitruil van gebieden zoals dat toen gebeurde in Jordanië: hier drie vierkante kilometer die naar de staat Israël overgaat, dan daar drie Israëlische vierkante kilometer voor de Palestijnse staat. Over die regelingen kun je onderhandelen. Maar het principe is helder en duidelijk. Dat is de prijs die voor vrede moet worden betaald.

Wij moeten de droom van een Groot-Israël opgeven, zoals de Palestijnen moeten afzien van de droom van een Palestina met recht op terugkeer. We kunnen de Palestijnen niet dwingen het recht op een eigen staat op te geven, en zij zullen er niet in slagen ons de zee in te jagen. De oplossing is er, al in details uitgewerkt: alle in 1967 bezette gebieden teruggeven, met hier en daar wat kleine wijzigingen. Het enige wat nodig is, is de wil om die oplossing in praktijk te brengen en de benodigde concessies te doen: de Palestijnen krijgen maar tweeëntwintig procent van het oorspronkelijke Palestina terug en de joden zien af van Judea en Samaria. We moeten ook de verdeling van Jeruzalem accepteren en de Palestijnen het Plein der Moskeeën, waar vroeger de Tempel stond, teruggeven. Dat is allemaal mogelijk, maar het probleem is dat de Israëli's denken dat de Palestijnen de grenzen van 1967 slechts beschouwen als een eerste stap en dat ze later alles, tot en met Tel Aviv, terug zullen eisen.'

'De Palestijnen zeggen op hun beurt: "Sharon heeft de gebieden nooit willen teruggeven, dat heeft hij officieel verklaard, en toch hebben de Israëli's hem gekozen."'

'Dat is waar. Sharon is er de man niet naar om te kunnen of willen onderhandelen. Maar onderhandelingen komen er, onvermijdelijk. Daarentegen zal niemand hier accepteren te overleggen zolang er zelfmoordaanslagen plaatsvinden. De Palestijnse zaak stond er veel sterker voor toen de jeugd alleen maar stenen gooide. Toen waren de Israëli's volkomen uit hun evenwicht, want Israël is een zeer moralistische natie; ze willen zichzelf niet zien als de beulen van stenen gooiende kinderen. Toen zijn de grote demonstraties begonnen die geleid hebben tot de akkoorden van Oslo.

De Palestijnen vergissen zich als ze denken dat ze de Israëli's door geweld aan het weifelen kunnen brengen. Ze denken dat Hezbollah de Israëli's uit Zuid-Libanon verjaagd heeft, maar Israël had daar niets te winnen en wou zelf weg. De zelfmoordaanslagen verenigen juist iedereen rondom Sharon. De Palestijnen onderschatten het diepe trauma, de altijd aanwezige angst voor een nieuwe holocaust. Als de Israëli's aanslagen zien tegen burgers, denken ze meteen: "Ze willen ons uitroeien." Ze bedenken niet dat ze veruit de sterksten zijn en dat de Verenigde Staten achter hen staan.

Als de Palestijnen hun aanslagen uitsluitend richtten op soldaten en kolonisten zou de boodschap duidelijk zijn: het was dan een strijd tegen de bezetting en niet voor de vernietiging van Israël.'

'Om op uzelf terug te komen, Moshe Misrahi, hoe verdedigt u de rechten van de Palestijnen en de Israëlische Arabieren sinds de afgelopen twintig of dertig jaar?'

'Voordat ik mijn films begon te maken was ik een activist, ik leidde de socialistisch-linkse partij in Jeruzalem, was de parlementair verslaggever van het communistische dagblad van toen. Ik was wat ze noemden "een blijver". Maar op mijn zesentwintigste ging ik weg bij de communisten omdat ik inzag dat het marxisme nergens toe leidde (het was ten tijde van het Chroesjtsjov-rapport en de gebeurtenissen in Hongarije), ik wou films maken en ik hield mezelf voor dat dit een andere manier was om uit te drukken wat me na aan het hart lag.'

'Maar met uw naamsbekendheid en uw interesse voor de wereld van het Midden-Oosten en de Arabische wereld en uw humanisme... waarom hebt u nooit een film gemaakt over het Palestijnse vraagstuk?'

Moshe Misrahi schudt het hoofd, die vraag is hem al vaak gesteld.

'Dat probleem houdt me zeer bezig, maar ik kon het nooit uitdrukken in film. Ik voel me altijd een beetje schuldig, maar ik kan geen militante films maken. In een boek kun je allerlei nuances aangeven, in een film is dat erg moeilijk. Je kunt niet alle ambivalentie en dubbelheid tonen. En een militante film, die onvermijdelijk wat schematisch zal zijn, komt niet overeen met mijn wezen, mijn wijze van zien. Als filmer wantrouw ik algemeenheden. Ik probeer te komen tot de persoonlijke, individuele menselijke eigenheid, waar de waarheid zich bevindt. Als burger uit ik me via petities, net als iedereen. Ik ben geen politicus, ik kan mijn rol niet overschrijden, maar ik spreek me overal uit waar ik dat kan doen, in interviews en debatten. Iedereen weet hoe ik erover denk.

In mijn films komen de ideeën op een andere wijze naar voren. Ik laat me leiden door mijn intuïtie en persoonlijke ervaringen, ik heb het over de plaats van het kind in de samenleving en over de plaats van de vrouw. Als ik bedenk wat eigenlijk echt mijn wereldvisie beïnvloed heeft, realiseer ik me dat het geen politieke boeken of films zijn, maar grote menselijke fresco's als de boeken van Balzac of *Le Rouge et le Noir* van Stendhal.

Ik hoop dat mijn films zo bijdragen tot een grotere openheid naar de ander en tot een aanklacht tegen geweld, op een andere manier.'

Vrouwen in het zwart

'Ik wou graag naar het Hagarplein.'

De taxichauffeur is perplex.

'Nooit van gehoord', moppert hij.

Is dit onwil? Soms weigeren taxi's uit West-Jeruzalem je naar Oost-Jeruzalem te brengen, omdat daar vooral Palestijnen wonen.

Ik help hem uit de droom: 'Het is een groot plein, aan deze kant, u weet wel, daar waar elke vrijdag die vrouwen in het zwart bijeenkomen!'

'O, die malloten! Waarom zegt u Hagarplein? Ze houden hun poppenkast op het Frankrijkplein!'

Een kwartier later zet hij me af op een rotonde in het centrum van de stad waar enige tientallen vrouwen in het zwart zich aan het verzamelen zijn. Daar tref ik Ruth, de Israëlische vriendin met wie ik een afspraak heb.

'Waarom zei je Hagarplein? Ik was er bijna niet gekomen!'

Ze lacht.

'Een mens zou er de echte naam van vergeten! Wij hebben het zo genoemd, naar de stichtster van onze beweging. Maar Hagar is bovenal de naam van de moeder van de oudste zoon van Abraham, Ismaël, die de stamvader van de moslims schijnt te zijn, terwijl de tweede zoon Isaak, de zoon van zijn wettige vrouw Sara, de stamvader van de joden is.'

Ik knik: 'Dat is waar ook! Hagar was de eerste vrouw van Abraham.'

'Nee,' verbetert ze direct, 'niet zijn vrouw, maar zijn dienstmaagd.'

Deze rectificatie irriteert me, zoals ze alle moslims irriteert, die daar natuurlijk tegenin gaan en weigeren de afstammelingen te zijn van een bediende tegenover de legitieme afstammelingen, maar ik verbaas me er vooral over dat deze opmerking komt van Ruth, die toch progressief is. Hoe is het mogelijk dat mensen van eenzelfde politieke overtuiging hun afkomst slechts kunnen uitdrukken in termen van arrogantie of gekwetste gevoeligheden?

Ik moet me alweer neerleggen bij het feit dat de Israëli's op een paar uitzonderingen na, zelfs als ze van goede wil zijn, een groot meerderwaardigheidsgevoel hebben ten opzichte van de Arabieren. Meer dan alle vraagstukken van grenzen en economie is dat misschien wel het grootste obstakel voor een toekomstig samenleven.

Elke vrijdag om dertien uur verzamelen zich in het zwart geklede vrouwen om te demonstreren tegen de aanwezigheid van het leger in de bezette gebieden. De beweging is opgericht door de moeders van in Zuid-Libanon gesneuvelde Israëlische soldaten. Al veertien jaar wordt er gedemonstreerd.

Het is nu 20 september 2002, de dag na de zelfmoordaanslag in Tel Aviv, waarbij zes doden en ongeveer veertig gewonden gevallen zijn. De sfeer in Jeruzalem is zeer gespannen, men verwacht dat er incidenten zullen zijn. Deze aanslagen tegen burgers maken de situatie er voor de Israëlische pacifisten nog moeilijker op: veel mensen aarzelen niet hen uit te maken voor verraders of zelfs antisemitische joden.

Er zijn er een stuk of vijftig komen opdagen, tussen de twintig en zeventig jaar oud. Ze zijn van top tot teen in het zwart en zullen een uur lang op deze zeer drukke rotonde blijven staan, met borden waarop een hand van Fatma is geschilderd met een vredesduif en de simpele woorden: 'Stop de bezetting.' Daar staan ze onverstoorbaar, terwijl de dubbelzinnigheden en scheldwoorden van de automobilisten hun om de oren vliegen: 'Hoer van Arafat!' en 'Ga maar lekker neuken met die Arabieren!' zijn nog de vriendelijkste.

Naast hen staan wat mannen, heel nuttig als het tot een handgemeen komt, want soms worden ze inderdaad ook fysiek aangevallen.

'Maar meestal verscheuren ze alleen onze borden', stelt een energieke grootmoeder me gerust.

Drie of vier meter verderop maken een stuk of twaalf extreemrechtse demonstranten zich druk: de vrouwen in het groen, met een groene hoed op of een groen T-shirt aan, vergezeld van jongemannen met een keppeltje, die zwaaien met de Israëlische vlag.

Zonder de vrouwen in het zwart, die zij beschouwen als 'viezeriken', ook maar een blik waardig te keuren, ontrollen de vrouwen in het groen lange spandoeken waarop te lezen staat: 'Eretz Israel alleen voor joden' en 'Er is maar één oplossing: weg met het Arabische kankergezwel', exact de woorden die een minister van Sharon een paar dagen eerder gebruikt heeft, of anders: 'Kahane had gelijk!'

Wijlen rabbijn Kahane is de grondlegger van een extreemrechtse groepering die de transmigratie van alle Palestijnen uit de bezette gebieden eist. Ik heb trouwens nooit begrepen waarom dat wat elders 'deportatie' heet, kuis 'transmigratie' wordt genoemd als het de Palestijnen betreft.

Rond het plein surveilleren vier spottend kijkende politiemensen met draagbare telefoons. Onder hen ook een jonge vrouwelijke rekruut met het knappe gezicht van een oosterse jodin. Ze is koket in haar lichtblauwe overhemd met strakke lange broek en lijkt zich prima te vermaken. Maar iedereen blijft op zijn hoede: als er geweld van komt, zijn zij verantwoordelijk. Het is uitgesloten dat ze toelaten dat joden elkaar afrossen, het is geen demonstratie van Arabieren!

Bij de vrouwen in het zwart is een grote vrouw met een energiek gezicht en kort grijs krulhaar opdrachten aan het uitdelen. Dat is Gila, een van de organisatrices.

'Als de anderen gewelddadig worden, moet je ze niet tarten, want dat willen ze juist, nee, dan loop je gewoon naar de andere kant van het plein. Niet ingaan op provocaties!'

Er klinkt wat afkeurend gemompel. Een man roept: 'Nou, dan blijf ik niet. De vorige keer heb ik een oplawaai verkocht aan een jongere die een grootmoeder beledigde, en dat zal ik vandaag niet anders doen.'

Hij geeft zijn bord terug en loopt schouderophalend weg.

Ik loop naar de groep vrouwen in het groen, en spreek een jong meisje aan, dat weigert me antwoord te geven. Ze heeft me met de anderen zien praten en is op haar hoede. Ten slotte haalt mijn Franse accent haar over de streep – ze komt oorspronkelijk uit Lyon – en ze zegt uitdagend: 'Volgens de Bijbel is zelfs Jordanië Eretz Israel. Arabieren hebben hier niets te zoeken, die moeten maar naar de andere Arabische landen toe gaan.'

Een wat oudere vrouw bemoeit zich ermee: 'Waarom praat je tegen dat mens? Dat is veel te veel eer. Buitenlandse journalisten zijn allemaal stront.'

En beiden wenden me de rug toe.

Ik voeg me weer bij de vrouwen in het zwart en word aangesproken door een blondje dat het tafereel heeft gadegeslagen.

'Wees maar niet verbaasd, ze zijn altijd zo agressief', zegt ze in volmaakt Engels. 'Degene die u hebt aangesproken, had het lef te beweren dat ik niet joods was omdat ik er anders over denk dan zij. Ik ben heel wat joodser dan zij die nog maar net uit Frankrijk komt en bijna geen Hebreeuws spreekt. Ik ben hier geboren, in een kibboets nog wel!' voegt ze er triomfantelijk aan toe. (In Israël is dat zoiets als een adelsbrief, omdat kibboetsnik beschouwd worden als de echte, pure pioniers.) 'Die daar weet niets van het ware land, ze herhaalt alleen dom alle mantra's van de net bekeerden. En die zal mij wel eens even vertellen wat ik moet doen in mijn eigen land!'

Een magere man dringt zich door de mensen naar het groepje vrouwen in het groen.

'Die man daar woont bij mij in de straat. Hij heet Itamar. Het is een zielige vent, het leven zat hem niet mee, hij is geadopteerd, hij stikt van de haat. In zulke aarde gedijen giftige bloemen… Het woord onderhandeling komt niet voor in zijn boekje, hij kent alleen het woord doden. Zijn ideaal is het om te leven in een wereld zonder Arabieren, en zijn droom is het ze met een atoombom allemaal uit te roeien. In zijn zieke geest heeft iemand die niet joods is het recht niet om te leven. Als hij zestig jaar eerder geleefd had, zou hij de ergst mogelijke nazi geweest zijn. Hij is helaas niet enig in zijn soort, er zijn er velen zoals hij.'

Terwijl ze tegen me praat, passeert er een oude man met een keppeltje op en zegt: 'Schande!'

'Die is aardig!' becommentarieert Sara. 'De meesten zeggen: "Hoer! Wat betaalt Arafat je om met hem te slapen?" en nog wel erger.'

Als om haar gelijk te geven komt er nu een vrouw langs met een hoed op, zoals belijdende jodinnen die dragen, en met een kind op haar rug. In het voorbijgaan scheldt ze Sara uit. Ik zie dat Sara haar ogen wijd openspert.

'Wat zei ze?'

'Dat kan ik niet herhalen. Je reinste pornografie. Waar halen ze het vandaan? In hun wereld zijn dat geen woorden die gebruikt worden!'

De auto's rijden steeds luid toeterend langs: een vrouw draait het raampje omlaag en met een gezicht vol haat roept ze naar een dame met grijs haar die bij ons staat: 'Nou, ouwe slet, is het lekker neuken met die Arabieren?'

'Hoort u dat wel!' zegt de dame verontwaardigd, 'en nu gaat ze met kalm gemoed bidden en de sabbat-kaarsen uitblazen! Ze haten ons omdat wij hun eraan herinneren dat het judaïsme een humanistische godsdienst is en dat ze die met voeten treden.'

Ik realiseer me dat de vrouwen in het zwart, van wie ik dacht dat ze een linkse beweging vormden, uit heel verschillende hoek komen. Er zijn godsdienstige vrouwen onder, die het net als mijn buurvrouw betreuren dat er wordt afgeweken van de idealen van het judaïsme, en humanisten, politiek geschoolden, er zijn mannen met keppeltjes die meer voelen voor de vredesduif dan voor de slogans van Kahane, en er zijn zelfs rabbijnen bij van de beweging Rabbijnen voor Mensenrechten, die de huidige Israëlische politiek bekritiseren omdat die alle morele joodse waarden met voeten treedt.

Het is twee uur, de demonstratie loopt ten einde. Iedereen rolt zijn spandoeken op, dit keer zijn er geen excessen geweest, misschien omdat het extreemrechtse groepje duidelijk in de minderheid was.

Met organisatrice Gila spreek ik af dat we later nog wat zullen doorpraten.

Met haar vijfenvijftig jaar is Gila Svirsly een knappe vrouw met heel lichtgroene ogen, een adelaarsneus en een stralende glimlach. Op het caféterras heeft ze een tafel uitgekozen die wat achteraf staat: 'Ik heb liever niet dat te veel mensen horen wat ik te zeggen heb, anders word ik weer uitgescholden of zelfs aangevallen.'

Ik dacht toen dat ze overdreef, maar sindsdien heb ik gezien dat allerlei Israëli's werden aangevallen omdat ze dingen zeiden die niet strookten met de algemene tendens, en heel onlangs nog werden joden uit Frankrijk aangevallen door extremistische geloofsgenoten omdat ze kritiek durfden hebben op Sharon...

'Ik behoor tot de groepering Vrouwenfront voor een Rechtvaardige Vrede, die is opgericht in november 2000 en waarin negen Israëlische en Palestijnse organisaties zitten. Wij demonstreren om te eisen dat er een einde komt aan de bezetting en dat er weer wordt onderhandeld, maar bovenal voor de opheffing van de militaire afzetting van de Palestijnse gebieden.

Onze acties zijn geweldloos, we ontmantelen tijdelijke versperringen, we maken greppels dicht die het de Palestijnen anders onmogelijk maken hun dorpen uit te komen en soms gaan we voor de bulldozers van de militairen liggen om te verhinderen dat Palestijnse huizen of akkers verwoest worden.'

Ze heeft een ironisch lachje.

'In feite verhinderen we helemaal niks, we vertragen de boel alleen, maar we trekken wel de aandacht. En dat is heel belangrijk: de Israëlische regering hecht heel sterk aan haar imago.'

'De vorige maand hebben jullie geprobeerd de versperring te breken die wekenlang Bethlehem afsneed van de rest van Palestina. Hoe is dat gegaan?'

'O, dat was een prachtig moment', zegt ze lachend en ze schudt haar krulhaar. 'We waren ongeveer met ons zevenhonderden, Israëli's en Israëlische Palestijnen, voor een geweldloze demonstratie. Bij de versperring bij Bethlehem stonden de soldaten ons op te wachten, in groten getale, met een water-kanon. We trokken op en werden teruggedreven door de water-stralen. Toch liepen we door. Toen gingen ze over op grof geschut: gemaskerde ruiters met zwepen stortten zich op ons, stuurden hun paarden recht op ons af en sloegen op ons in met hun zwepen, het was angstaanjagend! Er waren veel lichtge-wonden, een vrouw moest naar het ziekenhuis.

Nadat we weggerend waren, kwamen we weer terug en gin-gen allemaal op de grond zitten, in de brandende zomerzon, wel een uur lang, om andere legervoertuigen te beletten de plek te bereiken. Vervolgens liepen we door tot aan de versperring met de armen om elkaar heen zodat we een stevige muur vormden. Onderwijl scandeerden we "Vrede ja, bezetting nee!"

Aan de andere kant van de versperring, in Bethlehem, ston-den duizenden mensen ons op te wachten op het Plein van de Geboorte. Aangezien er geen sprake van was dat we er doorheen zouden komen, hebben we onze bijeenkomst voor de vrede gehouden met behulp van onze mobieltjes. We hoorden de toespraak van de gouverneur van Bethlehem, die ons bedankte voor onze solidariteit en we antwoordden, nog steeds per mo-bieltje, dat we door zouden gaan met de strijd voor de vrede. En dat allemaal onder de ogen van de woedende soldaten. Ze kunnen ons verhinderen er lijfelijk doorheen te komen, maar niet onze stemmen, niet onze gedachten!'

Haar enthousiasme en optimisme zijn aanstekelijk, ze zou me nog doen geloven dat de situatie eigenlijk niet zo heel erg is…

Ik wil graag meer van haar weten.

'Waar bent u geboren? In Israël?'

'Helemaal niet! Ik ben geboren in de Verenigde Staten, pas op mijn negentiende ben ik naar Israël gekomen, om religieuze redenen. Ik was een orthodoxe, zionistische jodin. Mijn moeder had al haar familie verloren in de holocaust in Wit-Rusland, in Ponary, waar honderdduizenden joden, zigeuners en commu-nisten om het leven zijn gebracht. Zijzelf vestigde zich in Pales-tina in 1935. De familie van mijn vader was naar de Verenigde Staten gegaan in de jaren twintig, maar ze vonden het er vreselijk.

Ze vonden het er niet joods genoeg, en daarom zijn zij ook naar Palestina gegaan. En daar hebben mijn moeder en vader elkaar in 1936 ontmoet. Na hun huwelijk vertrokken ze naar Amerika.

U snapt dat met zo'n zwaar verleden van weerskanten, mijn leefmilieu en mijn opvoeding erg joods waren. Ik voelde diep in me dat Israël mijn vaderland was, een morele samenleving waarop de joden trots konden zijn, en dat ik ernaar terug moest. Ik arriveerde in 1966, een jaar voor de Zesdaagse Oorlog begon. Ik zette nergens vraagtekens bij, ik voelde me gelukkig in een voorbeeldig land dat een baken moest zijn voor andere naties. Ik bewonderde het fenomeen kibboets, ik droomde ervan een pionierster te zijn zoals mijn moeder dat geweest was voor het ontstaan van Israël.'

'Wat heeft u op andere gedachten gebracht?'

'In de jaren zeventig begon ik me zorgen te maken over de acties van Israël, toen steeds meer kolonisten de Palestijnse gebieden begonnen te bezetten. Ik was getrouwd met een man die niet religieus en niet rechts was... Men zegt altijd dat een vrouw de ideeën overneemt van de man met wie ze slaapt', zegt ze lachend. 'Dit was in mijn pre-feministische periode. Toen was ik niet zo kritisch, ik studeerde filosofie en zorgde voor de kinderen. Toen die groot werden, zijn we gescheiden en ik kwam aan het hoofd van een stichting die bezette gemeenschappen in Israël steunde, en dus ook die van de Israëlische Arabieren.

Het duizelde me toen ik ontdekte hoe onze Arabische medeburgers werden behandeld, en in welke omstandigheden ze moesten leven. Vroeger dacht ik net als iedereen in mijn omgeving dat Arabieren vuil waren. Ik begon te beseffen dat de regering hun de middelen niet gaf om water en riolering aan te leggen in hun dorpen of wijken.'

'Had u ooit Arabieren ontmoet, op de universiteit bijvoorbeeld?'

'Nee. De Israëlische samenleving is nog veel meer verdeeld dan Zuid-Afrika dat was gedurende de apartheid. We ontmoeten elkaar nog steeds niet.

Maar toen legde ik geen enkel verband tussen de problemen in Israël en het vraagstuk van de bezette gebieden. Volgens mij en volgens iedereen was Israël alleen maar in de bezette gebieden om tot vrede te komen en daarna zouden we ons terugtrekken. Dit bleef zo tot aan de eerste intifada van 1987. Toen kregen we door dat de bezetting niet zo goedaardig was en ook niet tijdelijk, zoals we dachten.

Voor de progressieven was deze intifada een grote schok.

Het begon met een kleine demonstratie in Gaza, toen een grotere, er werden stenen gegooid, al gauw werd er iemand gedood, en daarna één per dag. Toen beseften we dat er iets niet goed zat, dat dit geweld moest stoppen. Door tussenkomst van een vriendin kwam ik bij de vrouwen in het zwart, tegen de bezetting, in januari 1988. Langzamerhand begonnen we met een stel vrouwen aan onze politieke bewustwording te werken, te begrijpen dat geweld zijn redenen heeft, dat het niet zomaar uit het niets opduikt. Wij nodigden Palestijnse vrouwen uit. Ze namen het risico en staken de groene lijn over om met ons te praten.

Rita Giacoman was de eerste Palestijnse die ik naar ons toe zag komen. Ik herinner me nog de schok die ze me gaf: ik kon mijn ogen en oren niet geloven, ik was gefascineerd. Ze voldeed volstrekt niet aan het beeld dat ik had van een Palestijnse! Ze was beschaafd, op haar gemak, intelligent, ontwikkeld, welsprekend, ze was heel cultureel, veel meer dan ik, of de meeste andere Israëlische en Amerikaanse vrouwen. Was dat een Palestijnse vrouw? Ik kon er niet bij.

Ik herinner me nog dat ze zei: "Wij Palestijnen zijn niet tegen de staat Israël, maar we willen een Palestijnse staat naast Israël."

Het was in 1988. Ik vroeg haar: "Is dat uw persoonlijke opstelling?" Ze antwoordde: "Nee, dat is de officiële opstelling."

Nooit had ik dat gehoord in Israël, niet in de krant, niet via de radio, in geen enkele speech van onze leiders, nergens! Het was toentertijd zelfs verboden de PLO te noemen, we wisten absoluut niets van hun ideeën.

Zo vielen me de schellen van de ogen.

Het is maar een voorbeeld van de vele gebeurtenissen die ons het echte probleem hebben doen inzien, en ons tot activisten hebben gemaakt.

Toen hebben we een coalitie van negen organisaties gevormd, de ene praat met Palestijnse vrouwen en kinderen, de andere is aanwezig bij versperringen om de soldaten te beletten de Palestijnen al te zeer te mishandelen; er is de organisatie van de vrouwen in het zwart, enzovoort, enzovoort. We zijn maar met een paar honderd vrouwen, maar we hebben vrij veel invloed, we kunnen duizenden mensen op de been krijgen.'

'Maar ik zie geen enkele demonstratie tegen de huidige gebeurtenissen! De meeste Israëli's lijken Sharon te steunen.'

'Ja, dat is het verschrikkelijke verschil tussen deze periode en alle vorige. Ten tijde van de slachting in Sabra en Shatila toonde het land massaal zijn verontwaardiging. Nu, met Jenin bijvoorbeeld, blijft het stil en vergoelijkt men het legeroptreden zelfs. Zelfs de verlichte Vrede Nu-beweging was er niet...'

'Is dat omdat de Palestijnen ook wapens gebruiken?'

'Nee, het komt vooral door wat wij "de grote leugen" noemen, de mythe alsof Arafat alles aangeboden gekregen zou hebben van Barak en het geweigerd zou hebben, omdat hij zich tot doel had gesteld Israël te elimineren. Dat was het breekpunt, de Israëli's geloofden hun regering en de Amerikanen, en ze steunden daarom de onderdrukkingspolitiek van Sharon.

De tweede reden voor het zwijgen van de progressieven is natuurlijk het gegeven van de Palestijnse aanslagen binnen Israël. De mensen zijn doodsbang. Ik ben ook bang... Die angst verenigt alle Israëli's tegen de Palestijnen. Dat is een verkeerde strategie.

Toch is er een grote verandering gekomen in Israël tijdens de eerste intifada, zo'n vijftien jaar geleden. Steeds meer mensen zien in dat er geen vrede mogelijk is zolang er nederzettingen zijn, ze zien in dat we terug moeten naar de grenzen van 1967 en dat er ooit een Palestijnse staat zal zijn. Ze steunen nu dan wel de repressie, maar dat is omdat ze willen dat er een eind komt aan het terrorisme, zonder te begrijpen dat dit terrorisme een antwoord is op de weigering van de regering tot onderhandelen. Sharon heeft ettelijke malen gezegd dat hij de akkoorden van Oslo weigerde uit te voeren en dat hij niet van plan was gebieden terug te geven. Wie bedonderen ze dan als ze alle verantwoording afschuiven op Arafat?'

'Wat denkt u van de Israëlisch-Amerikaanse eis dat Arafat weg moet?'

'Het is stuitend om te proberen de Palestijnen te dicteren wie zij als leider moeten hebben. Als Bush en Sharon niet zo grof tekeergingen, zouden de mensen Arafat beslist veel meer bekritiseren. Zoals het nu is zullen ze pal achter hem blijven staan.

Ik snap trouwens niet goed waarom Sharon zo aandringt: wie kan hij nog de schuld geven als Arafat weg is? Wat voor een excuus heeft hij dan nog om te weigeren te onderhandelen?'

Rabbijnen voor mensenrechten

Tijdens de demonstratie van de vrouwen in het zwart had ik al gehoord over een andere zeer actieve groepering, de Rabbijnen voor Mensenrechten. Ze maken zich zorgen over de vraag of de joodse waarden van rechtvaardigheid en gerechtigheid wel behouden blijven en lopen daarom voorop in de pacifistische strijd, zij aan zij met de Palestijnen.

Door de telefoon klinkt de stem van rabbijn Jeremy Milgrom energiek en helder.

'Ik wil u graag ontmoeten, maar op het ogenblik ben ik olijven aan het oogsten.'

'Pardon?'

'Ja, we proberen de Palestijnse boeren die aangevallen worden door de kolonisten te beschermen. Als we elkaar morgenochtend vroeg treffen, neem ik u mee. In de auto, dan kunnen we praten.'

De volgende ochtend om zes uur ontmoet ik rabbijn Jeremy in de lobby van het hotel. Of beter gezegd, ik zoek hem daar, want ik zie alleen maar een man van een jaar of veertig in spijkerbroek, met lang krulhaar in een paardenstaart, die meer lijkt op Christus of een hippie dan op een rabbijn... Toch is hij het. Hij is zich bewust van mijn verbazing en lacht: 'U dacht dat u iemand zou aantreffen met een hoed en pijpenkrullen, maar dat dragen alleen de ultra-orthodoxen. Weet u, er zijn wel duizend stromingen in het judaïsme, net als in de Israëlische maatschappij.'

Dat had ik al wel door. Maar wat ik niet begrijp is wat voor soort rabbijn hij is.

'Waarom hebt u ervoor gekozen rabbijn te worden? Bent u hier geboren?'

'Nee, ik ben geboren in de Verenigde Staten, in Virginia.

Mijn vader was rabbijn en wilde dat zijn kinderen hun eigen cultuur zouden kennen. Ik herinner me dat hij elke ochtend aan het ontbijt Hebreeuws met ons sprak en ons vertelde uit de Bijbel. Op mijn vijftiende won ik een prijs in een godsdienstwedstrijd: een reis naar Israël. Ik was van plan er een jaar heen te gaan om er aan een yeshiva[82] te studeren. Uiteindelijk ben ik er drie jaar gebleven. Ik ben hier in militaire dienst geweest, dat was in 1971, een rustige periode. Daarna ging ik terug naar de Verenigde Staten. Mijn ouders woonden toen in Berkeley en ik wou dolgraag de vrije samenleving in Californië leren kennen, maar al spoedig kreeg ik heimwee naar Israël. Ik ben er weer heengegaan, studeerde er wiskunde en geschiedenis en besloot daarna rabbijn te worden.

Ik wilde de afstand overbruggen tussen de orthodoxe en de moderne joden in dit land, maar ik zag al gauw dat de steeds wijdere kloof tussen joodse Israëli's en Arabische Israëli's nog veel verontrustender was. In ons zogenaamd democratische, tolerante land, waar burgers geacht werden gelijke rechten te hebben, zag ik dat echte apartheid heerste.

Ik ben al vijfentwintig jaar rabbijn en het is mijn taak te proberen een dialoog op gang te brengen tussen de beide gemeenschappen. Zeven jaar geleden kwam ik bij de organisatie Rabbijnen voor Mensenrechten. En via de Israëlische Arabieren zijn wij er vanzelf toe gekomen ons ook bezig te houden met de Palestijnen. We vinden dat we ons, als we ons geloof trouw willen blijven, moeten verzetten tegen de schendingen van de mensenrechten die in dit land aan de orde van de dag zijn. Hoe kunnen we pretenderen een joodse samenleving te zijn als we martelen en collectieve straffen hanteren, als we huizen verwoesten en hele gezinnen op straat zetten!

Ten tijde van de akkoorden van Oslo werd er naar ons geluisterd, nu is dat heel moeilijk. De Israëli's zijn ervan overtuigd dat er toch geen gezamenlijke toekomst mogelijk is en dat de Palestijnen ons haten.'

---

82. Religieuze school. (vgl. noot 26 op p.57)

'Is uw organisatie groot?'

'We zijn met ongeveer honderd rabbijnen, vooral immigranten uit Amerika, en een paar vrouwen. Een minderheid is orthodox, de meerderheid liberaal. Onze organisatie is veertien jaar geleden opgericht, tijdens de eerste intifada, om te protesteren tegen het aan de soldaten gegeven bevel om de botten van demonstranten te breken. De geestelijken zwijgen. In feite houden de Israëlische rabbijnen zich in Israël alleen bezig met de sabbat en de riten en niet met morele aangelegenheden – en het godsdienstige establishment steunt de regering. Zo komt onze groep tegemoet aan de klemmende behoefte aan een morele koers waarin de idealen van rechtvaardigheid en gelijkheid onder de mensen tot uitdrukking komt. We zijn niet met velen, maar we hebben wel invloed.

We hebben Rabins plannen ondersteund, maar nu is wel duidelijk dat Israël Oslo gebruikt heeft om zijn controle over de bezette gebieden te consolideren. Wij doen in de bezette gebieden precies wat de Zuid-Afrikanen deden: Bantoestans creëren onder controle houden en de absolute macht over de watertoevoer houden. Israëli's willen niets delen, de meesten van hen wonen niet in het Midden-Oosten, maar op een Europees kunstmatig eilandje. We hebben een negatieve houding ten opzichte van dit gebied met zijn cultuur en zijn godsdienst. We hebben ons eigen luxe getto gecreëerd. Dat is een vergissing, want als er exploitatie is in plaats van partnerschap, lukt het nooit. Over vijftig jaar zijn er meer Palestijnen dan joden, we zijn dan een minderheid die een meerderheid overheerst, dat kan nooit duren en draait onvermijdelijk uit op een ramp.

Op dit moment reageert de wereld niet, want de joden hebben veel invloed en de mensen zijn bang uitgemaakt te worden voor antisemieten. Maar wij joden zijn nu zelf verantwoordelijk voor het antisemitisme. Wij brengen de mensen aan het twijfelen over de morele waarden van het judaïsme. In de Verenigde Staten bijvoorbeeld hebben de joden nog nooit zozeer deel uitgemaakt van het establishment. Sommigen denken: "Prachtig, Sharon kan doen wat hij wil." Maar ik denk juist dat het gevaarlijk veel schade toebrengt aan het imago van het judaïsme, en dat het zich uiteindelijk tegen ons zal keren.'

'U bent een godsdienstig man, wat denkt u van de kolonisten die weigeren de nederzettingen op de Westelijke Jordaanoever te ontruimen, omdat het hun Beloofde Land zou zijn?'

'Ze geloven niet zozeer in de heiligheid van het land van Judea Samaria als wel in een bepaalde opvatting van het zionisme. Het is hun manier om als joden aan de wereld te zeggen: "Wij hebben zo geleden, daarom mogen wij nu handelen zoals we zelf willen. U wilt af van het kolonialisme, prima, maar wij doen wat ons goeddunkt. Het lijden dat wij veroorzaken telt niet, want na wat wij hebben meegemaakt kan niemand ons de les lezen."

Dit heeft niets te maken met de Bijbel of het geloof, het is gewoon een notie die in hen zit: wij hebben het recht om de fouten te maken die anderen vóór ons gemaakt hebben. Het is een soort inhaalslag van het verschrikkelijke... Ik kan dat niet aanzien. In plaats van gevoeliger te zijn voor lijden vanwege de eigen ervaringen, in plaats van trouw te blijven aan het gedachtegoed van de joden, dat tweeduizend jaar geleden meer ontwikkeld was dan dat van anderen, met name de Romeinen, lopen we nu achter op het gebied van de alom heersende moraal. Terwijl de hele wereld kolonialisme nu verwerpt, zijn wij aan het koloniseren, onder het voorwendsel dat we in gevaar zijn, maar in werkelijkheid omdat we van mening zijn dat Israël een land moet zijn vooraleerst voor de joden, en als het even kan uitsluitend voor hen. We doen wat we kunnen om ons te ontdoen van de Arabische bevolking, door hun het leven onmogelijk te maken en hen er misschien ooit, als ze in opstand komen, uit te gooien.'

We naderen het dorp Kafr Yusef, dicht bij de nederzetting Tapuah, waar we ons bij de mensenrechtenorganisaties zullen voegen.

'Sinds een week of twee', legt rabbijn Jeremy me uit, 'proberen de boeren bij hun land te komen, maar de kolonisten terroriseren hen door op ze te schieten, zoals dat bijna overal op de Westelijke Jordaanoever gebeurt. Het is al drie jaar zo, altijd in oktober, op het moment van de oogst. Olijven vormen immers een zeer belangrijke bron van inkomsten voor duizenden Palestijnen. Bijna de helft van al het ontgonnen land is bedekt met olijfbomen, want die hebben maar heel weinig water nodig en Israël houdt de waterdistributie hier stevig in de hand: tachtig procent van al het water op de Jordaanoever gaat naar de kolonisten!

In een economie die al verwoest is door twee jaar van afsluitingen en uitgaansverboden heeft het belemmeren van de olijfoogst dramatische gevolgen. Amos Gilad, de generaal die het bewind voert over deze gebieden, heeft onlangs toegegeven dat zestig procent van de Palestijnen thans onder de armoedegrens leeft. In veel dorpen, vooral in de buurt van de nederzettingen, kunnen de boeren alleen oogsten met gevaar voor eigen leven. Er vallen gewonden en zelfs doden. Nu net twee weken geleden, op 6 oktober, is er een man van vierentwintig, Hani Yussuf uit het dorp Akraba, doodgeschoten toen hij op zijn land rustig aan het plukken was.'

Misschien overdrijft rabbijn Jeremy, misschien was deze Hani Yussuf te dicht bij een nederzetting gekomen en hielden ze hem voor een terrorist... Wat kan het die kolonisten nu toch schelen of boeren hun olijven plukken?

Een paar uren en schoten later begrijp ik het beter.

Het is bijna zeven uur als we aankomen in het dorp Kafr Yusef, of beter gezegd in de buurt van het dorp, want de weg is afgezet met hoge hopen aarde en rotsblokken, een blokkade die is opgeworpen door het Israëlische leger.

Het is nog koel, het oktoberlicht is zacht; we lopen stevig door naar het dorp en mijn blik wordt getrokken door graffiti op een muur: 'Dood aan de Arabieren!' staat er in rode letters.

'O, dat is van de kolonisten', zegt Jeremy schouderophalend.

'Waarom halen de Palestijnen het niet weg?'

'Dat deden ze wel, maar er is geen beginnen aan, dus laten ze het maar zitten. Ze hebben nog wel een andere strijd te leveren!'

Het dorp Kafr Yusef telt bijna tweeduizend inwoners en is, als alle Palestijnse dorpen, overbevolkt. Elk plekje groen is veranderd in een gelegenheidsbehuizing.

Aan de rand van het dorp worden we verwelkomd door een zwerm kinderen die ons met gelach en gejoel begroeten en ons meetronen naar het dorpsplein waar al honderden mensen staan. De meesten van hen zijn boeren en boerinnen, bewapend met staken en grote lakens om de olijven in op te vangen, maar ik zie ook een stuk of twaalf militanten van diverse Israëlische vredesbewegingen en wat sympathisanten uit Frankrijk, Groot-Brittannië en de Verenigde Staten.

Sinds twee dagen proberen ze te beginnen met de oogst, maar de kolonisten uit de nederzetting Tapuah beletten hun dat door stenen te gooien en te schieten. Het leger is wel tussenbeide gekomen, maar in plaats van de boeren te beschermen, dwong het hen zich terug te trekken.

Vandaag hebben de dorpelingen besloten het weer te proberen. De situatie is ernstig: als ze hun olijven nu niet oogsten, verliezen ze niet alleen hun belangrijkste bron van inkomsten voor dit jaar, maar dreigen ze ook hun akkers te verliezen als zijnde 'braakliggend', zodat die kunnen worden geconfisqueerd ten behoeve van de kolonisten.

Nog maar net een week geleden heeft het dorp Khirbet Yanum, hier vlakbij, de strijd moeten opgeven. Het is, zo zegt men, voor het eerst sinds 1948 dat een heel dorp ontvolkt wordt door zo'n 'zachte overname'. Nu zijn de Palestijnen bang dat de kolonisten, gesterkt door hun succes, hun aanvallen op alle dorpen op de Westelijke Jordaanoever zullen intensiveren.

Khirbet Yanum is een afgelegen dorp waar zesentwintig families woonden, samen ongeveer tweehonderd mensen. Op de nabijgelegen heuvels hadden zich wilde nederzettingen[83] gevormd, die hen al vier jaar dwarszaten. 's Nachts kwamen ge-

---

83. Nederzettingen die niet de toestemming hebben van de Israëlische regering, maar die profiteren van haar lankmoedigheid.

maskerde mannen te paard het dorp in met hun honden, ze stalen er dieren, sloegen vensterruiten kapot en rosten de mannen af die het waagden zich te verzetten. Onlangs hadden ze zelfs de generator in brand gestoken, zodat het dorp geen elektriciteit meer had, en ze hadden de drie grote waterreservoirs lek geslagen. Een voor een trokken de families weg uit het dorp, er waren er nog maar zes over, een kring van onverslaanbaren.

Maar de aanvallen werden steeds heviger en de vrouwen dreigden hun mannen te verlaten als ze nog langer standhielden.

'Ik ken het dorpshoofd, Abdelatif Sobih,' zegt rabbijn Jeremy, 'hij was de laatste die wegging. Hij huilde toen hij zijn schamele bezit op een vrachtwagen laadde, om eerst bij familie te gaan wonen, daarna ziet hij wel weer verder... Zijn familie heeft altijd in dit dorp gewoond; hij zei me dat hij nu hij vluchteling was alleen nog maar wou sterven. Weet u, voor een boer is er geen reden meer om te leven als hij wordt afgesneden van zijn wortels, opgesloten tussen vier betonnen muren in een ellendig vluchtelingenkamp, zonder een sprietje gras of een struik, zonder die speciale band met de natuur, met de moederaarde die hij tot bloei brengt, de hemel die hem zijn weldadige regens schenkt en het harde leven waarin hij eigen baas is.'

We worden onderbroken door de komst van een jonge boer die aankondigt dat iedereen er is en dat het tijd wordt om te vertrekken.

Een kleine groep van ongeveer vierhonderd man zet zich in beweging. De mannen voorop, Palestijnen en internationalen door elkaar, de vrouwen achteraan, in hun mooie traditionele gewaden als vlaggen. Er heerst een sfeer van vrolijke opwinding met een vleugje angst erin: de Israëlische pacifisten hebben dan wel de verzekering gekregen van de burgerlijke en militaire autoriteiten dat er soldaten aanwezig zullen zijn om hen te beschermen tegen de kolonisten, maar je weet maar nooit...

Zodra we in de buurt van de mooie boomgaarden komen, valt onze colonne uit elkaar, iedereen rent naar zijn land: ze kunnen er voor het eerst na heel lange tijd naartoe, ze rennen de hellingen af met wijdopen armen, als om een kind terug te vinden waarvan ze te lang gescheiden zijn geweest. Plotseling klinkt er geweervuur: de kolonisten stonden hen onder aan het dal al op te wachten.

Ze staan daar met een man of vijftien te brullen en te schieten naar alle kanten. Doodsbang proberen de boeren die er het dichtst bij staan zich te verschuilen achter de bomen, anderen lopen terug naar ons. Rabbijn Jeremy probeert ze gerust te stellen: 'Wees niet bang, ze willen jullie alleen maar afschrikken, ze schieten in de lucht!'

Wat weet hij ervan? Heeft hij me niet net nog gezegd dat er soms doden vallen?

Een paar boeren hebben zich gehergroepeerd rond de vredesactivisten en lopen verder naar de kolonisten, die dronken zijn van woede bij het zien van dit onverwachte verzet.

'We zullen jullie doden!' roepen ze en ze richten hun loop op de groep.

Rustig proberen de vredesactivisten te argumenteren: 'Stop toch met die onzin. Kijk nu eens, we zijn ongewapend, jullie hebben het recht niet de oogst te verhinderen!'

Maar die woorden wakkeren de woede alleen nog maar aan: 'Jullie, joden nota bene, zijn hier met die Arabische moordenaars om ons af te maken!' Een korte gedrongen man die rood is van woede, stikt zowat van verontwaardiging, terwijl zijn metgezellen zich nog dreigender opstellen.

Een jonge Franse pacifist probeert een op zijn buik gerichte loop weg te duwen, de kolonist die het wapen vast heeft scheldt: 'Raak me niet aan, nicht! Raak mijn geweer niet aan of ik vermoord je!'

Het regent scheldkanonnades, het zijn er wel veel maar ze zijn niet bijster origineel: Fuck you, Motherfucker, Ga terug naar je rotland en meer van dat soort lieflijke termen.

Ten slotte komt er hulp opdagen: drie soldaten. Dat is weinig om iedereen rustig te houden, maar misschien is het net genoeg om de kolonisten te laten inbinden. Tot onze verbazing richten ze zich tegen ons.

'Buitenlanders hebben hier niets te zoeken,' verklaren ze, 'die moeten hier meteen weg.'

Uiteraard verroert niemand een vin, de internationalen weten dat hun aanwezigheid een bescherming is voor de Palestijnen, want de ordetroepen willen geen geweld in aanwezigheid van getuigen.

Al gauw voegt zich nog een dozijn andere soldaten bij de drie, het zijn kennelijk allemaal vrienden van de kolonisten. Ze schudden elkaar de hand, slaan elkaar op de schouder, wisselen grappen uit, de verbroedering is compleet. Voor een kolonist die weer is gaan schieten, schudt de officier met zijn vinger: 'Foei, dat mag je niet!'

Maar degenen die een groepje boeren onder schot houden, laat hij begaan. En aan een militant die uitroept: 'Luister eens, arresteer die lui nou!' antwoordt hij vanaf olympische hoogte: 'Ze mogen echt wel richten, zolang ze niet schieten.'

Geschokt besluit een oude Israëlische pacifist zich op te werpen als menselijk schild, hij gaat staan tussen de boeren en de lopen van de geweren van de kolonisten in. Anderen volgen zijn voorbeeld. Ze weten dat de kolonisten heel wel in staat zijn te schieten op een ongewapende Palestijn, maar dat ze niet – nog niet – zo ver heen zijn dat ze ook op mede-Israëli's schieten.[84]

Er komen meer hulptroepen aan. Ondertussen zijn de dorpelingen zwijgend op de grond gaan zitten met een woeste blik in de ogen. Ze zijn met zijn honderden, mannen en vrouwen, indrukwekkend in hun vastberadenheid, ditmaal hebben ze besloten niet te wijken, wat er ook gebeurt.

De Israëlische commandant neemt de pacifisten apart en legt hun uit dat ze weg moeten omdat dit gebied een militaire zone is. Bij die woorden wordt rabbijn Jeremy, tot dan toe een toonbeeld van kalmte, witheet: 'Dat is niet waar! En dat weet

---

84. Een dergelijk drama heeft inmiddels plaatsgevonden. Op 16 maart 2003 werd Rachel Corrie, een 23-jarige Amerikaanse, verpletterd onder een bulldozer in Raffah, toen zij probeerde de verwoesting van een Palestijns huis te verhinderen.

u best. Schaamt u zich niet om hier zo te staan liegen? Wij blijven hier en we zullen de oogst binnenhalen, wat er ook gebeurt!'

De commandant staat als aan de grond genageld en zegt niets terug. Hij begrijpt dat hij dit keer niet zal winnen. Grommend wendt hij zich weer tot de kolonisten: 'Kom, naar huis jullie', en hij maakt zich op om met zijn manschappen te vertrekken.

Maar de rabbijn komt tussenbeide: 'Niet zo snel! Dat is al te gemakkelijk! Zodra u weg bent, komen zij weer terug. U hebt de plicht erop toe te zien dat zij echt terugkeren naar hun nederzetting!'

Met tegenzin gaat de commandant de kolonisten uitleggen dat ze illegaal bezig zijn en dat ze moeten vertrekken. Maar laatstgenoemden denken daar niet over. Ze reageren zich af op de commandant zelf, die hen meeneemt in een hoekje. De heimelijke beraadslagingen duren lang. Hoe het hem lukt ze te overtuigen? Welke beloftes hij hun doet? Ten slotte vertrekken ze gezamenlijk, de soldaten sleuren degenen mee die nog tegenstribbelen, woedend de vuist ballen tegen de Palestijnen en zweren dat ze terug zullen komen om zich te wreken.

Hun aftocht wordt begroet met een explosie van vreugde. Voor het eerst sinds jaren behalen de dorpelingen een overwinning op de willekeur die hun wordt opgelegd. Ze kunnen hun vreugde niet op, ze omhelzen elkaar, omhelzen de activisten, hun ogen stralen, ze zijn geen hulpeloze slachtoffers meer, dit succes, hoe kortstondig en tijdelijk ook, geeft hun weer moed.

De hele dag beijveren ze zich om olijven te plukken: dat moet snel gebeuren, morgen zijn de kolonisten er misschien weer. Zelfs de kinderen helpen mee. Ze voelen geen moeheid, de vrouwen zingen, de mannen maken grappen, ze zijn in lang niet meer zo gelukkig geweest. 's Avonds is alles geoogst.

Dat is het moment om uit te blazen en vooral conclusies te trekken uit deze ongelooflijke dag. Rond een glas thee smeden de oudsten van het dorp en de pacifisten plannen die nu geen dagdroom of loos gepraat meer lijken. Allereerst deze ervaring zo snel mogelijk doorvertellen aan alle dorpen op de Westelijke

Jordaanoever om hen aan te moedigen. Systematisch groepen activisten sturen om hen te beschermen. Een beroep doen op de internationalen, want die zijn als onafhankelijke getuigen on-ontbeerlijk in de strijd tegen de propaganda van de Israëlische autoriteiten. Iedereen heeft zo zijn gedachten, iedereen vertelt zijn ervaringen. De gesprekken duren tot diep in de nacht.

Lea Tsemel, een Israëlische advocate voor de Palestijnen

Aan de telefoon is ze alleraardigst: 'Natuurlijk, we moeten elkaar ontmoeten! Wanneer? Morgen... liever overmorgen, belt u nog eens...' Na een paar dagen constateer ik dat het onmogelijk is een afspraak te krijgen met Lea Tsemel. Deze Israëlische advocate die zich al tweeëndertig jaar bezighoudt met het verdedigen van Palestijnen[85], komt om in het werk. Van Jeruzalem tot Haifa, van Nazareth tot Tel Aviv, van krijgsraad tot rechtbank, ze gaat altijd maar door. Want rechtszaken zijn er genoeg en samen met haar oudere collega Felicia Langer is zij een van de zeer weinigen die deze onmogelijke rol op zich neemt.

Uiteindelijk ben ik haar gevolgd tot in de rechtbank waar ik wist dat ze 's morgens was. Eerst ging ik naar de belangrijkste, in Moscobyia. Heel vriendelijk probeerden de bodes en de andere advocaten me van dienst te zijn: in welke kamer zou ze zijn? Totdat iemand uitriep: 'Lea Tsemel? Maar die werkt voor de Arabieren, die is dus in Oost-Jeruzalem!'

En meteen wendden deze vriendelijke mensen zich af alsof ik een besmettelijke ziekte had, de man aan de deur wilde me nog net wel met duidelijke tegenzin uitleggen waar de rechtbank in Salaheddin Street was.

In het gerechtsgebouw in Oost-Jeruzalem word ik binnengelaten in een piepklein zaaltje. Op houten banken zitten twee jonge, donkere verdachten, Nasser Assawi en Issaui, beschuldigd van medeplichtigheid aan de moord op Rehavam Zeevi, bijgenaamd 'Gandhi' omdat hij toen hij in de stoottroepen van de Haganah vocht altijd in een wit laken was gehuld. Tegen het

---

85. Palestijnen uit de bezette gebieden en Palestijnen uit Israël.

einde van de jaren zestig organiseerde deze beroemde minister van Toerisme, een groot vriend van Sharon, safari's per helikopter om te jagen op Palestijnse strijders die trachtten de Jordaan over te steken. Maar hij was bovenal een uiterst conservatief persoon die publiekelijk pleitte voor uitzetting van de Palestijnen.

De beschuldigden zitten er verbazingwekkend kalm bij, alsof het hier niet om hun leven gaat of alsof ze dat al hebben opgegeven. Wat ze inderdaad al wel gedaan zullen hebben toen ze zich opgaven als vrijwilligers om de minister te vermoorden. Een tolk vertaalt met horten en stoten wat er in het Hebreeuws over hen wordt gezegd. Op dezelfde bank zitten, van hen gescheiden door een politieman, twee blonde, in het zwart geklede vrouwen: de echtgenote en de dochter van de vermoorde minister. Bleek en met opeengeperste lippen kijken ze strak voor zich uit. De sfeer zou explosief moeten zijn, maar merkwaardig genoeg is hij vrij ontspannen. Op de bank net achter hen zit de familie van de beide aangeklaagden, een stuk of twaalf volwassenen en kinderen, er is zelfs een baby bij…

Daar komen de drie rechters binnen in hun zwarte toga's. De belangrijkste rechter, een vrouw met heel kort grijs haar, loopt in het midden, geflankeerd door haar beide hulprechters. Vervolgens zetelt ze onder het embleem van het judaïsme, de zevenarmige kandelaar.

Voor haar staat Lea, heel klein in haar zwarte toga, met een spits, bleek gezicht dat omkranst wordt door bruine haren met een vleugje henna erin; maar wat vooral treft zijn haar immens grote groene ogen met de zwarte pupillen, die dwars door je heen kijken.

De zitting van vandaag is slechts preliminair: er moet worden beslist of de verdachten wel of niet zullen getuigen, of ze bij het misdrijf betrokken waren of dat ze de moordenaars alleen hebben helpen vluchten, waardoor hun straf minder zwaar zou uitvallen. Op deze zitting zal de moord zelf niet worden behandeld, de feiten zijn bekend.

Tegenover Lea probeert de advocate van de eisende partij, een knappe roodharige, de rechtbank duidelijk te maken waarom men het nog niet eens is over de procesgang. Beide advocates zetten hun argumenten uiteen. Mevrouw de rechter ergert zich. Een van de hulprechters knikt echter glimlachend bij Lea's woorden. Ik verbaas me daarover, ik dacht dat deze vrouw het zwarte schaap van haar beroepsgroep was, omdat ze durft te pleiten voor de moordenaars van joden, en nu zelfs van een minister, die ook nog eens een groot vriend van Sharon was!

Later leggen Lea's collega's me uit dat dit inderdaad jarenlang het geval was, maar dat zij nu ieders respect geniet vanwege haar moed en haar professionaliteit.

Na een kwartier besluit mevrouw de rechter de zitting te verdagen. Het hof trekt zich terug. Onmiddellijk gaan de familieleden van de verdachten om hen heen staan, ze omhelzen elkaar, de jongste krijgt de baby in zijn armen, hij wiegt het en overdekt het met kusjes, onder de woedende blikken van de familie van de minister, die zich met opgeheven hoofd terugtrekt zonder die verraadster van een advocate ook maar een blik waardig te keuren...

'Ik rammel, kom, dan praten we onder het eten.'

Hartelijk neemt Lea me bij de arm en troont mij en haar beide stagiairs, een lange donkere en een kleine blonde – de eerste een Arabier, de tweede een jood – mee naar een van haar vaste restaurants, halverwege de rechtbank en haar kantoor. Uiteraard een Arabisch restaurant, in deze wijk waar joden vroeger graag kwamen eten of boodschappen doen, maar waar ze sinds de intifada niet meer in durven.

Onnodig te beschrijven met hoeveel respect en vriendschap de advocate begroet wordt als we binnenkomen. Naast evidente moorden zoals die van vandaag, is Lea in alle zaken over uitzetting, inbeslagname, verwoesting van huizen, inhechtenisneming zonder bewijs, kortom al wat het dagelijks leven van de Palestijnen in Israël of de bezette gebieden uitmaakt, een laatste toevluchtsoord, de laatste hoop op een eerlijke berechting.

Ik had al jaren over Lea Tsemel gehoord. Ik verwachtte een statige brunette, een ster van de balie, die wat afstandelijk zou zijn jegens journalisten die zomaar beslag leggen op haar tijd met altijd dezelfde vragen, maar ik bevind me hier tegenover een klein, kwikzilveren vrouwtje met een heel directe, vriendelijke manier van doen.

'Hoe ik ertoe gekomen ben advocate van de Palestijnen te worden?' herhaalt ze mijn vraag lachend. 'Misschien omdat ik niet blind en doof ben voor wat er om me heen gebeurt... Ik ben in Israël geboren, in Haifa, in een gegoede, zeer zionistische familie. Mijn ouders kwamen uit Rusland en Polen. De hele rest van de familie is het slachtoffer van de shoah geworden. Daar werd thuis vaak over gepraat, en dan luisterde ik vol afschuw, ik begreep niet hoe mensen zich zo monsterlijk kunnen gedragen. In Haifa waren onze buren en vrienden allemaal joods, er waren wel Arabieren maar die zag je nooit, het was alsof ze niet bestonden. Later, toen ik naar de universiteit ging, koos ik rechten omdat iedereen zei dat ik zo welbespraakt was. Daar ontmoette ik Arabieren; ik kon het goed met ze vinden, om de simpele reden dat ik niet racistisch was, gewoon een aardig meisje zonder enig benul van politiek. Ik wist van de apartheid in Zuid-Afrika en net als mijn vrienden veroordeelde ik die, maar het kwam niet in mij op dat de situatie hier precies hetzelfde was.

Tijdens de oorlog in 1967 was ik tweeëntwintig en ging ik vrijwillig het leger in. Ik was er vast van overtuigd dat Israël vrede wilde en dat we gedwongen waren te vechten tegen de Arabieren, omdat die ons de zee in wilden drijven. Maar toen ik zag hoe al die mensen, ouderen, vrouwen en kinderen, uit hun huizen werden gezet, hoe ze werden mishandeld en geterroriseerd met de overduidelijke bedoeling hen naar Jordanië te verdrijven, ja, toen begreep ik dat Israël geen vrede wilde. De Arabieren waren zo zwak, het was duidelijk dat Israël de middelen had om vrede af te dwingen maar dat niet wilde en allerlei uitvluchten zocht om de gebieden te kunnen annexeren.

Al het geweld en al die vernederingen die we de Palestijnen

aandeden, vond ik onverdraaglijk. Voor mij als joodse riep de aanblik van deze wandaden de collectieve herinnering op aan de trauma's die ons volk had moeten ondergaan. Ik wist nog niets over de Palestijnse vluchtelingen van 1948, maar toen ik zag hoe zij in 1967 weggejaagd werden naar Jordanië en toen ik hoorde over de verwoesting van al die dorpen, begon ik me buitengewoon ongemakkelijk te voelen. Ik voelde me verplicht uit mijn comfortabele holletje te komen en een poging te doen om het te begrijpen!

Dus probeerde ik in contact te komen met groepen progressieve studenten. Ik stelde vragen: wat was er geworden van de ongeveer vierhonderd Arabische dorpen die op oude landkaarten stonden en er nu niet meer waren? En wat was er gebeurd met de eigenaren van al die mooie Arabische huizen? Met afschuw kwam ik langzamerhand achter de waarheid: de Palestijnen hadden hun huizen en landerijen niet vrijwillig verlaten, zoals men ons had doen geloven.

Ik besefte dat Israël gewoon een kolonialistische staat was. Met dit verschil dat de overheid de inheemse bevolking niet overheerste, maar wegjoeg. Ik begreep dat ik bedrogen was, dat we niet de grote democratie waren waar ik zo trots op was geweest en dat de leuze waarop we ons land gebouwd hadden, "Een land zonder volk voor een volk zonder land", een regelrechte leugen was.

Toen begon ik mijn strijd als advocate. Ik zat boordevol enthousiasme, ik dacht dat het genoeg zou zijn om dat onrecht aan de kaak te stellen, en dat ik alles zo zou kunnen veranderen.'

Ze lacht, half cynisch, half vertederd door haar eigen onnozelheid.

'Ik denk nu nog steeds dat ik nuttig kan zijn, maar ik betwijfel ten zeerste of ik onze maatschappij echt in beweging kan krijgen...

Mijn nieuwe opstelling lokte uiteraard verontwaardiging uit. Toen ontstond er een grote cesuur in mijn leven. Mijn nieuwe politieke vrienden en mijn familieleden hadden totaal tegengestelde opvattingen, ze konden niet met elkaar overweg, hoewel ik eerst nog dacht dat ik ze wel zou kunnen overtuigen. Ondanks alle druk bleef ik bij mijn overtuiging, ik kon niet negeren wat ik had ontdekt. Maar voor de meesten van mijn vrienden van vroeger werd ik een verraadster. Ze verbraken elk contact met mij en mijn familie.'

'En uw familie, hoe reageerde die?'

'Ze bleven van me houden, maar tegenover de buitenwereld was het enorm moeilijk voor hen. Het heeft in het bijzonder de carrière van mijn broer, die ingenieur is, geschaad. Hij heeft hinder ondervonden van het feit dat hij Tsemel heette. Wat mijn kinderen betreft, mijn dochter van twintig is politiek actief, maar mijn zoon van dertig helemaal niet. Hij is tegen allerlei pesterijen aangelopen, hij heeft veel geleden onder het gedrag van andere kinderen van school en uit de buurt, die zeiden: "Je moeder is de hoer van de Arabieren." Hij schaamde zich voor mij, hij wilde op straat niet meer naast me lopen.'

'En u, hebt u zelf last gehad van geweld?'

'Natuurlijk, op allerlei manieren. Sinds 1970, toen ik me echt in de strijd geworpen heb, gebeurt er elke dag wel iets. Jarenlang werd ik niet alleen uitgescholden maar ook fysiek lastiggevallen, kolonisten spuugden op me… Mijn kantoor is heel vaak aangevallen, ze gooiden stenen door de ruiten, stortten vuilnis in het trappenhuis, schreven allerlei beledigende teksten op de muren, strooiden suiker in de benzinetank van mijn auto. Dat was niets bijzonders.'

'Hebt u nooit spijt gehad van uw beslissing?'

'Nee, ik wist vanaf het begin precies wat me te wachten stond. En ik werd gesteund door de man met wie ik later getrouwd ben, Michel[86], zelf ook activist. Maar ik werd vooral gemotiveerd door al die mensen die zo hard iemand nodig hadden die ze in bescherming nam tegen oneerlijke behandeling, geweld en onrechtmatige aanhouding. Wat me al die vreselijke jaren op de been heeft gehouden, was de blik van degenen die ik geholpen had. Voor mij was het ondenkbaar hen te laten vallen.

---

86. Het gaat hier om Michel Warschavski.

Mijn dochter heeft van dat alles minder last gehad dan mijn zoon. Ze is tien jaar later geboren, in een periode dat ik net min of meer gerehabiliteerd werd in de publieke opinie. Van "terroristenadvocate" werd ik een voorvechtster voor de mensenrechten, een bekend en gerespecteerd activiste. Samen met Felicia Langer was ik in feite een soort pionier geweest. Nu is er gelukkig een nieuwe lichting, er zijn enige jonge advocaten die hetzelfde soort zaken aannemen als wij.'

'Vertelt u eens over moeilijke zaken waarin u de verdediging op u genomen hebt?'

'Ach, dat zijn er zoveel geweest... in tweeëndertig jaar. Van gevangenen in hongerstaking tot de eerste Palestijnen die van zee kwamen en gijzelaars gemaakt hadden, en nu weer al die kamikazes!'

'Daar zegt u wat, die mensen die zichzelf opblazen en daarbij de dood van Israëlische burgers veroorzaken en het er levend vanaf brengen, hoe kunt u die verdedigen?'

'Het is essentieel om als advocaat te trachten het hof duidelijk te maken dat er redenen voor moeten zijn dat een zo onaanvaardbaar en extreem fenomeen zo'n hoge vlucht neemt. Dat jonge mannen en meisjes de beslissing nemen zichzelf op te blazen is niet zomaar een waan die uit het niets opkomt. Ik probeer hun situatie te beschrijven, aan te tonen hoe diep hun wanhoop is en waar die vandaan komt. We hebben hier niet te maken met een natuurramp, zoals de moesson; er zijn redenen voor die we moeten identificeren. En daarna probeer ik de verschillen tussen de verdachten naar voren te brengen: de kamikazes die niemand gedood hebben – óf omdat hun bom niet afging, óf omdat ze zich op het laatste moment bedachten. Op het ogenblik verdedig ik een jong meisje dat op het moment dat ze de ontsteking zou activeren opeens niet meer wilde. Ik wil haar als voorbeeld stellen, omdat ze op het laatste moment weer bij haar positieven kwam en spijt kreeg van wat ze op het punt stond te doen. Ik wil het hof ervan overtuigen dat die spijt het belangrijkste element van dit proces moet worden.'

'Denkt u dat de jongeren worden geïndoctrineerd, dat ze

worden opgehitst tot dit soort daden?'

'Absoluut niet, met wat ze allemaal zien en meemaken hebben de meesten van hen helemaal geen zetje nodig.'

'Hoe denkt u, na tweeëndertig jaar Palestijnen verdedigd te hebben, over het Israëlische recht?'

'De meeste van mijn processen worden gehouden voor krijgsraden, wat inhoudt dat alles vanaf het begin scheef gaat. De rechters zijn officieren, en ik heb maar een kleine kans iets te bereiken. Voor burgerrechtbanken verdedig ik heel moeilijke zaken, zoals die van vandaag bijvoorbeeld, waarin een minister die ook nog eens een vriend van Sharon was, gedood is. De rechter wordt onvermijdelijk beïnvloed door de regeringspolitiek. Hij zal niet accepteren dat een soldaat misschien gelogen heeft en degene die het onderzoek leidt misschien ook, of dat de veiligheidsdienst zijn werk niet goed genoeg gedaan heeft. Mijn werk bestaat eruit kleine lacunes te vinden waardoor ik naar binnen kan en die vervolgens groter te maken, om de verschillen in verantwoordelijkheid te benadrukken.

Vandaag is de ene verdachte beschuldigd van moord en de andere van medeplichtigheid. Ik probeer aan te tonen dat dit niet juist is, dat de eerste slechts medeplichtig was aan moord en dat de tweede hem geholpen heeft te vluchten. Ik vecht ervoor dat ze niet allemaal op dezelfde manier worden bekeken, dat er gelet wordt op gradaties van schuld.

En dan zijn er de doorsnee zaken, waar bijvoorbeeld een kind veroordeeld wordt voor het gooien van stenen en een gevangenisstraf krijgt opgelegd van drie maanden, wat buitengewoon zwaar is, maar toch moet ik dat dan beschouwen als een succesje, want hij had als Palestijn ook zeven maanden kunnen krijgen. Ziet u, al die successen zijn maar relatief...'

Lea lijkt opeens heel moe, ik heb zin haar hand te pakken, maar ik zeg alleen: 'Maar u hebt ook echte overwinningen geboekt! Vertelt u daar eens over.'

'Ja, onlangs nog in Jeruzalem, een vrij komische zaak,' ze lacht weer, 'waarin we een grote financiële compensatie hebben gekregen voor een vrouw die door de politie voor een verklede man was aangezien. Ze schoten op haar, ze ontkwam, maar ze gingen schietend achter haar aan. Haar kind raakte gewond. Dit keer móést de rechter wel vaststellen dat het een vrouw was en de politie het zwijgen opleggen.

Een ander groot succes, vrucht van collectieve arbeid, was het aanleggen van dossiers over gevallen van foltering. We hebben net zolang doorgezet tot de Hoge Raad uiteindelijk erkende dat het inderdaad om foltering ging en dat het illegaal was.'

'Ik dacht eigenlijk dat foltering in Israël legaal is?'

'Niet echt. Het was gebruikelijk dat rechtbanken weigerden om duidelijk te oordelen. En dat bleef zo tot aan dit proces in 1999. Nu proberen ze uit alle macht op deze beslissing terug te komen, en wij moeten keer op keer tegen deze pogingen vechten. Uiteindelijk hangt alles af van het politieke klimaat. Zo heb ik een paar maanden geleden een ongeveer vijftigjarige man verdedigd die een erg lang en buitengewoon stevig verhoor had ondergaan. De krijgsraad beschuldigde hem ervan deel uit te maken van het Palestijnse Volksbevrijdingsfront (PFLP) en van plan te zijn geweest een bom te gooien. In feite was het enige wat ze tegen hem hadden dat hij sinds 1990 openlijk voedsel uitdeelde aan de armen van Jeruzalem en dat hij dat eten ontving van een organisatie die gelieerd was aan de PFLP. Ik ben erin geslaagd zijn zaak over te hevelen van de krijgsraad naar een burgerrechtbank en ik dacht dat ik hem op die manier onmiddellijk vrij zou krijgen, want er was niets tegen hem. Maar we verloren en hij kreeg elf maanden. En dat alleen omdat in het huidige klimaat iedereen die gelieerd is aan een andere partij dan de Fatah van Arafat momenteel streng wordt gestraft, om elke politieke activiteit te ontmoedigen.

Anderzijds heb ik twee of drie mensen vrij weten te krijgen, waarvan er een geprobeerd had bij Hamas binnen te komen. Dat lijken onbeduidende succesjes, maar zo proberen we nieuwe regels te creëren, een bres te slaan in onrechtvaardige wetten en praktijken, we proberen het juridisch apparaat te dwingen Arabieren net zo te behandelen als joden. Door discriminerende praktijken aan de kaak te stellen proberen we de andere advocaten ervan te overtuigen dat ze de huidige situatie niet moeten accepteren.'

'Wat voor soort discriminatie dan?'

'Als een joods kind stenen gooit naar Arabieren wordt hij niet gestraft, want in tegenstelling tot wat er gebeurt met een Arabisch kind zal er altijd rekening worden gehouden met psychologische en sociale omstandigheden.

Een ander voorbeeld: onlangs heeft een joodse kolonist een Arabisch kind doodgereden. Hij werd veroordeeld voor onopzettelijke doodslag. Als het een Arabier was geweest, zou hij veroordeeld zijn tot moord met voorbedachten rade. Niet dat rechtbanken Arabieren haten, maar als een jood een getuigenis aflegt, begrijpt het hof wat hij zegt; wanneer een joodse moeder het over haar zoon heeft, raakt dat meer dan wanneer een Arabische moeder het over haar kind heeft, want de joodse moeder zou de moeder of de vrouw van de rechter kunnen zijn.

En tot slot, als een jood veroordeeld wordt tot levenslange gevangenisstraf omdat hij een Arabier gedood heeft, wordt hij na twaalf jaar vrijgelaten, terwijl een Arabier levenslang gevangen zal blijven.

Discriminatie komt niet alleen van de rechter, maar van het hele justitiële apparaat: het gevangeniswezen, het ministerie van Justitie, alle organen handelen op heel natuurlijke wijze ten gunste van de joden en tegen de Arabieren. Neem nu een verhoor: een Arabier wordt gemarteld en zal dus eerder zeggen: "Ja, ik heb een bom geplaatst omdat ik joden wilde doden." "Joden doden? Levenslang!" Maar een jood wordt niet gemarteld door de veiligheidsdienst en zegt: "Ja, ik heb een bom geplaatst, maar ik had niet echt de bedoeling om te doden." En in plaats van door te vragen zal de dienst hem met rust laten.'

'Komt die verharding volgens u door de zelfmoordaanslagen?'

Tot mijn stomme verbazing richt Lea zich op en zegt met ogen die vlammen van woede: 'Natuurlijk niet! De Israëlische regering wil niet onderhandelen en gebruikt dat als excuus. Een tijdje geleden was het gooien van stenen het excuus. Ze zeiden: "We kunnen niet praten, want hoe kun je nu vertrouwen hebben in mensen die met stenen gooien?"

Eigenlijk had de impact van de zelfmoordaanslagen gigantisch moeten zijn op de Israëli's. We hadden ons de vraag moeten stellen: "Waarom doen ze dit?" Ook wij joden hebben onze heroïsche zelfmoorden gehad, van Samson tot Massada. En in 1947-'48 hadden we veel martelaren in het leger en daarvóór in onze paramilitaire groeperingen Stern en Irgun. De Israëli's zouden de Palestijnen moeten bewonderen omdat ze zich opofferen voor de goede zaak, zoals wij dat vroeger ook deden. In plaats daarvan beschouwen we ze als monsters, fanatici. We vragen ons geen moment af wat die jongeren ertoe brengt zich op straat op te blazen! De mensen slikken de regeringspropaganda en ze worden steeds harder.'

'Maar zullen ze uiteindelijk niet van de regering eisen dat er een politieke verandering komt, omdat de huidige regering echt niet in staat is hun veiligheid te garanderen?'

'Ik verbaas me erover dat dat nog niet gebeurd is. Maar ik ben bang dat het een verslechtering zal zijn. De meeste Israëli's zijn nu voor nog hardere maatregelen, ze verwachten snelle, makkelijke oplossingen en die bestaan natuurlijk niet. Ze willen niet nadenken over zichzelf, of hun manier van leven veranderen en een beetje delen.

De Palestijnen begrijpen niet dat ze de economische belangen van Israël moeten aanpakken. De strijd verleggen naar het morele plan, de mensen ervan overtuigen dat het onrecht waarvan ze slachtoffer zijn, niets oplost. De Israëli's zijn ervan overtuigd dat ze boven elke morele kritiek verheven zijn. Kijk maar naar hun reactie als de Verenigde Naties of een bepaalde regering iets durft te zeggen: "Wie zijn jullie om ons iets te verwijten? Wij zijn de slachtoffers, vergeet dat niet! Jullie zijn antisemieten, willen jullie soms weer een holocaust?" Zo snoeren ze iedereen de mond.'

'Maar hoe ziet u de toekomst dan?'

Ze aarzelt, diep in gedachten.

'Ik wil in elk geval niet dat mijn kinderen hier blijven, tenzij ze strijden. Als je niet strijdt, doe je op een bepaalde manier mee aan de oppressie. Maar ze weigeren het land te verlaten hoewel het er gevaarlijk is, zowel moreel als fysiek.

Wat de toekomst betreft, alles is nu mogelijk. Mijn enige zekerheid is dat we, als we ons als bezetters blijven gedragen, hier op de lange duur niet zullen kunnen blijven.'

'De lange duur, bedoelt u daarmee een of twee eeuwen?'

'Nee, dat denk ik niet. We hadden een kans met Oslo en die hebben we niet weten te grijpen. We hadden de mogelijkheid om geaccepteerd te worden in de regio, ons te integreren in dit Midden-Oosten, en die hebben we laten liggen. Tot een paar maanden terug was de grote meerderheid van de Palestijnen heel gematigd, heel begrijpend, maar ik ben er niet zeker van of dat met de nieuwe generatie ook zo is. Kinderen die zoveel geweld hebben gezien, vergeten dat nooit. En ik geloof ook niet dat ze dat moeten vergeten... Vroeger konden Palestijnen niet haten, nu leren ze het, we zijn goede leermeesters!'

Haar rauwe stem lijkt te breken: 'Ik begin mezelf vragen te stellen: is mijn aanwezigheid hier, mijn werk ten gunste van de rechten voor Palestijnen – werk dat ik evenzeer voor hun volk doe als voor het mijne, opdat we ooit samen kunnen leven – is die aanwezigheid nog gerechtvaardigd? Tot nu toe wel, mensen als ik waren de belichaming van een belofte voor de toekomst: het bewijs dat samenleven mogelijk was. Maar misschien geeft het feit dat ik hier ben en doe wat ik doe, de "goede jood" spelen, de Palestijnen wel de illusie dat een toekomstig samenwonen mogelijk is terwijl dat niet meer zo is...'

'Zegt ú dat, u, Lea Tsemel?'

Ze knikt, ze ziet er uitgeput uit.

'Ik weet het nog niet, ik zeg u wat me bezighoudt. Mijn werk hier, dat beetje hoop dat ik de Palestijnen geef, is een illusie... Misschien kunnen we ze beter met de extreemrechtse joden laten botsen, want dan zullen ze wel móéten vechten om hun hachje te redden...

Veel Palestijnen haten zelfs nu de joden nog niet, maar van

joodse kant verhardt de sfeer. Hoewel wij veruit de grootste militaire macht in het gebied zijn, met de Verenigde Staten achter ons, worden we verscheurd door de mythe dat we een minderheid zijn die bedreigd wordt met uitroeiing. Al die mythes, ze zijn zo moeilijk te bestrijden…

Soms vraag ik me af wat ik hier nog doe, en tegelijkertijd wil ik niet weg, nog niet. Ik ben heel benieuwd, ik heb geen idee wat er gaat gebeuren,' ze lacht als een klein meisje, 'ik wil het eind van het verhaal zo graag weten, als er een einde is…'

'Kom op, over dertig jaar bent u hier nog steeds!'

'Misschien wel, want ondanks alles wat ik u gezegd heb, ben ik een onverbeterlijke optimiste. Daar komt nog bij', haar groene ogen krijgen een zachte glans, 'dat ik hou van het klimaat van dit land, en van het landschap, en de mensen; ik wil hier kunnen blijven wonen zonder te hoeven verloochenen waar ik voor sta. Nee, ik geef het niet op, ik ben nog lang niet zover dat ik het wil opgeven!'

Epiloog

De ethiek van de wraak

Rede uitgesproken door Yitzak Frankenthal, voorzitter van *Families Forum*, tijdens een bijeenkomst in Jeruzalem op zaterdag 27 juli 2002, voor het huis van minister-president Ariel Sharon

Yitzak Frankenthal heeft in 1994, na de ontvoering van zijn negentienjarige zoon Arik door terroristen van Hamas en de daaropvolgende moord, Families Forum opgericht, een organisatie van ouders van door terrorisme omgekomen kinderen. Families Forum belooft vrede en coëxistentie door middel van opvoeding tot verdraagzaamheid en compromis. Families Forum, dat zich baseert op de joodse ethiek en op de plicht het menselijk leven te beschermen en te doen prevaleren, wil aantonen hoe zwaar er in mensenlevens betaald is voor Groot-Israël. Honderdnegentig Israëlische ouders die een of meer kinderen verloren hebben toen die hun dienstplicht vervulden of ten gevolge van terroristische acties, hebben een beweging opgericht waarin wordt opgeroepen tot sociale en politieke verandering om een einde te maken aan het Palestijns-Israëlische conflict en het zinloos opofferen van kinderen.

'Mijn dierbare zoon Arik, mijn vlees en bloed, is vermoord door Palestijnen. Mijn grote zoon, met zijn blauwe ogen en blonde haren, die altijd lachte met de naïviteit van een kind en de wijsheid van een volwassene. Mijn zoon.

Als er om zijn moordenaars te treffen onschuldige Palestijnse kinderen en andere burgers gedood moesten worden, zou ik de veiligheidstroepen vragen een andere gelegenheid af te wachten. Als de veiligheidstroepen onschuldige Palestijnen hadden gedood, zou ik ze zeggen dat ze geen haar beter zijn dan de moordenaar van mijn zoon.

Mijn lieve zoon Arik is vermoord door een Palestijn. Als de veiligheidstroepen zouden weten waar de moordenaar zich bevond en als hij omringd zou zijn door Palestijnse kinderen en andere onschuldige burgers, dan zou ik zeggen – zelfs als de veiligheidstroepen wisten dat de moordenaar een nieuwe moordaanslag aan het voorbereiden was die hij over een paar uur zou plegen, en zelfs als ze nu de gelegenheid hadden een terroristische aanval op onschuldige Israëlische burgers te verhinderen, wat evenwel ten koste van het leven van onschuldige Palestijnen zou gaan – dan nog zou ik zeggen tegen de veiligheidstroepen dat ze geen wraak moesten zoeken maar moesten proberen de dood van onschuldige burgers te verhinderen, of dat nu Israëli's zijn of Palestijnen.

Ik wil liever dat er een vinger aarzelt om de trekker over te halen of te drukken op de knop die een bom laat vallen op de moordenaar van mijn zoon, dan dat er onschuldige burgers omkomen. Ik zou tegen de veiligheidstroepen zeggen: Spaar de moordenaar. Breng hem liever voor een Israëlische rechtbank. Jullie zijn geen rechters. Jullie enige motief zou niet wraak moeten zijn, maar het verhinderen van kwaad dat onschuldige burgers wordt aangedaan.

Moraal is niet zwart-wit, maar helemaal wit. Moraal moet losstaan van wraakzucht en overhaasting. Ethiek kun je niet overlaten aan een onnadenkend of schietgraag persoon. Onze morele waarden hangen aan een zijden draadje, overgeleverd aan elke soldaat en politicus. Ik ben er absoluut niet zeker van dat ik mijn ethiek aan hen wil overdragen.

Het is moreel verwerpelijk om onschuldige vrouwen en kinderen te doden, of ze nu Israëlisch of Palestijns zijn. Het is ook moreel verwerpelijk om een andere natie te onderdrukken en ertoe te brengen dat ze haar menselijkheid verliest. (…)

Als een natie zichzelf geen grenzen stelt, zal ze vroeg of laat onethische maatregelen nemen tegen haar eigen volk.

Wij hebben onze morele waarden al lang voor de zelfmoordaanslagen uit het oog verloren. Het breekpunt kwam toen we een andere natie begonnen te overheersen. Mijn zoon Arik is geboren in een democratie waarin het mogelijk was een gewoon, rustig leven te leiden. De moordenaar van Arik is geboren onder een verschrikkelijke bezetting, in een morele chaos. Als mijn zoon op zijn plaats geboren was, had hij uiteindelijk misschien hetzelfde gedaan. Als ik zelf geboren was in de politieke en morele chaos die de dagelijkse realiteit van de Palestijnen is, had ik beslist geprobeerd de bezetter te doden en te schaden; anders zou ik een verrader zijn van mijn eigen vrijheid als mens.

Laten al die mensen die zo tevreden met zichzelf zijn en het over meedogenloze Palestijnse moordenaars hebben, eens objectief in de spiegel kijken en zich afvragen wat ze zouden doen als zíj onder een bezetting moesten leven. Ik, Yitzak Frankenthal, was zonder enige twijfel een vrijheidsstrijder geworden en zou zoveel mogelijk tegenstanders hebben gedood. Het is juist die perverse schijnheiligheid van ons die de Palestijnen ertoe drijft ons onafgebroken te bestrijden: die dubbelheid die ons in staat stelt ons te laten voorstaan op de zeer hoogstaande morele waarden van onze militairen, terwijl die militairen ondertussen onschuldige kinderen vermoorden. Deze gebrekkige moraal móét ons wel corrumperen.

Mijn zoon Arik is gedood toen hij soldaat was, door Palestijnse strijders die geloofden in de ethische basis van hun strijd tegen de bezetting. Mijn zoon Arik is niet gedood omdat hij joods was, maar omdat hij deel uitmaakte van een natie die het gebied van een ander bezet houdt.

Ik weet dat deze dingen niet prettig zijn om te horen, maar ik moet ze luid en duidelijk uitspreken omdat ze uit mijn hart komen – het hart van een vader wiens zoon om het leven is gekomen omdat de mensen van zijn land verblind waren door macht. Hoe graag ik het ook zou willen, ik kan niet zeggen dat de Palestijnen schuldig zijn aan de dood van mijn zoon. Dat zou een uitvlucht zijn, terwijl de schuld bij ons, Israëli's, ligt, vanwege de bezetting. Als we weigeren rekening te houden met deze verschrikkelijke waarheid, zal dat ons uiteindelijk naar de vernietiging leiden.

De Palestijnen zullen ons niet verjagen – ze erkennen ons bestaan allang. Zij waren bereid vrede met ons te sluiten, maar wij niet met hen. Wij willen hen eronder houden; wij verergeren de situatie in de regio en houden de cyclus van het bloedvergieten in stand. Het spijt me dat ik het moet zeggen, maar de schuld hiervan ligt geheel bij ons.

Het is niet mijn bedoeling de Palestijnen vrij te pleiten, en al helemaal niet om aanvallen op Israëlische burgers goed te praten. Er is geen enkel excuus voor aanvallen op burgers. Maar wij treden als bezettingsmacht de menselijke waardigheid met voeten, wij vertrappen de vrijheid van de Palestijnen en drijven een hele natie tot de waanzin van deze wanhoopsdaden.'

The Ethics of Revenge

Bijlagen

Chronologie

November 1917: Lord Balfour, de Britse minister van Buitenlandse Zaken, kondigt aan dat zijn regering 'welwillend staat tegenover de stichting in Palestina van een nationaal tehuis voor het joodse volk'.

1920: Rellen in Jeruzalem tegen de joodse immigratie.
Oprichting van de Haganah, een organisatie van joodse milities en de voorloper van het toekomstige Israëlische leger.

1922: De Volkerenbond draagt het mandaat over Palestina, vroeger onderdeel van het Ottomaanse Rijk, aan Groot-Brittannië over.

1929: Rellen in heel Palestina tegen de toename van de joodse immigratie en de aankoop van land door het Joods Nationaal Fonds.

1936-1939: De 'grote Palestijnse opstand' tegen de toename van de joodse immigratie en het Britse voorstel Palestina in tweeën te delen, in een joods deel en een Arabisch deel. Voor het eerst nemen zionistische groeperingen hun toevlucht tot het wapen van het terrorisme. De Irgun, geleid door Menachem Begin, brengt bommen tot ontploffing in openbare ruimtes en doodt tientallen mensen.

Mei 1939: Aan de vooravond van de oorlog stelt Londen voor in Palestina een staat te stichten waarin joden en Arabieren de macht delen, een voorstel dat zowel door de Palestijnse als de joodse leiders verworpen werd. Om zich de Arabische steun te verwerven tegen het nazi-regime besluit Londen de joodse immigratie en het aankopen van grond door de zionisten te beperken.

Voorjaar 1942: De zionistische wereldorganisatie eist officieel niet langer een nationaal joods tehuis in Palestina, maar de stichting van een joodse staat die heel Palestina omvat, en vrijheid van immigratie.

337

Juli 1946: Aanslag door de Irgun op het King David Hotel, het Britse hoofdkwartier, waarbij ca. honderd doden vallen.

29 november 1947: Geschokt door het lot van de overlevenden van de holocaust neemt de Algemene Vergadering van de Verenigde Naties resolutie 181 aan, waarin bepaald wordt dat Palestina wordt opgedeeld in een joodse staat (55 procent), een Arabische staat en een zone rond Jeruzalem die onder internationaal gezag staat.

Protesten van Palestijnen, die gedurende de oorlog tienduizenden vluchtelingen hebben opgenomen maar weigeren hun land te delen.

Voorjaar 1948: De joodse milities verdrijven middels terreur de Palestijnen uit hun dorpen.

9-10 april 1948: Het door joodse milities aangerichte bloedbad op ongeveer honderd Palestijnse boeren in het dorp Deir Yassin is het begin van de vlucht van tienduizenden burgers. Gedurende de hele lente en zomer van 1948 vallen joodse milities dorpen aan: ze verwoesten er 370.

14 mei 1948: David Ben Gurion kondigt de geboorte aan van de staat Israël.

15 mei 1948: De Arabische legers verwerpen het verdelingsplan en vallen Palestina binnen.

Nederlaag van de Arabische legers: ca. 800.000 Palestijnen worden vluchtelingen.

11 december 1948: Resolutie 194 van de Verenigde Naties bepaalt het recht van vluchtelingen om naar hun huizen terug te keren of anders het recht op een schadevergoeding.

1949: Er wordt een wapenstilstand getekend tussen Israël en de Arabische staten. De oppervlakte van Israël is nu 78 procent van Palestina, een toename met 23 procent vergeleken met wat Israël was toebedacht in de resolutie van de Verenigde Naties.

Mei 1964: Oprichting in Jeruzalem van de PLO, de Organisatie voor de Bevrijding van Palestina, waarvan de Fatah de gewapende vleugel is.

1 januari 1965: Eerste militaire actie van de Fatah in Israël.

Juni 1967: De Zesdaagse Oorlog, waarbij Israël de hele rest van Palestina bezet (de Westelijke Jordaanoever, de Gazastrook en Oost-Jeruzalem), alsmede de Egyptische Sinaï en de Syrische Golan.

22 november 1967: De Verenigde Naties nemen resolutie 242 aan, die het bestaansrecht en het recht op veiligheid van Israël erkent, maar tegelijk eist dat 'de gewapende troepen zich terugtrekken uit de bezette gebieden'. Dat is het principe: vrede in ruil voor gebieden.

Februari 1969: Yasser Arafat wordt voorzitter van het Uitvoerend Comité van de PLO.

Oktober 1973: Yom Kippur-oorlog.

Maart 1977: De Palestijnse Nationale Raad accepteert voor het eerst de gedachte aan een onafhankelijke Palestijnse staat die zich slechts tot een deel van Palestina uitstrekt.

September 1978: Ondertekening van de akkoorden van Camp David tussen Egypte en Israël.

Juni 1982: Israël valt Libanon binnen. In september de slachting van ca. 2000 mensen in de vluchtelingenkampen Sabra en Shatila.

December 1987: Aanvang in Gaza en vervolgens op de Westelijke Jordaanoever van de eerste intifada, of 'opstand van de stenengooiers'.

November 1988: De PLO roept de staat Palestina uit, erkent de resoluties 181 en 242 van de Verenigde Naties en herbevestigt zijn veroordeling van terrorisme.

9-10 september 1993: Wederzijdse erkenning van Israël en de PLO.

13 september 1993: Akkoorden van Oslo. Rabin en Arafat tekenen op het Witte Huis de principeverklaring over de tijdelijke regeling van de autonomie in de Palestijnse gebieden, een proces dat in april 1999 voltooid moet zijn.

25 februari 1994: Baruch Goldstein vermoordt negenentwintig Palestijnen die aan het bidden zijn in de moskee van Hebron. De Palestijnse organisatie Hamas kondigt aan dat zij van nu af aan aanvallen zal uitvoeren op burgers.

24 april 1994: De Palestijnse Nationale Raad schrapt alle artikelen betreffende het bestaansrecht van Israël uit het handvest.

4 mei 1994: In Caïro wordt een akkoord getekend over de autonomie van de Gazastrook en de stad Jericho.

1 juli 1994: Triomfantelijke terugkeer van Yasser Arafat naar Gaza.

28 september 1995: Na enkele maanden van rust tekenen Arafat en Rabin te Washington de akkoorden van Oslo 2, over de omvang van de Palestijnse autonomie op de Westelijke Jordaanoever.

4 november 1995: Moord op Rabin, gepleegd door een Israëlische extreemrechtse orthodoxe student.

December 1995: Israël trekt zich terug uit de zes grote steden van de bezette gebieden, behalve Hebron.

20 januari 1996: Arafat wordt gekozen tot president van de Palestijnse Nationale Autoriteit (PNA).

Februari-maart 1996: Na een periode van rust vermoordt de Israëlische geheime dienst Ayach, de springstofspecialist van Hamas, een extremistische Palestijnse groepering die gezegd had te zullen stoppen met aanslagen. De terroristische acties beginnen weer, ze veroorzaken meer dan honderd doden en destabiliseren de regering van Peres, die Rabin was opgevolgd.

29 mei 1996: Netanyahu en zijn coalitie van rechts en extreemrechts behalen de verkiezingsoverwinning in Israël.

27 september 1996: Opening van een tunnel onder de Tempelberg/het Plein der Moskeeën leidt tot de ernstigste ongeregeldheden in de bezette gebieden sinds de intifada van 1993.

September 1997: Arafat geeft de Palestijnse politie opdracht tot sluiting van zestien kantoren en verenigingen die gelieerd zijn aan Hamas.

4 mei 1999: Het einde van de tijdelijke periode van Palestijnse autonomie zoals voorzien in de akkoorden van 13 september 1993. De PLO accepteert het om een onafhankelijke Palestijnse staat pas uit te roepen na de Israëlische verkiezingen.

17 mei 1999: Verkiezing van de socialistische kandidaat Ehud Barak.

4 januari 2000: Terugtrekking uit 4 procent van de Westelijke Jordaanoever, in plaats van uit de beloofde 10 procent.

21 maart 2000: Israël draagt 6,1 procent van de Westelijke Jordaanoever over aan de Palestijnen. De Palestijnse Autoriteit oefent nu het volledige gezag uit over 17,1 procent van de Westelijke Jordaanoever, en een gedeeltelijk gezag over 23,9 procent. Israël behoudt de totale controle over 59 procent van de Westelijke Jordaanoever en 30 procent van Gaza.

11-24 juli 2000: Onderhandelingen in Camp David tussen Barak, Arafat en Bill Clinton. Mislukking.

28 september 2000: Ariel Sharon bezoekt onder zware politiebegeleiding het Plein der Moskeeën/de Tempelberg in Jeruzalem.

29 september 2000: Hevige schermutselingen op het Plein der Moskeeën. Op het gooien van stenen reageert de politie met rubberkogels en echte kogels. Zeven Palestijnen worden gedood. Begin van de tweede intifada.

30 september 2000: In de Palestijnse gebieden beantwoorden Israëlische soldaten het gooien van stenen met echte kogels. Veertien doden en honderden gewonden op de Westelijke Jordaanoever en in Gaza, waar het overlijden van een twaalfjarige jongen, Mohammed al-Durra, in de armen van zijn vader, het symbool wordt van de intifada.

Oktober 2000: In Israël worden vreedzame betogingen van Israëlische Arabieren tegen de gebeurtenissen op het Plein der Moskeeën de kop ingedrukt door het leger, dat dertien doden en honderden gewonden maakt.

1-2 oktober 2000: Op de Westelijke Jordaanoever en in Gaza schieten pantserwagens en aanvalshelikopters op jongeren die gewapend zijn met stenen en molotovcocktails. Circa dertig doden aan Palestijnse kant, onder wie een baby, en honderden gewonden.

De Veiligheidsraad veroordeelt het buitensporig machtsvertoon van het Israëlische leger.

12 oktober 2000: In Ramallah worden twee Israëlische soldaten gelyncht. Als reactie, luchtaanvallen op Palestijnse steden en blokkades.

Volgens de Israëlische mensenrechtenorganisatie Betselem, zijn er tussen 29 september en 12 oktober twee Israëlische burgers en vijf soldaten gedood in de bezette gebieden, maar viel er geen enkel slachtoffer in Israël zelf, terwijl er in de bezette gebieden vijfenvijftig Palestijnse burgers en veertien leden van de veiligheidsdienst zijn gedood.

2 november 2000: Eerste aanval tegen burgers in Israël: twee doden en tien gewonden in Jeruzalem.

21-27 januari 2001: De onderhandelingen van Taba tussen Israëli's en Palestijnen schijnen eindelijk een oplossing nabij te brengen, maar Ehud Barak besluit de onderhandelingen op te schorten.

6 februari 2001: Sharon wordt gekozen tot minister-president met 62,5 procent van de stemmen. Hij is gekant tegen de akkoorden van Oslo en begint een streng onderdrukkings-beleid.

De akkoorden van Oslo en de zones A, B, C en D

13 september 1993 – 28 september 1995

De akkoorden van Oslo, ondertekend in Washington op 13 september 1993 door Yasser Arafat en de Israëlische minister-president Yitzak Rabin, stellen een tijdspad voor de onderhandelingen vast dat loopt tot april 1999, datum waarop de definitieve status van de Palestijnse, door Israël in 1967 bezette, gebieden vastgesteld moet zijn.

Het akkoord van Oslo 1, getiteld 'Eerst Gaza en Jericho', maakt op 13 april 1994 de terugtrekking mogelijk van de Israëlische strijdkrachten uit de stad Jericho en uit de Gazastrook (behalve de 30 procent die gereserveerd is voor de kolonisten).

Het akkoord van Oslo 2, getekend in Washington op 28 september 1995, gaat over de uitbreiding van de Palestijnse autonomie tot aan de Westelijke Jordaanoever.

Hiertoe worden de Westelijke Jordaanoever en de Gaza-strook in drie zones geknipt: Zone A omvat 3 procent van de Westelijke Jordaanoever en ongeveer twee derde van de Gaza-strook. In deze zone is de Palestijnse Nationale Autoriteit verantwoordelijk voor de burgerzaken en de veiligheid.

Zone B, 24 procent van de Westelijke Jordaanoever, een voornamelijk agrarische zone, omvat veel dorpen waar de Palestijnse Autoriteit verantwoordelijk is voor burgerzaken, terwijl het Israëlische leger de veiligheid bewaakt.

Zone C, 73 procent van de Westelijke Jordaanoever met alle joodse nederzettingen, de Israëlische militaire bases en de staatsgronden, vallen onder Israëlisch gezag.

Zone D bestaat uit de grenzen, hoofdwegen en punten waar de veiligheidstroepen voor de joodse nederzettingen gestationeerd zijn, en valt onder het gezag van Israël.

Maar de Israëlische regeringen zullen zich niet houden aan het tijdspad voor de verschillende etappes. In april 1999, als de Westelijke Jordaanoever en Gaza hun definitief statuut moeten krijgen, controleert de Palestijnse Autoriteit de facto slechts 7 procent van de Westelijke Jordaanoever, met inbegrip van de grote steden en twee derde van de piepkleine Gazastrook.

Ehud Barak, in mei 1999 gekozen tot minister-president, geeft voorrang aan de kwestie Syrië, ten koste van het Palestijnse vraagstuk. Als hij er zich eindelijk over wil buigen, voorjaar 2000, heeft hij geen meerderheid meer en is het wantrouwen van de Palestijnen sterk toegenomen. Zij beheersen slechts 17,1 procent van de Westelijke Jordaanoever en oefenen het burgerlijk gezag uit over 23,9 procent.

Dan besluit Barak tot het houden van een topconferentie om in één keer alle nog hangende zaken te regelen. Yasser Arafat is van mening dat dit niet realistisch is, maar gaat uiteindelijk, op aandringen van president Clinton, akkoord.

Dit worden de onderhandelingen van Camp David 2.

Camp David 2

11-25 juli 2000

Er bestaan veel verschillen van inzicht tussen Israëli's en Palestijnen, waardoor de onderhandelingen mislukken. De schuld ervan wordt bij Yasser Arafat gelegd, die de 'genereuze voorstellen' van Israël niet zou hebben willen accepteren, zoals de stichting van een Palestijnse staat op 95 procent van de Westelijke Jordaanoever en in de gehele Gazastrook, met Oost-Jeruzalem als hoofdstad. Nog steeds volgens deze interpretatie zou de president van de Palestijnse Autoriteit zo halsstarrig zijn blijven aandringen op de terugkeer van miljoenen Palestijnse vluchtelingen dat de kansen op een historische vrede al gauw verkeken waren.

Sindsdien klinken er diverse andere geluiden over wat zich in Camp David heeft afgespeeld.[87] De stem van Robert Malley, speciaal adviseur van president Clinton voor Israëlisch-Arabische vraagstukken, de stemmen van drie Israëlische adviseurs, Oded Eran, Amnon Lipkin-Shahak en Ami Ayalon, alsmede die van Charles Enderlin, wiens werk *Le Rêve brisé* gebaseerd is op ontmoetingen met alle onderhandelaars.

In feite zou de Palestijnse staat die Ehud Barak voor ogen stond slechts een beperkte soevereiniteit gehad hebben: Israël zou 9 procent van de Westelijke Jordaanoever annexeren voor zijn nederzettingen en in ruil daarvoor 1 procent Israëlische grond afstaan. En het wilde langdurig ca. 10 procent langs de Jordaan 'huren', wat Palestina van Jordanië zou scheiden. De nieuwe

---

87. Zij bevestigen het verhaal van een van de Palestijnse onderhandelaars, Akram Haniyyé.

Palestijnse staat – die toch al niet meer dan 22 procent van het oorspronkelijke Palestina zou beslaan (78 procent was al aan Israël verloren in 1948; de Palestijnen maakten nog slechts aanspraak op de 22 procent die sinds de oorlog van 1967 bezet is – werd dus ook nog eens 19 procent ontnomen.

Als anderzijds de twee grote blokken nederzettingen (met 8 procent van alle kolonisten) bij Israël gevoegd werden, zouden die de Westelijke Jordaanoever in drieën delen, wat het gebied zou beletten een geheel te vormen, iets wat toch de onmisbare basis is voor de stichting van een staat.

Voor Oost-Jeruzalem (het Arabische gedeelte van Jeruzalem) had Barak een historische concessie gedaan door de Palestijnen een zekere soevereiniteit te gunnen. Maar dit gold voor de buitenwijken, zoals Shuafat en Beit Hanina. De centraal gelegen wijken Sheik Jarah, Silwan en Ras al-Amud zouden slechts een functionele autonomie krijgen, onder Israëlische soevereiniteit.

En wat het Plein der Moskeeën betreft, dat mochten de Palestijnen alleen bewaken, terwijl de Israëli's er de soevereiniteit over zouden behouden.

Ten slotte zou Israël ook de controle behouden over de buitengrenzen van de Palestijnse staat, waarbij het zijn strijdkrachten in het oosten zou legeren aan de grens met Jordanië en in het zuiden aan de grens met Egypte.

Over de centrale vraag naar de toekomst van de vluchtelingen was niets concreets afgesproken, de Israëlische delegatie had het alleen even over een 'goede oplossing' gehad.

Het overleg van Taba

21-27 januari 2001

Ondanks de mislukking van Camp David 2 gaan de onderhandelingen door, en de ploegen treffen elkaar weer in de laatste week van januari in Taba in Egypte.

In het slotcommuniqué van 27 januari 2001 bevestigen partijen dat zij nog nooit zo dicht bij een akkoord zijn geweest. De rapporten die zijn uitgebracht over de vier belangrijkste onderwerpen (gebied, Jeruzalem, veiligheid en vluchtelingen) bevestigen dit: de Israëlische delegatie stelt voor om 94 procent van de Westelijke Jordaanoever terug te geven en in ruil voor de 6 procent die zij zo annexeert (en waar zich thans de meeste kolonisten bevinden) het equivalent van 3 procent af te staan in Israëlisch gebied, plus 3 procent voor een 'veilige doorgang' tussen de Westelijke Jordaanoever en Gaza. Ze accepteert ook het vertrek van de kolonisten uit het hart van Hebron en de ontmanteling van de paar nederzettingen die zich dan nog op Palestijns grondgebied bevinden. Ten slotte wordt teruggekomen van de bij Camp David 2 gestelde eisen en ziet Israël af van de Jordaanvallei.

De Palestijnse delegatie van haar kant is bereid 2 procent van de Westelijke Jordaanoever af te staan (met ongeveer 65 procent van alle kolonisten) in ruil voor gebieden met eenzelfde oppervlakte (de Israëli's bieden zandduinen in Halutza, in de Negevwoestijn, op de grens met Gaza). De ontruiming zou snel moeten gebeuren, binnen drie jaar volgens Israël, binnen achttien maanden volgens de Palestijnen.

De standpunten over de verdeling van de soevereiniteit te Jeruzalem naderen elkaar ook. De Israëli's accepteren dat de stad Jeruzalem de hoofdstad wordt van beide staten: Yerushalaim (West-Jeruzalem) de hoofdstad van Israël, en al-Quds

(Oost-Jeruzalem) de hoofdstad van Palestina. In Oost-Jeruzalem worden de Arabische wijken geïntegreerd in de Palestijnse staat, en de Palestijnen accepteren dat de wijken die Israël sinds 1967 geannexeerd heeft, Israëlisch blijven.

Wat de Heilige Plaatsen betreft, eisen de Palestijnen de soevereiniteit op over Haram al-Sharif, het Plein der Moskeeën, en de Israëli's over de gehele Westmuur met inbegrip van de Klaagmuur. De onderhandelaars bestuderen diverse suggesties waaronder die om de soevereiniteit van de Heilige Plaatsen voor een bepaalde tijd over te dragen aan de vijf permanente leden van de Veiligheidsraad plus Marokko.

Ook over de veiligheid naderen de standpunten elkaar. De Palestijnen accepteren een beperking van de bewapening van hun staat alsmede het onder bepaalde voorwaarden inrichten van drie Israëlische alarmposten. De aanwezigheid van een internationale troepenmacht bij de grenzen wordt ook aanvaard.

Het vraagstuk van de 3,7 miljoen Palestijnse vluchtelingen die verspreid zijn over Jordanië, Syrië, Libanon en de autonome gebieden vindt ook het begin van een oplossing (zie bijlage 'Het recht op terugkeer').

Deze reeds vergevorderde onderhandelingen worden op verzoek van Ehud Barak opgeschort vanwege de verkiezingscampagne. Met zijn keuze om begin december 2000 af te treden heeft Ehud Barak vervroegde verkiezingen afgedwongen, die worden vastgesteld op 6 februari 2001.

Om de resultaten van de afgelopen maanden niet te verliezen dragen beide delegaties Miguel Angel Moratinos, de speciale afgezant van de Europese Unie te Taba, op om voorlopige conclusies op te stellen. De Verenigde Staten bevinden zich in de overdracht van het presidentschap en hebben niemand afgevaardigd. Maar eenmaal aan de macht weigert Ariel Sharon elke onderhandeling en maakt zich daarentegen juist op om de intifada harder te onderdrukken.

Het recht op terugkeer

Op het eerste gezicht lijkt de kwestie van het recht op terugkeer volkomen onoplosbaar, en de Israëlische regeringen voerden dit argument steeds weer aan als een van de belangrijkste redenen waarom het onmogelijk is tot een vergelijk te komen met de Palestijnen.

En inderdaad, er zijn bijna 3,7 miljoen Palestijnse vluchtelingen, verspreid over Syrië, Jordanië, Libanon en de autonome gebieden. Het zijn de afstammelingen van de diaspora van 1948, toen volgens de UNWRA bijna 800.000 mensen hun dorpen moesten ontvluchten, een derde naar de Westelijke Jordaanoever, een derde naar Gaza en nog eens een derde naar Jordanië, Syrië, Libanon en de rest van de wereld. Na de oorlog van 1967 was er weer een golf vluchtelingen, ongeveer 300.000 mensen, die ditmaal naar Jordanië vluchtten.

Resolutie 194 van de Verenigde Naties van december 1948 bepaalt dat 'vluchtelingen die naar huis terug willen en in vrede met hun buren willen leven het recht zouden moeten hebben dit zo snel mogelijk te doen'.

Israël weigert dit, met het argument dat het het evenwicht zou verstoren van de zionistische staat, een land dat gecreëerd is voor de joden.

Samen met het statuut van Oost-Jeruzalem is deze kwestie een van de belangrijkste struikelblokken voor de vredesonderhandelingen.

Maar tijdens het overleg van Taba in september 2001 kwamen de onderhandelaars veel dichter tot elkaar.

De Palestijnse delegatie stelde toen een verschil vast tussen recht op terugkeer, waarover niet onderhandeld kan worden, en de toepassing ervan, die onderworpen is aan vele aanpassingen.

De Israëlische delegatie aanvaardde deze gedachte en deed een tweeledig voorstel, principieel en praktisch.

Voor het eerst erkent Israël zijn verantwoordelijkheid voor het vluchtelingendrama, is bereid direct bij te dragen aan de oplossing van het probleem en bevestigt dat dit moet leiden tot de toepassing van resolutie 194.

Er zouden de vluchtelingen vijf mogelijkheden moeten worden geboden:
1. terugkeer naar Israël;
2. terugkeer naar de Israëlische gebieden die door Israël aan Palestina worden afgestaan;
3. terugkeer naar de staat Palestina;
4. vestiging in de verblijfplaats (Jordanië, Syrië, enz);
5. vertrek naar een ander land (diverse steden, onder andere in Canada, hebben al laten weten dat ze bereid zijn aanzienlijke contingenten Palestijnen toe te laten).

Israël stemt in met een terugkeer naar Israëlisch grondgebied, gespreid over een periode van vijftien jaar; 25.000 vluchtelingen zouden al terug mogen in de eerste drie jaar. De Palestijnen hebben geen cijfers genoemd, maar zeggen dat een aanbod dat minder dan 100.000 mensen betreft, geen voortgang biedt, hoewel zij tegelijkertijd bevestigen dat ze het joodse karakter van de staat Israël niet ter discussie willen stellen.

Een internationale commissie en een internationaal fonds zouden snel moeten worden ingesteld om de vluchtelingen schadeloos te stellen.

Dankwoord

Behalve de in dit boek genoemde mensen wil ik voor hun informatie en hulp ook mijn Israëlische vrienden Amnon Kapeliouk, Avraham Havilio, Uri Davis en Naomi Weiner en mijn Palestijnse vrienden Amina Hamchari, Camille en Sylvie Mansour, Yacub Odeh, Vera Tamari, Diala Husseini, Ghassan Abdallah, Issam, Leïla, Samira en Etedel bedanken, alsmede Farouk Mardam bey, Dominique Vidal en Benjamin Barthe.

Mijn bijzondere dank gaat uit naar de toenmalige consul van Frankrijk in Jeruzalem, ambassadeur Denis Pietton, voor zijn scherpzinnige analyses en de warme gastvrijheid die hij en zijn echtgenote Marla mij geboden hebben. Mijn dank gaat ook uit naar alle leden van het consulaat voor hun vriendelijkheid.

In Spanje bedank ik voor hun steun en waardevolle raad mijn redacteuren Mario Muchnik en zijn vrouw Nicole, en mijn broer Jean Roch en Marie-Louise Naville voor het feit dat ik mocht verblijven in hun zonnige huis.

In Frankrijk bedank ik mijn vrienden Jacques Blot, Janine Euvrard, Malika Berak, Rana Kabani en Ken Takasé voor hun aanmoediging en Jean-Michel en Frédérique Guéneau en Claude en Lisa Broussy voor het toevluchtsoord dat ze me steeds weer boden.

Mijn dank gaat ook uit naar Thierry Bleuze voor de talrijke keren dat hij me te hulp schoot in mijn strijd met de computer en naar Colette Ledannois, die altijd bereid was mijn teksten vol doorhalingen te ontcijferen en te tikken.

Dank, ten slotte, aan Sylvie Delassus van uitgeverij Robert Laffont dat ze mijn manuscript zo geduldig en vakkundig heeft herlezen.

Kenizé Mourad bij Uitgeverij De Geus

De tuin van Badalpur

De moeder van Zahr wil haar dochter behoeden voor het afgezonderde, strenge leven in India. Ze vlucht daarom met haar dochter naar Parijs. Zahrs vader, radja van Badalpur, probeert haar uit alle macht naar India te halen, maar zijn pogingen mislukken. Jaren later gaat Zahr zelf op zoek naar haar vader en haar Indiase afkomst. Ze raakt onder de indruk van de cultuur, maar stuit ook op veel sociale misstanden en komt daardoor in conflict met zichzelf. Vertaald door Maria Noordman.